LA LONGUE NUIT
D'EDEN CLOSE

ANITA SHREVE

LA LONGUE NUIT D'EDEN CLOSE

Traduit de l'américain
par Roxane Azimi

BELFOND

Titre original *EDEN CLOSE*,
Publié par Harcourt Brace Jovanovich, New York.

© 1989, by Anita Shreve.
© Belfond 1995, pour la traduction française.
ISBN : 2-266-11114-0

A John

1

Dans les pièces carrées, sombres, de l'ancienne ferme, l'air pesait aussi lourd que l'eau. La maison était silencieuse ; les sons, indistincts, feutrés, parvenaient comme à travers un tissu. À l'étage, dans la chambre du garçon, la pendule au-dessus du bureau égrenait les minutes juste après minuit. À côté, dans la chambre des parents, un vieux ventilateur ronronnait doucement, brassant l'air épais autour des dormeurs. Comme presque tous les soirs de cet été caniculaire, ils avaient proposé le ventilateur au garçon mais celui-ci, conscient pour la première fois de l'âge de ses parents, avait refusé.

Dans la maison, loin de la petite ville, Andy dormait sur le dos. Les lèvres entrouvertes, le corps moite dans la touffeur de la nuit d'août, il dormait mal. Un drap humide lui recouvrait le torse. Un torse osseux : les muscles viendraient plus tard. Il avait grandi durant l'été et, comme s'il avait poussé trop vite, il avait perdu la grâce de l'enfance. Il était si grand maintenant qu'il dépassait ses parents ; ses nouveaux membres écartelés sous le drap lui donnaient une allure dégingandée même dans son sommeil. Sa peau bronzée ne portait pratiquement plus aucune marque de l'adolescence. Ses cheveux épais châtain foncé, légèrement trop longs au goût de son père, étaient mouillés aux extrémités à cause de la chaleur. Il se retourna, entraînant le drap avec lui, comme pour dire à travers ses rêves : *Bon, d'accord, parlons d'autre chose.*

Le père du garçon, qui dormait à côté sur le ventre dans un maillot de corps et un short de boxeur, agita une main devant son oreille pour chasser un moustique. Près de lui, la mère était couchée sur le dos, comme son fils. Elle s'était entièrement découverte, mais elle portait un pyjama d'été rose. Sa tête était couverte de bigoudis. Repoussé par le père, le moustique atterrit sur sa cuisse, et elle remua la jambe, trop tard, dans son sommeil.

Derrière la moustiquaire dans la chambre du garçon, il n'y avait que l'obscurité. Elle enveloppait la petite ville, la route qui menait hors de la ville, les deux maisons posées à trois kilomètres au bord de cette route comme à la dernière minute, chacune n'ayant que l'autre pour lui tenir compagnie. À vingt mètres à peine l'une de l'autre, la première face à la route, la seconde, la sienne, au bout d'un court chemin de terre, orientée plein nord, donnant sur un champ de maïs en friche. L'obscurité, justement, était venue du nord pour engloutir la petite ville et la région où le garçon était né. Dans l'après-midi, des nuages couleur poussière avaient envahi le ciel comme une bouillie épaisse, voilant le soleil pour ne laisser que la chaleur, puis masquant la lune et les étoiles filantes de cette nuit d'août. Les ténèbres replièrent la chaleur sur elle-même et l'enfournèrent à travers les moustiquaires dans les chambres où dormaient le garçon et ses parents.

Plus tard, ils seraient tous en mesure d'affirmer avec certitude que les bruits avaient commencé à minuit dix. Le garçon se réveilla le premier, quelques secondes avant ses parents. Il entendit une femme crier et pensa, émergeant de sa torpeur moite, que ce devait être sa mère. Ensuite, pleinement réveillé, il comprit que cela venait du dehors, de l'obscurité au-delà de la moustiquaire. Il repoussa le drap de sa poitrine comme si le tissu l'empêchait de déchiffrer ce bruit extérieur. Peut-être entendit-il aussi, à travers le mur, son père ou sa mère se dresser dans leur lit. Comme lui, brusquement aux aguets.

Le deuxième bruit fut un cri rauque, presque un hurlement, d'homme, suivi immédiatement du piaillement effrayé d'une autre femme, encore une enfant, comme lui. Il entendit les pas de son père sur le plancher, le bruissement d'un pantalon, une fermeture Éclair... puis la voix étouffée de sa mère, anxieuse, inquisitrice. Le garçon rampa jusqu'au pied du lit, là où était la fenêtre. À quatre pattes, il scruta la nuit dans l'attente d'une explication.

Il y eut deux coups de feu, diraient-ils plus tard, lui et ses parents. Deux détonations si rapprochées qu'on eût cru, dans la quiétude de la nuit d'été, à une seule explosion déchirant l'air. Le garçon agenouillé se figea, les mains sur le rebord de la fenêtre. Il resta à genoux pendant les secondes de silence qui suivirent l'explosion, jusqu'à ce qu'il entende son père recommander d'une voix forte à sa mère de ne pas bouger. Puis il appela son fils à travers le mur. *Andy !* Il entendit son père ouvrir la porte du placard où il gardait le fusil sur une étagère. Sa propre porte s'ouvrit. Son père, en maillot de corps, le fusil à la main, dit : *Ne reste pas devant la fenêtre.* Le garçon l'entendit dévaler l'escalier et composer un numéro de téléphone en bas, dans le couloir.

Incapable de bouger malgré l'ordre de son père, le garçon fixait la nuit noire derrière la mousti-quaire. Alors il y eut le dernier bruit. Une plainte déchirante monta dans l'air, d'abord ténue comme une volute de fumée, une voix féminine, bien que quasi inhumaine, gagnant de l'ampleur dans un crescendo suraigu. Il imagina une femme, la bou-che ouverte, laissant couler d'elle ce maigre torrent de sons. Il entendit son père s'interrompre, écouter, puis reposer le combiné. Le hurlement perçant fendait la nuit. Le garçon frissonna et s'éloigna de la fenêtre. En bas, le chat sauta sur la table de la cuisine et se mit à cracher. Les corneilles et les oiseaux d'été, éveillés par les cris effrayants ou, peut-être, par les coups de feu, commencèrent à jacasser et à gazouiller. Et, à travers le mur, le garçon entendit sa mère qui disait, comme frap-pée d'une compréhension soudaine : *Oh ! Sei-gneur, oh ! mon Dieu.*

Andrew se réveille dans son lit d'adolescent. Il est désorienté. Le rêve s'attarde, net et lourd, le tire en arrière, créant la confusion entre la nuit des coups de feu, quand il avait dix-sept ans, et cette nuit-ci, qui suit l'enterrement de sa mère, alors qu'il a trente-six ans et qu'il dort seul dans la maison de ses parents pour la première fois de sa vie. Il se raccroche au rêve, se complaît dans le corps, dans les pensées du garçon, dans le fait d'entendre avec ses oreilles – ce dont il a été incapable pendant ces dix-neuf ans ; il se complaît même dans la peur, dans la faculté de sentir ce genre de peur lui grimper le long de l'échine.

Andy ! Il réentend le timbre exact de la voix de son père et le murmure étouffé, anxieux, de sa mère. Dans ce rêve, il y a des détails dont il ne se souvenait pas depuis dix-neuf ans. Il pense – brièvement, car il ne veut pas que ses pensées interrompent ou obstruent le processus de descente dans le rêve – que ce rêve a fonctionné à la manière de l'hypnose, lui permettant de voir ou d'entendre des choses depuis longtemps oubliées. En état de veille, il était incapable de voir, comme maintenant, son père plus jeune, les épaules encore musclées, l'étoffe de son maillot fine comme de la gaze, si différente des épais T-shirts de coton qu'il porte lui-même aujourd'hui. La barbe de minuit sur le visage de son père, son abdomen dur et plat sous le tricot de corps. En état de veille, il ne peut évoquer l'image de son père que comme il l'a vu peu avant sa mort : rasé de frais, la taille épaissie débordant de la ceinture, le torse affaissé, comme si on l'avait privé de son centre, de sa force. La plupart des images qu'il garde de la jeunesse de son père proviennent des photographies : poses, expressions figées, sans vie, sans voix, tout comme les premières années de son propre fils, semblent verrouillées à jamais sur les photos et les films que Martha, son ex-femme, a emportés avec elle. Son fils a sept ans maintenant, mais Andrew ne se rappelle plus avec précision sa façon de parler, ni ce qu'il disait à deux ou à quatre ans.

Il roule sur le lit, espérant replonger plus avant dans le sommeil, rendre au rêve sa réalité. Il sent une porte se refermer lentement. Le rêve s'enfuit ; il perd la sensation d'être jeune garçon, mais la porte n'est pas complètement fermée : il peut toujours distinguer certains détails. Il avait oublié, mais il revoit à présent comment les nuages étaient venus cet après-midi-là, peignant le ciel dans une couleur sinistre, conférant aux arbres et à la peau, à la tombée du jour, une teinte maladivement jaunâtre. Et il réentend le pépiement excité des oiseaux juste après minuit, alors que tout devrait être silencieux. Il avait oublié la façon dont son père tenait le fusil, pointé vers le sol, le long de sa jambe comme une béquille. Il avait oublié que sa mère portait des bigoudis au lit. Il avait oublié – mais comment peut-on retenir le son exact ? – la terrible stridence de ces cris de femme. À tout moment, durant ces années, il aurait pu dire que oui, une femme avait hurlé de douleur ou de terreur, mais il n'aurait su décrire ce hurlement. À l'occasion, quand il était plus jeune et qu'il cherchait à impressionner une nouvelle connaissance ou bien une femme, il lui racontait cet unique épisode marquant de son enfance : *Notre voisin a été assassiné quand j'avais dix-sept ans. Sa fille a été violée.* Mais jusqu'à ce rêve, il a été dans l'impossibilité de réentendre les sons.

Le rêve est-il exact ? se demande-t-il. Certaines

bribes n'ont-elles pas été rajoutées pour plus d'effet ou au nom d'une quelconque exacerbation psychique ?

Non, pense-t-il (ses pensées s'interposent, se bousculent, prenant le pas sur le sommeil), tous les détails sont véridiques, rien n'est altéré (sauf, peut-être, l'histoire du moustique qui a dû le piquer, *lui*, juste à l'instant et qui s'est glissé dans le rêve), mais comme un manuscrit publié, le rêve a laissé de côté certaines complications apparemment hors sujet.

Il avait oublié, mais il s'en souvient maintenant – et ce n'était pas dans son rêve – comment la chaleur et l'air pollué leur avaient tapé sur les nerfs ce jour-là, comme un grattement irritant sur la peau, poussant ses parents, plus tôt dans la soirée, à s'exprimer sur un ton inhabituellement hargneux. Il se souvient que ce soir-là, au dîner – un repas froid, décevant, fait de tranches de jambon et d'une salade de pommes de terre (il faisait trop chaud pour cuisiner, et même pour manger) –, quand sa mère lui proposa une fois de plus le ventilateur, il y avait une note d'exaspération dans sa voix, comme si elle prévoyait son refus d'avance et qu'elle en avait assez de ces triomphes insignifiants de son fils qui témoignaient de sa magnanimité en général. Il se souvient qu'après le repas, elle se leva en silence pour prendre la glace dans le réfrigérateur et qu'elle posa la boîte en carton à demi pleine sur la table. Le dessert paraissait avoir le goût de son emballage, et Andy n'en voulut pas, malgré la chaleur, malgré son habituelle prédilection pour le sucré. Il quitta la table et se dirigea vers la porte qu'il claqua un peu plus fort que

15

d'ordinaire. Et il courba la tête, au cas où son père rouvrirait la porte à la volée, furieux de la brusque saute d'humeur de son fils.

Mais son père resta à sa place, et Andy suivit le chemin de terre jusqu'à la route, les mains dans les poches, se disant qu'il partirait bientôt faire ses études dans le Massachusetts. Il arriva à la hauteur de la maison des Close. Comme la sienne, c'était un ancien bâtiment de ferme, presque trop nu, en lattis blanc. Des dizaines d'années plus tôt, les deux maisons avaient fait partie d'une même propriété familiale, formant un angle droit, proches par leurs perrons de derrière, pour permettre à deux frères de se rendre visite ou à une mère de surveiller sa nouvelle belle-fille. À présent, même si elles partageaient un chemin commun, les familles n'avaient aucun lien de parenté entre elles, hormis celui que peuvent tisser deux familles vivant loin de la ville. En vérité, en passant sur la route droite qui menait à la ville, on voyait au premier coup d'œil que les deux familles n'étaient pas apparentées. La première maison, proche de la route, bien que noyée dans une végétation luxuriante, et notamment une profusion d'hortensias bleus en août, était la plus délabrée des deux. Il y avait toujours de la peinture écaillée, un toit qui avait besoin de réparation, un volet abattu par un orage. Derrière, la maison orientée plein nord, la maison d'Andy, comme pour se dissocier de la négligence de l'autre, était soigneusement, sinon modestement entretenue : ses propres hortensias étaient taillés, ses pelouses tondues et rigoureusement fertilisées.

Mme Close travaillait alors comme infirmière

de nuit à l'hôpital central, et leur voiture, une Buick noire, n'était pas dans l'allée. Andy pensa, si tant est qu'il le pensa vraiment, qu'elle avait pris la voiture, et non le bus, pour aller travailler. (Plus tard – des heures, des jours plus tard ? – Andy sut qu'il s'était trompé. On lui dit, ou il entendit par hasard, que M. Close, pensant échapper à la chaleur, avait conduit sa femme au travail et gardé la voiture pour aller au cinéma. Puis il était revenu la chercher et l'avait ramenée à la maison quelques minutes après minuit.)

Andy avait pu se demander si Eden était à la maison avec son père ou si elle était sortie. Il fut incapable de dire plus tard s'il avait vu de la lumière et si oui, dans quelle pièce. Il essaya d'expliquer à la police qu'il passait devant cette maison, qu'il regardait cette maison une dizaine, une vingtaine de fois par jour, tous les jours de sa vie. Il ne pouvait donc pas affirmer avoir aperçu de la lumière au salon ou dans la salle de bains à l'étage à ce moment précis, et non plus tôt dans la soirée, quand il avait sorti les poubelles, ou bien carrément un autre soir, lorsqu'en passant devant sa fenêtre il avait regardé dehors.

Il s'approcha de la route et s'arrêta, regardant à droite et à gauche. Il n'avait pas de projets pour la soirée. Il portait un T-shirt blanc, un short bleu délavé et se laissait pousser les cheveux, malgré les commentaires désobligeants de son père, pour l'université. La route était plate à perte de vue. À cette heure-là, après le dîner, il y avait peu de circulation : un break familial dont les occupants partaient manger une glace, un grand garçon de son âge qui allait chercher sa petite amie, un homme se rendant en ville pour échapper à la vaisselle. Des étrangers empruntaient cette route également, allant de villes et villages qu'il ne connaissait pas vers d'autres villes et villages. À l'occasion, il pouvait y avoir un camionneur chargé d'une livraison nocturne à la sortie de l'autoroute.

De l'autre côté, dans la lumière ocre qui pâlissait progressivement, s'étendaient les champs de maïs d'une ferme en activité. La ferme elle-même se trouvait au bord d'une autre route, parallèle à la sienne. Quelquefois, Andy apercevait MacKenzie et son fils, Sam, sur des tracteurs, en train de labourer les champs. Sam ne pratiquait aucun sport à l'école parce que l'après-midi son père avait besoin de lui. Les champs aux tiges sèches et cassantes comme des épines s'étiraient sur plusieurs acres dans les deux directions, créant autour des maisons d'en face une atmosphère d'isolement plus grande encore en août qu'en décembre. Le maïs était une culture fourragère pour le bétail. Andy était content que son propre père ne fût pas fermier.

Ce soir-là, Andy se tenait seul au bord de la route. On n'entendait que l'aboiement lointain d'un chien, le vrombissement à peine perceptible d'une voiture sur l'autoroute, le cliquetis d'assiettes dans le bac à vaisselle, le robinet qui coulait dans la cuisine de sa mère. Il regarda vers l'est et vers le sud, au-delà des champs de maïs, comme il le faisait ces dernières semaines, depuis qu'il avait reçu par courrier la réponse favorable de l'université. Il pensait au départ et en même temps redoutait de partir. Déjà, il avait le sentiment de partir définitivement. Pourtant, dans les conversations avec sa mère, il parlait souvent de vacances, de Thanksgiving, de rentrer enseigner au collège universitaire. Mais il savait, même dans ces moments-là, que ce n'était pas vrai, qu'il rentrerait pour les fêtes de Thanksgiving, de Noël, et probablement pour ses premières vacances d'été, mais qu'en réalité, il ne reviendrait jamais plus. Son avenir se trouvait non pas derrière lui, dans les petites pièces de l'ancienne ferme, mais au-delà des champs de maïs qu'en ce mois d'août il n'arrivait pas à embrasser du regard.

Sa mère l'appela. Se retournant, il la vit dans l'encadrement de la porte, derrière la moustiquaire, auréolée par la lumière jaune de la cuisine. Il vit le sarrau rouge qu'elle portait pour couvrir ses seins lourds et son ventre ; le bas de son short lui serrait les cuisses. Et, du bord de la route, il vit aussi – à sa propre surprise – la femme plus jeune qu'elle avait été, comme s'il avait la certitude de les quitter toutes. Il vit la jeune femme des albums photo qu'elle gardait sur la table basse : ses cheveux longs et épais, le col blanc de sa photo d'écolière ; le satin ivoire de sa robe de mariée dans la tempête de neige au portail de l'église (son père tenait une veste de fourrure au-dessus de ses épaules) ; la vague expression de plaisir sensuel dans ses yeux tandis qu'elle berçait son nouveau-né, lui-même, dans ses bras. Il l'avait toujours trouvée belle sur les photos et, un instant, il fut étonné de constater – constater qu'il était *capable* de constater – que toute trace de beauté l'avait désertée. La délicate couleur des cheveux autrefois auburn avait cédé la place à des boucles courtes, d'un roux trop criard.

Ensuite, parce qu'il avait dix-sept ans, il fit une autre découverte... pensée qui existait sans doute à l'état latent et qui, comme beaucoup d'autres révélations qu'il avait eues cet été-là, avait enfin franchi le seuil de sa conscience : on avait beau aimer quelqu'un aussi fort qu'il aimait sa mère et qu'elle l'aimait lui, son unique enfant, on pouvait le quitter si nécessaire. On pouvait même avoir hâte de le quitter.

« Ton émission a commencé », dit sa mère derrière la moustiquaire.

Il rentra et monta se doucher pour faire disparaître l'odeur d'essence qui le poursuivait à cause de son travail d'été à la station Texaco. Après la douche, il redescendit au salon pour regarder le reste de l'émission avec ses parents. Non pas qu'il en eût envie (il aurait préféré être seul dans sa chambre), mais cela faisait partie des rites familiaux, de regarder la télévision ensemble avant d'aller au lit. Très sensible aux rites familiaux cet été-là, il ne voulait en enfreindre aucun. Il savait que bientôt, ses parents se sentiraient seuls sans lui et, bien qu'il lui arrivât de souhaiter la séparation, il évitait de songer au visage de sa mère ou au sourire crispé de son père après son départ. Il y avait eu un temps, pas si lointain, où les rites familiaux – les grandioses petits déjeuners de crêpes du dimanche matin, la complexe chorégraphie des vacances, le petit triangle de la table du dîner – avaient jalonné ses jours, ses semaines et ses années.

Oui, il le voit maintenant, son père avait déjà

enlevé sa chemise et ne portait plus que son maillot de corps et un pantalon. Sa mère, qui s'éventait avec un magazine, se leva pendant la pause publicitaire pour leur préparer à tous de la citronnade. (Curieusement, peu avant l'aube, ils s'assirent dans la cuisine pour finir ensemble la citronnade après le départ de la police et des ambulances. C'était typique de ses parents, de ne songer ni au whisky ni au cognac en cas de crise, contrairement à lui... *maintenant*.) Tout le monde alla se coucher après l'émission, à dix heures passées (il se souvient de l'avoir confirmé à la police). Son père remonta sa montre dans l'escalier, comme presque tous les soirs dans le souvenir d'Andrew. Sa mère hissa lourdement son poids marche par marche en se cramponnant à la rampe ; elle arriva en haut essoufflée. Et lui-même, léger comme l'air, grimpa l'escalier quatre à quatre, courant, bondissant : pour lui ce n'était pas un obstacle comme ce pouvait l'être pour ses parents.

Plus tard, après son départ de la maison, il se plairait à imaginer qu'il avait regardé par la fenêtre en attendant que l'unique salle de bains sur le palier fût libre, et qu'il avait ce soir-là pensé à Eden... qu'il s'était interrogé à son sujet ou qu'il avait vu sa silhouette bouger derrière la vitre. Mais, rétrospectivement, il lui fut impossible de déterminer s'il avait pensé à elle dans la soirée ou dans la matinée, ou encore en descendant du car qui le ramenait de la station Texaco. Eden faisait partie intégrante de son existence, au même titre que l'hortensia sous sa fenêtre, dont les grappes blanches sont en train de virer au rose saumon comme à la fin de chaque été ; ou que l'allure que sa mère avait le matin au petit déjeuner dans son peignoir de bain, sa tasse de café dans les mains, tandis qu'elle regardait par la fenêtre de la cuisine, semblant conclure, pensait-il, une sorte de trêve avec le temps et la manière dont s'annonçait la journée à venir. Il connaissait Eden depuis toujours et, bien qu'il fût trop jeune alors pour définir avec précision la nature du lien qui les unissait, il était ennuyé, à mesure que septembre approchait, de devoir la laisser seule.

Il s'aperçoit qu'il a tiré sur le drap pendant son rêve – pendant qu'il avait peur dans son rêve ? – et que celui-ci est roulé en tapon rugueux et humide sur sa poitrine. Il le porte à son visage et inhale son odeur de moisi ; cela doit faire des années que personne n'a dormi dans ce lit étroit à une place. Lorsqu'il venait en visite avec sa femme et son fils, ils dormaient tous les trois dans le lit double de la chambre d'amis à l'autre bout du couloir. C'était l'un de ses meilleurs souvenirs de ces visites, quand ils se blottissaient, enlacés, dans ce lit mou et bosselé. En règle générale, Martha était contre le fait de laisser Billy dormir avec eux (tous les ouvrages sur l'éducation, disait-elle, soulignaient le risque de dépendance que cela pouvait créer chez l'enfant). Ils s'en abstenaient donc, sauf dans ces rares et merveilleux moments.

Depuis son départ de la maison – et ses études à l'université, son mariage, la naissance de son fils et la séparation d'avec sa femme et son fils –, sa chambre avait subi l'évolution de toutes les chambres d'enfant lorsque l'enfant part pour ne plus jamais revenir. Au début, sa mère l'avait gardée intacte, posters et fanions aux murs, le bureau rangé, avec les livres et le papier buvard de son adolescence, les quelques vêtements qu'il n'avait pas emportés accrochés dans le placard. Ils y étaient toujours, avait-il constaté la veille, au moment de suspendre le costume gris anthracite qu'il avait porté à l'enterrement ; cependant, elle avait utilisé le placard pour elle-même, depuis quand, il n'en savait rien, pour y ranger ses tenues hors de saison, si tant est que l'on pût appliquer ce terme pompeux à des textiles synthétiques informes et criards avec des diamants orange, des rayures vertes et des fleurs roses sur les manches. Elle n'avait pas réussi à perdre le poids qu'elle s'était promis de perdre et, jusqu'à son dernier jour, elle avait affectionné les grandes blouses amples qui camouflaient ses hanches et ses cuisses empâtées.

Sur le bureau trône à présent sa machine à coudre et, au lieu des vieux stylos et des carnets à moitié pleins qu'il conservait naguère dans le tiroir de droite, il a trouvé la veille un assortiment de bobines, d'échantillons de tissu et d'aiguilles. Il y avait d'autres pièces où elle pouvait coudre : le jardin d'hiver en bas, très lumineux, ou bien la chambre d'amis. Peut-être avait-elle cherché un prétexte pour être dans cette pièce, pour y savourer les vestiges de la présence de son fils. Ou alors, simplement, elle aimait voir l'est s'éclairer de bon matin. Ou elle souhaitait voir l'autre maison, pour s'assurer qu'elle n'était pas complètement seule. Il essaie d'imaginer l'effet que cela peut faire d'avoir une famille, puis d'assister à sa dislocation : lui parti, et jamais réellement revenu, sauf en visite ;

son père l'abandonnant cinq ans plus tôt, terrassé par une crise cardiaque. Il a vécu la même chose – quand Martha et Billy l'ont quitté –, mais cela s'est fait plus rapidement, et sans la dignité de ces échéances naturelles. Il n'avait pas eu le temps de se définir par rapport à la famille qu'il avait fondée ni de s'enraciner quelque part.

La nuit lourde, silencieuse, se moque du rêve, joue à le faire sombrer puis à le faire affleurer à la surface de sa conscience. Il se demande si c'est le temps, semblable à la nuit de la fusillade, qui a provoqué le rêve, ou si c'est la coïncidence de se retrouver seul dans ce lit. Ou a-t-il besoin de sentir ses parents jeunes et vivants à nouveau, et ce rêve vient obligeamment, à point nommé pour remplir cet office ? C'est un bonheur mitigé, pense-t-il, que de pouvoir retenir son passé l'espace de quelques instants. Cela lui arrive quand il rêve de Martha telle qu'elle était (tels qu'ils étaient tous les deux) quand il l'a rencontrée. Il émerge de ces visions érotiques de sa femme comme plongé dans un bain tiède, aussitôt refroidi par les signes avant-coureurs de la réalité : une cravate accrochée à un miroir, un attaché-case sur un bureau, des draps qu'il n'a pas lavés.

Il lance ses pieds sur le plancher et arque les épaules. Il a légèrement mal au dos ; il n'a plus l'habitude de lits aussi mous. Maintenant que Billy n'est plus là, il fait peu d'exercice, même si, malgré cette négligence, son corps reste passablement mince. Et, heureusement, il a toujours ses cheveux. Son père, dont Andrew a hérité une épaisse crinière sombre – ainsi que ses yeux gris clair –, est devenu chauve de bonne heure. Andrew n'en est pas sûr, mais il pense que son père a perdu ses cheveux vers l'âge de quarante-cinq ans.

À côté du lit, sur une table, il aperçoit les somnifères. Après l'enterrement, le Dr Ryder, le médecin de sa mère, lui a glissé une fiole dans la paume. Andrew imagine le médecin avec un tas de fioles similaires, tout un tiroir peut-être, qu'il garde pour l'occasion, geste semblable à celui d'un prêtre avec les images pieuses, ou celui d'un vendeur de voitures qui vous remet un calendrier quand vous quittez sa salle d'exposition. Mais en cet instant, il n'a pas envie de somnifère. Il ne tient pas en place.

Quatre jours plus tôt, il se trouvait dans la salle de projection à l'autre bout du vingt-septième étage, en train de visionner la vidéocassette d'une publicité pour un analgésique que fabrique sa société, lorsque Jayne, sa secrétaire, reçut le coup de fil. La cassette était particulièrement mauvaise et, malgré l'air conditionné, il transpirait légèrement quand il regagna son bureau. Au moment où il allait franchir la porte, Jayne s'approcha de lui, les mains jointes devant elle en un geste qui ne lui était guère familier. « J'ai une mauvaise nouvelle pour vous, fit-elle doucement.

— Billy ? » questionna-t-il aussitôt. Déjà l'adrénaline affluait vers les extrémités de ses doigts.

Jayne secoua rapidement la tête. Andrew reprit sa respiration. Il pensait pouvoir tout endurer, sauf une mauvaise nouvelle concernant Billy qui avait le don de collectionner les accidents : déjà une dent ébréchée, un poignet cassé et une cicatrice au-dessus de l'arcade sourcilière droite. Depuis que l'enfant n'était plus placé sous sa responsabilité, les craintes d'Andrew suivaient une courbe exponentielle. C'était comme ces accès de panique qu'il éprouvait quelquefois en avion.

« Je suis vraiment navrée, dit Jayne. C'est votre mère. Elle a eu une attaque juste après le petit déjeuner et elle est morte presque sur le coup. Une certaine Mme Close a téléphoné pour vous prévenir, mais je n'ai pas voulu vous l'annoncer dans la salle de projection. Elle a dit de la rappeler. J'ai le numéro. »

Andrew s'assit. Il se souvient que ses doigts n'arrivaient plus à tenir un stylo, que déjà une sorte d'engourdissement l'envahissait, un sentiment d'incrédulité quant à la réalité de l'événement. Il n'avait pas besoin du numéro, dit-il à Jayne. Il le connaissait par cœur depuis l'âge de quatre ans ; on le lui avait appris en cas d'urgence et, plus tard, il s'en était servi pour téléphoner à Eden.

Bien que cette conversation remonte à quelques jours seulement, encore maintenant, Andrew n'est pas certain de s'être pleinement rendu compte de la situation. Le chaos d'un enterrement engendre une confusion mentale que l'on peut choisir de ne pas quitter. Il s'est senti tour à tour reconnaissant que sa mère ait eu une fin aussi facile, aussi rapide ; triste à l'idée qu'elle ait pu, même dans ces conditions, voir venir sa mort, ne serait-ce qu'une fraction de seconde, et l'appeler, lui, son fils unique ; soulagé de ne plus avoir à penser à la solitude de sa mère ; et horrifié d'avoir hérité de ce fardeau de solitude intégrale. Il n'a plus de parents, plus de famille à lui où il puisse revenir, où l'on crée des rites.

Il va d'une pièce à l'autre, allumant les lumières sur son passage, vêtu en tout et pour tout d'un short. Les sentiments contradictoires sont venus par bouffées, l'assaillant à l'improviste pour céder la place à cette curieuse sérénité que lui a toujours procurée le fait de vaquer à ses occupations. En bon secrétaire pour lui-même, il a dressé des listes : listes de gens à appeler et de tâches à accomplir avant ce jour, le jour de l'enterrement, et une longue liste de corvées à expédier avant de pouvoir quitter la maison et la petite ville. Cette liste contient des notes telles que *appeler commissaire-priseur, appeler agences immobilières, réparer gouttières, sélectionner souvenirs.* Il suppose que le tri, la vente du mobilier aux enchères, les menues réparations dans la maison et sa mise en vente lui prendront une semaine. Il a donc téléphoné à Martha pour lui dire qu'il resterait là encore huit jours. Quand elle a proposé de venir à l'enterrement, Andrew a répondu non, Billy était trop jeune. Leur présence, pensait-il, allait le perturber. La bouille confiante et le corps robuste de Billy l'enchanteraient comme toujours ; avec Martha, il y aurait une tension qui l'inhiberait dans tous ses faits et gestes : il lui serait pratiquement impossible de songer à sa mère.

Il s'imaginait pouvoir maîtriser la situation grâce à ces listes, mais tandis qu'il déambule d'une pièce à l'autre, il sent la maison lui échapper. La chambre de sa mère, que le plafonnier éclaire trop violemment, cette chambre qu'elle a quittée au petit matin voici cinq ans pour trouver son mari raide mort sur le carrelage de la salle de bains, la chambre où ensuite elle a dormi seule, est un dédale de chicanes et de complications. Rien que les boîtes remplies d'objets qu'Andrew peut sauver de son passé et du passé de ses parents pour les emporter dans son appartement en ville. Il se rend compte aussitôt qu'à moins de s'endurcir ou d'établir un plan de tri, il en aurait facilement pour une journée uniquement dans cette chambre.

Faut-il, par exemple, prendre la courtepointe que sa mère a faite quand il avait dix ans... une année de travail (il s'en souvient clairement), la corbeille avec les morceaux de tissu à côté d'elle, ses doigts boudinés maniant lestement l'aiguille ? Qu'en fera-t-il ? Il n'a pas de femme à qui la donner, pas de placard assez grand pour la ranger car elle prend de la place : elle a réchauffé ses parents par les plus mornes nuits de janvier.

Et le coffre en chêne plein de souvenirs, au pied de leur lit, objets que sa mère tenait de sa propre mère, et qu'indubitablement sa grand-mère tenait des siens ? Quel processus de dilution, comme ces enfilades d'images se répétant à l'infini, bien que de plus en plus petites, dans deux miroirs ; et quel fardeau, pense-t-il, que tous ces cartons remplis de restes de vies précédentes. Un jour Billy ouvrira-t-il les tiroirs dans l'appartement de son père (idée déprimante ! La vie d'Andrew s'arrêtera-t-elle donc dans cet immeuble en copropriété, luxueux et impersonnel ?), pour prendre des choses qui semblent contenir quelque essence de son père, ou de son propre passé, pour les remettre dans ses propres placards et tiroirs à Greenwich ou à Santa Fe ?

Andrew ramasse la montre que son père remontait chaque soir dans l'escalier en allant se coucher. Il sait qu'il l'emportera, cette montre que son père a héritée de son propre père. Mais que faire de l'Omega posée à côté sur le bureau de son père... dont la surface n'a souffert d'autre désordre que les incursions du chiffon à poussière ? L'Omega a été offerte à son père quand il a quitté la laiterie pour prendre sa retraite. Andrew n'avait pas assisté au dîner d'adieu – il était en voyage d'affaires, voyage important qu'il a toujours regretté –, il ignore si son père a jamais porté cette Omega ou s'il aurait souhaité qu'elle reste dans la famille.

Lorsqu'il prit sa retraite, le père d'Andrew était contremaître à la laiterie. Mais il avait passé la majeure partie de ses quarante ans de travail au volant d'un camion. (Sur l'insistance de sa mère, le terme plus approprié, « laitier », était rarement employé à la maison.) Andy dormait encore quand son père partait travailler (aux aurores, trois heures quarante-cinq du matin), mais à son retour du collège, le camion était là. S'il était avec un ami, ils grimpaient dans la cabine à l'emblème rouge et vert vif des Laiteries Miller, se disputant le privilège de s'asseoir sur le haut siège en cuir poli et de poser leurs menottes sur l'énorme volant dont la tige sortait droit du plancher. Andrew se rappelle la combinaison grise de son père, avec l'inscription brodée en rouge sur la poche, et l'habitude qu'il avait, en hiver, de porter tellement de couches en dessous pour avoir chaud, qu'il finissait par avoir l'air rembourré. Ce fut seulement quand il entra à l'université et qu'il entendit ses camarades parler de leurs familles qu'Andrew prit conscience d'appartenir à l'élite blanche, anglo-saxonne et protestante. Mais si modeste était la condition de son père (et, à dire vrai, de tous les ancêtres de son père, pauvres fermiers) qu'Andrew se demanda pendant quelque temps s'il n'existait pas une sorte d'élite ratée. Il revoit nettement l'après-midi où son père est rentré avec la nouvelle qu'il avait été promu contremaître et qu'il abandonnait son poste de chauffeur. Il a l'impression que jamais il n'a vu sa mère jubiler autant... elle ne cessait d'embrasser son mari, de lui sauter au cou, de rire comme si une ère nouvelle commençait pour eux et qu'elle eût gagné à la loterie.

Il s'assied sur le bord du lit. Il se demande qui a fait le lit, puisque c'est là que sa mère a été trouvée. Il suppose que c'est Mme Close, venue voir sa mère après le coup de fil. (« Ta mère a appelé Edith Close vers huit heures ce matin et lui a dit qu'elle avait horriblement mal à la tête, lui confia par téléphone la voix rauque, autoritaire, du Dr Ryder le soir de son arrivée. Le temps qu'Edith s'habille et qu'elle monte, ta mère avait déjà cessé de vivre. Elle l'a trouvée en haut. L'attaque, Dieu merci, a été foudroyante. Tu peux t'en réjouir. Mais fais attention à toi, Andy ; tes parents sont morts tous les deux d'une maladie cardio-vasculaire à soixante ans et quelque. Surveille ton régime. »)

Assis sur le lit, il pense qu'on perçoit une vie de couple différemment selon qu'on est soi-même adulte et parent, ou petit garçon. Il se demande si ses parents étaient heureux ensemble, s'ils dormaient enlacés ou à distance (il n'en sait trop rien ; ils ont toujours été discrets et silencieux dans cette chambre, si bien qu'il n'a pas de souvenirs, comme d'autres enfants, comme le disait Eden, de bruits mystérieux et inexpliqués provenant de la chambre parentale) et s'ils avaient cessé de faire l'amour. Ses parents étaient passablement âgés à sa naissance : sa mère avait trente et un ans. Elle avait, disait-elle, pratiquement renoncé à l'espoir d'avoir un bébé, et il fut un temps où, à la suite de cela, il s'imagina être un enfant adopté, comme Eden, malgré la ressemblance flagrante avec son père. Aujourd'hui encore, il ne peut aller en ville sans que quelqu'un lui dise : *Ton père tout craché*. Néanmoins, il a été obsédé pendant des mois (ou peut-être seulement des semaines) par cette notion d'adoption, comme seuls les enfants en sont capables. Au point de concevoir l'idée que les deux familles s'étaient installées dans des bâtiments de ferme voisins à l'écart de la ville à cause de ce lien anormal.

Il regarde le lit conjugal et voit, subitement et sans raison, l'image d'une femme qui roule sur le flanc, tournant le dos à son mari. Mais ce n'est pas sa mère qu'il voit ; c'est sa femme. En cet instant précis, il n'a pas envie de penser à Martha. Il se lève et éteint les lumières.

Le cognac, que l'on gardait pour les invités, est dans le meuble de rangement avec le hachoir à viande au-dessus du frigo. Il se verse une généreuse rasade dans un verre à gelée. La cuisine, songe-t-il, assis sur une chaise en bois peinte en blanc, n'a presque pas changé depuis son enfance. Comme à l'époque, elle donne l'impression d'avoir été astiquée de fond en comble. C'est une cuisine de ferme, « modernisée dans les années trente, avec un sol en linoléum moucheté de vert, un évier de porcelaine blanche, une cuisinière et une table, le tout avec des angles arrondis. Toutes les surfaces sont peintes : les murs lambrissés de blanc, le vieux meuble de rangement vert clair, les quatre chaises blanches dépareillées autour de la table. Il pense à la cuisine dans la maison de Saddle River qu'il a achetée avec Martha, où Martha vit maintenant avec Billy, au réfrigérateur étincelant, en acier inoxydable, et au carrelage coûteux qui recouvre le sol, incroyablement froid... au sens propre du terme.

Lorsqu'il est arrivé dans la soirée, le jour de la mort de sa mère, après avoir roulé quatre cent trente-cinq kilomètres en direction du nord, et qu'il est entré par la porte de derrière (comme tous ceux qui entraient dans la maison), il n'a pas trouvé les reliefs d'un petit déjeuner interrompu, comme il l'avait redouté. Toujours Edith Close, pense-t-il, pleine d'un zèle silencieux, nettoyant les dégâts de la mort.

En repensant à Edith Close, il se souvient de nouveau, abruptement, des cris affreux de la femme dans son rêve. Il fait tourner le cognac doré dans le verre et passe en revue les événements dans un ordre précis, auquel il n'a pas songé depuis des années. Son père reprit le combiné et appela la police. Ensuite il alla seul dans la cuisine, sortit et remonta le chemin, le fusil collé à sa jambe. Andy entendit le pas mesuré de son père sur le gravier et le lourd trottinement de sa mère dans l'escalier. Il enfila son short et descendit pour être avec elle, mû en partie par le désir de la protéger, et surtout par le besoin de sentir sa présence. Elle se tenait sur le pas de la porte, scrutant l'obscurité. Malgré la chaleur, elle avait mis une robe de chambre (en crépon de coton rose, bordée de dentelle, il la revoit maintenant), sachant que la police n'allait pas tarder à arriver. La plainte déchirante s'était tue ; tous deux avaient reconnu la voix d'Edith Close, mais ni l'un ni l'autre n'avaient encore le courage d'en imaginer la cause. Andy se rapprocha de sa mère, et elle se poussa légèrement pour lui permettre de regarder dehors, où il n'y avait rien à voir.

« Je lui ai dit d'attendre la police », déclara sa mère d'une voix crispée. Cette crispation, il la connaît bien maintenant : c'est celle d'une femme prudente, pleine de bon sens, voix que les hommes préfèrent souvent ignorer.

« Il est armé », répondit Andy. Il sut aussitôt que cet argument ne la convaincrait pas.

« Armé ! » s'écria sa mère. Sa voix monta comme l'autre, comme si elle aussi allait s'envoler dans la nuit. Cette liberté était-elle l'apanage des femmes ? se demanda-t-il. « À quoi lui sert une arme alors qu'il fait nuit noire ? On ne voit même pas ses mains là dehors.

— Il fera attention. » Au fond, Andy n'en savait rien. En situation de péril – de péril mortel – son père était-il un homme prudent ? Il ne l'avait jamais vu courir un danger physique ; il doutait que son père sût lui-même à l'avance comment il réagirait.

Il sentait la tension de sa mère ; l'électricité statique qui irradiait de son bras lui donnait la chair de poule. Elle serrait les pans de sa robe de chambre... immobile, attentive, comme pour prévenir, par la seule force de sa volonté, un autre coup de feu. Son père dirait plus tard qu'il n'avait senti aucun danger, mais Andy pensait qu'il avait déjà dû oublier sa peur. N'avait-il pas imaginé les conséquences d'une rencontre avec un homme armé, un meurtrier probablement, sur le chemin de terre, tandis que ce dernier s'enfuyait à toutes jambes à travers champs ?

Andy et sa mère virent les lumières clignotantes une fraction de seconde avant d'entendre la sirène sur la route plate et droite qui menait à la ville. Une, deux voitures de police, suivies d'une ambulance... toute la force d'intervention de la ville. Puis encore un véhicule, trente secondes plus tard : le capitaine des pompiers. Les voitures s'engagèrent sur le chemin et s'éparpillèrent sur la pelouse comme des jouets d'enfant, pour laisser le passage à l'ambulance. Leurs gyrophares trouaient la nuit d'éclairs irréels, rouges et bleus, asynchrones, si bien qu'Andy put voir, de sa propre porte, la porte de derrière de l'autre maison et la fenêtre de la chambre orientée nord-ouest, baignée d'une clarté intermittente. Deux policiers jaillirent de l'une des voitures et se précipitèrent dans la cuisine des Close. L'ambulance fit demi-tour et recula jusqu'à la porte de derrière ; un homme en sortit et ouvrit à la volée son large hayon arrière.

« J'y vais, fit Andy soudain.

— Reste ici, insista sa mère. Ton père l'a bien dit. »

Mais Andy était déjà dehors. Les mains dans les poches de son short, il se dirigea vers le cercle des voitures officielles. La nuit moite était infestée de moustiques ; ils lui vrillaient les oreilles, et il en

assomma un sur sa nuque. La porte claqua derrière lui. Se retournant, il vit sa mère descendre
précautionneusement les marches sur ses semel-
les avachies : la curiosité l'avait emporté sur les
admonestations de son mari. Réveillés à une heure
indue, les corneilles et les oiseaux d'été s'étaient
remis de leur frayeur et se taisaient. Andy entendait les voix basses, étouffées, des hommes tout
autour de la maison. Déjà ils fouillaient les environs à l'aide de torches puissantes, bien que personne à l'extérieur ne sût exactement ce qu'ils
étaient censés découvrir. Les phares d'une auto –
une Chevrolet ? – s'approchèrent de la maison.
Le conducteur ralentit pour voir la cause de ce
remue-ménage ; peut-être soupçonnait-il un accident. Andy regarda la voiture s'arrêter. Un homme
et une femme en sortirent, traversèrent la route.
Postés au bout du chemin, ils contemplèrent la
scène, interloqués. Un souffle léger, duveteux, sur
son bras lui fit comprendre que sa mère l'avait
rejoint.

Impulsivement, il mit un bras autour de ses épaules et l'attira contre lui. C'était le premier geste du
genre qu'il esquissait vis-à-vis d'elle, la dominant
de toute sa hauteur, comme si c'était lui le plus
fort. Une scène qu'il avait déjà vue quelque part, à
la télévision probablement. Le fils adulte penché
sur sa mère, assumant le rôle du protecteur, la
soutenant tandis que le mari était emmené sur une
civière ou bien menottes aux poignets. L'image,
fugace, lui procura un plaisir ineffable. C'était
semblable au sentiment déconcertant qu'il lui arrive
d'éprouver encore aujourd'hui, lorsqu'une mauvaise nouvelle concernant quelqu'un d'autre lui

donne une irrépressible et horripilante envie de sourire.

La porte de derrière de la maison des Close s'ouvrit à toute volée. C'était DeSalvo, le corpulent chef de la police au cou de taureau. Andy le connaissait par les matches de hockey. Il avait les bajoues grêlées. Son fils, autrefois, avait joué dans l'équipe de l'État en tant qu'ailier, et bien qu'il eût quitté la ville, le père continuait à hanter le stade, comme pour capter un écho – un cri se réverbérant sur la glace, une main sur son épaule en souvenir du passé – du triomphe de son fils. DeSalvo adressa un signe brusque à l'homme qui se tenait au garde-à-vous près de l'ambulance. Rapides comme des patineurs, les brancardiers se glissèrent dans la maison avec la civière. (Des infirmiers ? Andrew ignore s'ils portaient ce titre à l'époque. N'étaient-ce pas de simples volontaires, tirés du lit comme lui par un appel nocturne ?) Sa mère rapprocha son visage de son torse nu. Inconsciemment, il se raidit dans l'attente de la prochaine surprise de la nuit. La hâte des brancardiers ne signifiait-elle pas cependant que quelqu'un était blessé, mais non pas mort ?

Andy vit l'homme et la femme au bout du chemin tenter de s'approcher de la maison. Le policier qui patrouillait à l'entrée les repéra aussi ; il leur aboya l'ordre de reculer. Andy imagina la curiosité concupiscente du couple, suffisamment forte pour les inciter à braver l'interdit, et comment, le lendemain, ils abreuveraient de détails quiconque voudrait bien leur prêter l'oreille, grisés par le prestige momentané de leur situation. Le policier, qui avait repris son poste de surveillance devant la maison, aperçut Andy et sa mère et braqua sa torche sur eux. Andy leva la main pour se protéger les yeux.

« Hé, vous là-bas ! »

Andy, le bras toujours en l'air, hocha la tête. C'était Reardon. Il revit le faisceau diffus d'une lampe de poche sur la vitre embuée, côté conducteur, de la Ford de son père, et le visage de Reardon, vaguement goguenard, tandis qu'il regardait la copine d'Andy se passer les doigts dans les cheveux. *Circulez*, avait-il dit avec quelque chose comme de l'amusement ou de la satisfaction. *Ce n'est pas prudent de stationner ici à cette heure de la nuit.* Andy et sa copine, une fille qu'il connaissait mal, repartirent chez eux en silence.

Reardon baissa sa torche. « Où est ton père ? »

Andy désigna la maison des Close. Instinctivement, il avait pointé le doigt sur l'étage.

« L'un de vous deux aurait-il vu ou entendu quelque chose ? »

Andy regarda sa mère.

« Nous avons entendu une chose ou deux, répondit-elle prudemment.

— Alors restez dans les parages. » Recommandation inutile : où iraient-ils ?

La porte vitrée s'ouvrit, et un brancardier sortit précipitamment à reculons. Andy entendit une exclamation étouffée et, avant qu'il n'en eût lui-même la certitude, sa mère avait déjà prononcé son nom. *Eden.*

Il sentit ses cuisses flageoler en même temps que son estomac se nouait, pas assez pour qu'il craignît de tomber, mais suffisamment pour que sa mère se raidit sous son poids, devenant une béquille. Leurs rôles, si neufs, si purs un instant plus tôt, s'étaient à nouveau inversés ; après tout, il était toujours son petit garçon.

Tandis qu'il avale une rapide gorgée de cognac, il se rappelle la serviette de bain blanche, avec une grosse tache sombre au milieu, qui cachait le visage d'Eden. Elle ne bougeait pas, mais, en entendant les propos elliptiques et tendus des ambulanciers, Andy sut qu'elle n'était pas morte. Elle était recouverte d'un drap, un long drap à fleurs, se souvient-il, un drap aussi lisse qu'un miroir, d'où il conclut qu'elle était nue en dessous. Il revoit clairement ses orteils sortant de sous le drap ; dans la pénombre, son vernis à ongles brillait d'une lueur noire. Il voit également la cascade emmêlée de longues mèches blond pâle qui s'échappe de la serviette.

Une force primitive, comme celle qui vous pousse sur la chaussée pour sauver un enfant, le propulsa en avant, mais sa mère le retint par le bras. Les brancardiers levèrent Eden à hauteur d'épaule pour l'enfourner dans leur véhicule comme sur une étagère. L'un des hommes grimpa à côté d'elle et claqua la portière. Celle-ci ne voulait passe fermer correctement et, tandis que l'ambulance fonçait sur le chemin (pour emmener Eden à l'hôpital que sa mère venait de quitter quarante minutes auparavant), Andy vit le brancardier ouvrir et refermer rageusement la portière afin de la bloquer. En tournant sur la route, le chauffeur. mit la sirène en marche, et un hurlement lancinant retentit dans le silence des champs de maïs, pour annoncer à tous ceux qui écoutaient à travers leur sommeil qu'un événement important venait de se produire dans les maisons isolées à trois kilomètres de la petite ville.

Andy suivit des yeux les phares de l'ambulance qui s'éloignaient. Le chemin redevint calme, beaucoup trop calme. Quelque chose dans la scène à laquelle il venait d'assister ne collait pas, ne correspondait pas à ce qu'il aurait vu à la télévision. Il contempla le chemin désert et comprit enfin où était la question : pourquoi une fille de quatorze ans avait-elle été envoyée seule à l'hôpital ?

Sa mère fut la première à le dire tout haut.

Mais où est Edith ?

Andrew triture les bords épais de son gobelet et se lève pour ouvrir la porte donnant sur l'extérieur. Il reste derrière la moustiquaire dans l'espoir de capter un souffle d'air frais. Mais, comme le soir de la fusillade, l'air semble étouffant et vicié. Quand il était plus jeune et que l'air sentait mauvais, sa mère disait en le reniflant : *La laiterie.* L'été, le vent du sud-est apportait l'odeur écœurante du lait tourné, mêlée à celle des vaches. Mais aujourd'hui, comment savoir ? Il ignore tout de l'industrie locale et, même s'il était au courant, il n'est pas sûr de pouvoir reconnaître l'odeur. Ce pourraient être les déchets toxiques d'une usine semblable à celle que sa propre société possède dans le New Jersey. Il se rend rarement à l'usine, et personne ne lui parle du traitement des déchets, mais il sait qu'il s'agit d'un sujet épineux. Régulièrement, il y a des poursuites qui débouchent sur des directives. Mais tout se passe dans la discrétion.

Il avale une grande gorgée de cognac. Son verre est vide. Malgré l'air fétide et l'obscurité insondable, le sol grouille de vie et du bruit de castagnettes que font les grillons avec leurs grattements frénétiques. Du moins, on dirait des grattements. Il ignore ce qui les fait striduler ; il s'est toujours demandé comment un insecte aussi petit pouvait faire autant de bruit. Si Billy était là, il se donnerait sûrement la peine de résoudre cette énigme.

Il regarde par la moustiquaire le chemin qui mène vers la route. Il se dit, à la manière d'une proclamation : *Aujourd'hui est le jour où ma mère a été enterrée.* Il s'attend à éprouver un frisson de chagrin. Comme rien ne vient, il se force à penser à sa mère sous la terre, comme si cela pouvait déclencher l'accès de tristesse voulu. Mais, ainsi qu'il l'a constaté ces derniers temps, ses émotions refusent de coopérer. Les images qu'il tente d'invoquer sont pareilles à des fantasmes sexuels qui se révéleraient inopérants. En cet instant, inexplicablement, il est distrait par la pensée d'Edith Close à l'enterrement. Cette pensée, tel un visiteur importun qui s'attarde dans sa chambre ou dans son bureau, l'empêchant de retrouver l'intimité à laquelle il aspire tant, chasse sa mère de son esprit.

Il revoit Edith qui se tient à l'écart. Elle était la seule à porter un voile... un chapeau avec un voile d'un autre âge, malgré la chaleur. Les autres – les dames du patronage, les épouses des employés de la laiterie – étaient vêtues de robes d'été sans manches ; massées par petits groupes, voûtées, la nuque courbée par ce qui semblait être l'épaississement de la vieillesse entre leurs omoplates. Elle seule était droite et en noir ; personne d'autre ne portait cette couleur. Pas de la famille, mais presque, le hasard géographique ayant fait de cette unique voisine une quasi-sœur.

Lorsqu'il lui avait parlé au téléphone le soir de la mort de sa mère, elle s'était montrée réservée, comme toujours, même si à cette occasion – pendant une phrase ou deux – sa voix s'était quelque peu radoucie. Et il s'aperçut qu'il ne pouvait l'appeler autrement que Mme Close, comme dans son enfance. À l'enterrement, après la cérémonie, conscient de sa présence pour la première fois dans la journée, il leva les yeux et vit qu'elle l'observait. Elle se détourna vivement. Il se souvient d'elle sur la colline, perdue dans la contemplation des pierres tombales, derrière la grille en fer forgé, écoutant les prières, mais sans baisser la tête. Il pensa, ou sentit, qu'elle avait toujours été très distante, même avant la fusillade. Elle paraissait plus frêle que dans ses souvenirs d'adolescent, mais bien qu'il sût qu'elle avait dans les soixante-cinq ans, elle avait au cimetière une allure jeune que bon nombre de femmes auraient pu lui envier.

Après l'enterrement, tout le monde retourna à l'église. Cela avait été préparé à l'insu d'Andrew. Il y avait du café dans un grand pot en métal vert, des gâteaux au chocolat et des sablés que quelqu'un avait confectionnés, *des rafraîchissements*, lui avait soufflé sur la colline une femme qu'il ne connaissait pas, en lui effleurant le bras. À la mort de son père, sa mère avait servi une collation à la maison ; il avait alors trouvé macabre de recevoir, de nourrir des invités sitôt après qu'un homme avait été mis en terre. Lui-même avait perdu l'appétit dans les jours qui avaient suivi l'enterrement de son père, comme maintenant et comme à l'église tantôt.

Il y avait de vieilles draperies de velours vert râpé sur une estrade et un portrait de Jésus au mur. Des chaises métalliques avaient été dépliées et placées près de la table du goûter comme pour une fête enfantine. Il était hébété, non de chagrin, mais parce qu'il éprouvait une sensation d'étrangeté. Les gens venaient à lui, lui parlaient doucement puis s'éloignaient et se mettaient à bavarder avec animation. C'était l'étrangeté d'être dans une salle qu'il avait parfaitement connue dans son enfance, qui n'avait pas changé d'un iota et qui pourtant lui semblait aussi peu familière que la mort elle-même.

S'approchant de lui, elle expliqua : *Au patronage, elles pensaient vous éviter le dérangement.* Il comprit qu'on le classait de nouveau parmi les célibataires. Elle avait gardé son voile, si bien qu'il ne voyait pas clairement ses yeux. Il souhaita, presque méchamment, lui fausser compagnie : il pensait, avec une légère irritation, qu'on aurait pu au moins lui demander son avis. Mais cette envie lui passa. Elle avait raison de rester à côté de lui, se dit-il ; sa présence était aussi étrange en ces lieux que la sienne.

Il regarde la pendule au-dessus de l'évier. Elle indique minuit cinquante. Il pense qu'après tout, il pourrait prendre un somnifère, puis se souvient que non : il a bu du cognac.

Il regarde dehors, en direction de la maison des Close, mais il n'en distingue même pas les contours. Il n'y a pas la moindre lumière, pas même la faible lueur d'une veilleuse. Quelque part, là-haut, Eden est couchée dans un lit ou assise sur une chaise. L'obscurité n'a aucun sens pour elle.

Après que sa mère eut demandé *Où est Edith ?*, ils attendirent ensemble. Andy gardait ses mains dans les poches de son short ; sa mère avait passé ses bras autour de son coude. C'était M. Close qui avait dû être blessé ; comment expliquer sinon ces cris affreux ? Un policier ouvrit la porte de derrière et appela deux de ses collègues. Tendant l'oreille, Andy réussit à déchiffrer des grognements, des bribes de phrases lancées à bout de souffle. « ... en train de parler maintenant... taille moyenne, masqué, chemise jaune, elle est absolument certaine... dans l'escalier... une grosse crise de nerfs... complètement défiguré... bon sang, tu ne te... »

Derrière le policier, Andy aperçut son père qui cherchait à sortir. Il parla au policier, et celui-ci s'écarta pour le laisser passer. À son tour, il marmonna quelque chose, et le père d'Andy secoua lentement la tête plusieurs fois... non en signe de refus, mais plutôt par incrédulité.

Andy regarda son père se diriger vers eux. Jamais Andrew n'oubliera cet instant, même s'il sut seulement des années plus tard que la scène que son père avait vue, qui avait altéré ses traits et ses gestes, l'avait, en l'espace de quelques petites minutes, si profondément marqué qu'il ne parviendrait pas à s'en défaire jusqu'à la fin de ses jours. Même dans la lumière faible, intermittente, on voyait la sueur ruisseler de ses tempes. Il marchait lentement : son fusil n'avait plus rien d'une béquille rigide, mais ressemblait plutôt à un lourd outil cassé qu'il portait réparer au garage. Quand il s'arrêta devant eux, il regarda d'abord sa femme, puis Andy.

« Rentre à la maison. Emmène le petit. Ils vont sortir Jim.

— Jim ? demanda sa mère rapidement.

— C'est très grave. Allez, rentre vite. »

Mais la mère d'Andy ne broncha pas. « Que s'est-il passé ? insista-t-elle. Dis-moi. »

Son père leva les bras comme s'il entendait escorter sa famille au bercail. Mais, voyant qu'elle ne bougerait pas, il les baissa. Il planta le canon du fusil dans le gravier, comme une canne. Il regarda par terre. Et il soupira de fatigue.

« Jim est mort. Eden a reçu une balle, mais elle est toujours en vie. »

Sa mère porta ses mains à sa bouche. Andy entendit un gargouillis étranglé.

« Mais comment ? demanda-t-elle. Qui a fait ça ?

— Je n'en sais rien. Il semblerait, *il semblerait* – son père bégaya avant de se reprendre –, et c'est ce qu'Edith essaie de dire, je pense, qu'un homme est entré par effraction en leur absence, en l'absence de Jim, et Jim l'a trouvé dans la chambre d'Eden. Il était... » Son père hésita, regarda Andy, cherchant le mot approprié. « Il était en train d'*agresser* Eden, et il avait une arme... nous avons entendu les coups de feu. Eden s'est trouvée sur son chemin... je ne sais pas comment... pendant la bagarre, je suppose... Edith a vu l'homme dans l'escalier... Il était masqué... Elle les a découverts tous les deux. » Le regard de son père était devenu fixe. « Je l'ai vue dans la chambre... couverte, recouvrant... »

Andy vit sa bouche se contracter. Il voyait quelque chose qu'Andy pouvait seulement imaginer, sans y parvenir pour autant. L'image refusait de se former. Plus tard, Andrew se rendit compte que son père lui-même devait se trouver à ce moment-là en état de choc. Comment pouvait-il, un laitier, être préparé à ce genre de spectacle dans la chambre d'Eden ? Pourquoi croyaient-ils, pourquoi son père croyait-il, protégé comme il l'était par le cocon routinier, qu'il était mieux armé pour y faire face qu'Andy ou bien sa mère ?

Sa mère posa ses mains sur les épaules de son père et enfouit son visage dans sa poitrine. Sur la route qui menait à la ville, Andy vit, et entendit, un cortège d'ambulances et de véhicules de police qui arrivaient à toute allure. Cette fois, ils devaient venir du chef-lieu, pensa-t-il. Quand la première ambulance freina sur le chemin, on fit sortir Edith Close.

Il y avait des taches noires sur son uniforme blanc, ses chaussures, sa joue, sa bouche et ses cheveux, mais surtout sur ses mains. Deux policiers la soutenaient de part et d'autre. Ses pieds remuaient à peine. En bas des marches, les brancardiers ou infirmiers voulurent l'allonger sur la civière. Elle protesta violemment, repoussant la main posée sur sa poitrine, comme si elle craignait de se noyer. Mais les hommes étaient plus forts qu'elle. Dans son délire, elle leva les genoux pour distribuer des coups de pied, et Andy aperçut, sous sa jupe, l'éclair blanc de ses dessous. Un frisson lui parcourut l'échine. De toutes les choses auxquelles il avait assisté cette nuit-là, pensa-t-il alors, c'était la dernière qu'il aurait dû voir.

Il se lève pour rincer son verre. Il le repose sur le buffet. Il est fasciné par le calme. S'est-il déjà rendu compte à quel point c'était calme ici, et à quel point ce calme pouvait être angoissant ? Il songe à allumer la radio, puis se dit que la voix criarde du disc jockey de nuit sera encore pire. De toute façon, décide-t-il, pratique, il faut qu'il dorme. Il a une liste de corvées à accomplir.

En partant, il éteint les lumières. Dans sa chambre, il tente vaguement de refaire son lit. Tandis qu'il se penche pour border le drap du dessus, il constate soudain que son rêve était faux. Pas vraiment faux, mais inexact. Il s'assied sur le lit et se repasse le rêve. Dans son rêve, il a cru avoir été réveillé par le cri d'une femme... en pensant que c'était sa mère. Il se rappelle la panique pour émerger, comme si l'air lui manquait. Pourtant, logiquement, il n'a pas pu entendre une voix féminine d'abord. Ce ne pouvait être qu'une voix d'homme, la voix de M. Close.

Le cri de la femme, c'était certainement après.

Je t'observe avec ma vue d'autrefois. J'entends ta porte et je te vois sur le chemin. Quand tu es passé sous ma fenêtre, as-tu eu une pensée pour moi ? Tu es un garçon avec des bras maigres comme des baguettes. Tu te laisses pousser les cheveux car tu vas bientôt partir. Je t'ai taquiné à la rivière, mais tu n'as pas voulu me toucher. Tu n'as pas voulu toucher mes boutons ou ma peau, alors que je te défiais, alors que d'autres l'avaient déjà fait. Et tu le savais. Et quand je t'ai dit de regarder, ton visage était calme, même si tes mains tremblaient. Et tu as répondu...

Je vois ta clavicule sous une chemise à carreaux. Tu as roulé tes manches. L'eau miroite.

Elle a dit que ta mère était morte, mais je le savais déjà. Elle attend que tu partes.

J'entends ta voiture sur le chemin.. Elle ronronne comme un chat avant que tu ne coupes le contact. J'entends tes pas sur le gravier, je te vois avec tes cheveux longs par-dessus les oreilles, et je sais que tu partiras bientôt. J'entends tes pas qui se dirigent vers la route et je te vois regarder les champs de maïs. Je suis en train d'oublier les couleurs, mais pas la forme de tes yeux. Je me souviens de ton odeur.

2

Aux premières lueurs du jour, un orage magnétique éclate au-dessus des champs de maïs et des
prés où, dans la journée, paissent les vaches. Ses
coups de tonnerre réveillent les enfants ; ses éclairs
illuminent les chambres obscures, et même ceux
qui dorment, comme Andrew, s'agitent dans leur
sommeil, et leurs rêves prennent un cours différent. La pluie tambourine sur les tuiles et la tôle
des maisons, sur le long toit plat du centre
commercial proche de l'autoroute, sur les vitres
des quelques boutiques qui végètent encore au
village : la station-service en stuc blanc, bâtie en
1930 ; le snack d'en face, tenu aujourd'hui par un
couple de Vietnamiens ; le vieux salon de coiffure
où de nouveau l'on coiffe les garçons en brosse ;
la petite échoppe voisine, à l'enseigne du réparateur des postes de télévision ; et, nouvelle pour
Andrew, la minisupérette près de la station-service.
Après la pluie, à l'approche de l'aube, l'orage
s'éloigne, laissant dans son sillage une bouffée de

fraîcheur, la première depuis plus d'une semaine. Dans les chambres faiblement éclairées, le soulagement est palpable. Les hommes et les femmes, certains avec leurs enfants dans leur lit, dorment profondément comme ils n'ont pas dormi depuis des jours.

Quand Andrew était adolescent, la petite ville, simple patchwork de fermes avec un vague village en son centre, était définitivement rurale, vouée à la production de lait, de beurre, de fromage et de glaces des Laiteries Miller. Les hommes, d'origine polonaise, irlandaise, italienne ou yankee, élevaient le bétail, cultivaient les champs de maïs ou travaillaient à la laiterie. Leurs épouses se situaient à mi-chemin entre fermières et matrones de banlieue ; et leurs enfants, comme Andrew, ont grandi en pensant que l'univers était fait de champs de maïs, de vaches et d'hommes qui se levaient à l'aurore, jusqu'à l'âge de onze, quatorze ou dix-sept ans, quand ils commençaient à ressentir le premier appel du large, ou le premier frisson de crainte à l'idée qu'ils n'auraient pas le courage de partir.

Pour Andrew, convaincu depuis sa prime enfance qu'il partirait étudier à l'université (objectif que ses parents, n'ayant pas de ferme à lui léguer, partageaient d'un commun accord), la petite ville avait perdu son aspect menaçant avant même qu'il en prît conscience. Plus tard, à l'université ou dans la métropole, il eut l'impression plus ou moins nette que la bourgade de son enfance ne s'encombrait pas de l'éthique propre à une urbanisation plus élaborée. Il ne remarqua donc pas lors de ses visites, dont la fréquence diminuait d'une année à l'autre, à quel point sa ville natale était en train de changer.

Cette fois-ci, néanmoins, il a noté avec plus de clarté que jamais que la ville n'est plus la même. Elle s'est dotée d'une autoroute, d'un centre commercial. Les exploitations agricoles d'autrefois sont subdivisées en lots. Dans la ville voisine, à dix kilomètres de là, il y a une grande compagnie d'assurances employant plus de salariés que la laiterie n'en a jamais eu, et une fabrique de vidéo-cassettes et de bandes magnétiques. La vieille laiterie elle-même, si neuve, si pimpante du temps du père d'Andrew, semble courbée par les ans.

Quelquefois, dans ses rêves, Andrew voit la ville telle qu'il l'a connue jadis : coins de rue, terrains de jeux, champs de maïs et voies ferrées qui composaient le paysage de son enfance. Puis survient une conversation anachronique, une personne rencontrée plusieurs années après son départ, un objet qui n'existait pas encore lorsqu'il habitait là. Il s'éveille alors perdu, ou plutôt perplexe, mais malgré cela, les rêves, plus que ses souvenirs, ressemblent à la réalité.

À son réveil, Andrew n'a pas envie de mettre ses vêtements de ville. Il lui faut une tenue de travail, mais il n'a rien emporté de tel. Il finit par trouver un jean délavé, repassé et soigneusement plié sur un cintre dans son placard. Le tissu est doux comme du velours ; on aperçoit encore la marque à peine visible à l'endroit où, des années plus tôt, sa mère a défait l'ourlet. Lorsqu'il l'enfile, les pattes d'éléphant se révèlent ridicules et désespérément démodées, mais comme il n'a rien de plus convenable à se mettre, il est reconnaissant à sa mère d'avoir conservé ce jean pendant tout ce temps.

Dans la cuisine, il avale une tasse de café instantané et une part de gâteau au chocolat que quelqu'un du patronage a apportée à la maison. Après le petit déjeuner, il sort dans la cour, laissant claquer la porte avec désinvolture. Il enfouit ses mains dans ses poches arrière et inspire : l'air sent la menthe et la sauge du fouillis d'herbes aromatiques qui poussent sous le perron. La pelouse, qui a grand besoin d'une tonte, a rétréci, reculant année après année devant la jungle de fougères, de ronces, de pommiers sauvages et de cornouillers qui se referme autour de la maison comme pour engloutir ses lattes blanches. Comme une maison a hâte de replonger sous la terre, pense-t-il, de cesser de lutter contre les herbes, la pluie et le soleil. Contre toute attente, il se sent en pleine forme. Il fait le tour de la maison : en quelques secondes, ses vieux tennis de toile sont trempés. Sa mère devait être malade depuis quelque temps déjà, suppute-t-il, évaluant avec une acuité toute particulière l'état de délabrement de la propriété qu'il va devoir proposer à des étrangers. Le petit parterre de zinnias, de dahlias, de fleurs aux tiges grêles et de disgracieux boutons rouges est envahi de mauvaises herbes et semble avoir perdu ses contours. Le mur sud de la maison, note-t-il, s'écaille allégrement. Les arbustes et la haie auraient bien besoin d'une coupe claire, et il y a toujours la gouttière à moitié affaissée. Il remarque, avec une joie irraisonnée, un vilain accroc dans une moustiquaire qu'il faudra remplacer.

Bien sûr, il peut vendre la maison en l'état et

retourner à son travail – il n'a pas vraiment besoin des quelques milliers de dollars supplémentaires que les réparations vont lui rapporter –, mais la perspective d'un travail physique, la liste mentale de tâches à accomplir exercent sur lui un curieux attrait. Voici des années qu'il n'a pas été confronté avec une pareille liste de corvées. Même quand il avait sa propre maison, à Saddle River, avec femme et enfant, d'autres se chargeaient d'exécuter ce type de travaux dans son domaine flambant neuf : l'ébéniste, le plombier, l'entreprise de jardinage qui entretenait les plantations. Il doute qu'ici, dans sa ville natale, quelqu'un puisse songer à utiliser ce genre de services, tout comme les femmes d'ici font leur ménage elles-mêmes. Au mieux, comme les Close, ils paient un garçon pour leur tondre le gazon. Il y a toujours eu quantité de garçons désireux de gagner de l'argent.

Il est vrai qu'il devrait retourner au bureau. Il regarde sa montre. À cette heure-ci, il serait déjà dans son fauteuil, vêtu d'un costume d'été. Il y aurait une pile de messages téléphoniques roses, dont certains auraient l'air urgents. Il produirait une impression de sérieux agrémentée d'une pointe d'humour discret qu'il a appris à cultiver, collectionnant les calembours de potache dont raffole son patron. Il éprouverait une légère tension dans les épaules et la nuque parce qu'il y aurait une échéance et, autour d'elle, une atmosphère de gravité préfabriquée. Et il ne pourrait se défaire de la certitude croissante que tous les efforts de tous les hommes dans les bureaux semblables au sien ne sont qu'une complexe pièce de théâtre dont les acteurs principaux jouent leur rôle si consciencieusement et depuis si longtemps (comme dans une série télévisée aux épisodes multiples) que les autres – et peut-être bien eux-mêmes – ne voient plus en eux que tel ou tel personnage.

Il réprime un frisson en pensant qu'il a échappé de justesse à la maison dans les Hamptons que lui a proposée une collègue de travail. Il n'imagine pas de pires vacances qu'au milieu d'étrangers, dans un endroit aussi populeux que la grande ville... du moins c'est la vision qu'il en a d'ici. Il avait projeté d'emmener Billy camper en Nova Scotia, mais Martha, particulièrement irascible cet été, a décrété que Billy ne devait pas manquer une seule journée de son luxueux centre aéré et qu'ensuite ils partiraient tous les deux chez ses parents à Nantucket. Andrew, qui aime bien ses beaux-parents, considère que, bien sûr, Billy doit aller chez eux ; la situation commençait à devenir inextricable quand la mort subite de sa mère a inopinément résolu le problème.

Il regarde les champs de maïs au nord et se surprend à vouloir prononcer le mot beau. Mot insolite, qu'il n'a pas employé depuis longtemps, plus insolite encore à côté de cette maison délabrée, cette maison autrefois aimée qui tombe peu à peu en ruine. Les deux maisons paraissent bien vétustes à la lumière du jour ; le perron de l'autre est tout pourri ; les troènes s'élancent à l'assaut des fenêtres. Il aperçoit une grosse fêlure dans une vitre de la cuisine, causée par une branche, par un oiseau, mais certainement pas par un enfant. À l'étage, un volet a été arraché sur l'une des fenêtres.

Deux femmes, deux veuves, vivant loin de la

ville. Toute une vie de voisinage, sans qu'elles s'apprécient vraiment, pense-t-il, sans qu'elles se rendent visite pour chercher un peu de chaleur ou pour bavarder. Il découvre enfin ce que ses préoccupations lui ont jusque-là caché : la décrépitude manifeste de deux maisons sans hommes, maisons rafistolées au mieux par des femmes d'une certaine génération qui n'ont jamais appris à mastiquer une fenêtre et qui ignorent les noms des outils. Elles font briller leur cuisine, mais si un volet du haut se décroche, on l'emporte dans la cave et on l'y abandonne.

Il va commencer par gratter et par poncer, décide-t-il. Tant qu'elle n'est pas sèche, l'herbe ne pourra être coupée, et ce ne sera pas avant la fin de l'après-midi... D'ailleurs, il devrait jeter un coup d'œil sur la tondeuse d'abord, pour voir son état. Un loriot jaillit du feuillage épais de l'hortensia. Il se demande si les grattoirs sont toujours dans le tiroir métallique noir dans le garage.

Il gratte depuis une heure, et son bras commence à lui faire mal, quand elle sort par la porte de derrière, posant précautionneusement le pied sur les marches pourries. Machinalement, il regarde sa montre. Moins le quart. Il sait qu'elle travaille à mi-temps, de dix heures à deux heures de l'après-midi, sept jours par semaine, dans une maison de retraite toute proche. C'était un détail parmi d'autres dans une lettre ou un coup de fil de sa mère, qu'il a lu ou entendu rapidement, mais maintenant ce détail lui revient en mémoire, ainsi que la perplexité de sa mère à l'idée qu'on puisse ne pas vouloir prendre un seul jour de congé. « Elle a même travaillé le jour de Noël », lui a-t-elle dit ou écrit.

Il l'interpelle quand elle arrive en bas de l'escalier. Elle regarde sa voiture puis se tourne vers lui. Délicatement, elle porte une main étroite à son front pour se protéger les yeux, car le soleil est derrière lui, et il doit lui apparaître comme une silhouette noire sur un fond de ciel éclatant. Mais lui la voit clairement, plus clairement qu'hier : robe gris-rose, visage levé, peau douce comme une peau de chamois. Peut-être a-t-elle oublié qu'il était là ; en tout cas, elle ne manifeste pas la moindre surprise. Il se dresse au-dessus d'elle, et elle doit plisser les yeux pour le voir. Ses cheveux, autrefois couleur de ses bracelets, sont gris cendre, et elle les porte toujours longs, noués en un chignon compliqué au bas de sa nuque. Elle a un rang de perles autour du cou – incongru pour un matin d'été – et elle conduit une Plymouth, mais elle correspond si bien à l'image qu'il a gardée d'elle qu'il en remarque à peine l'incongruité encore plus grande de son apparence soignée à côté de la maison en déconfiture.

Elle se dirige vers lui. Le gravier crisse légèrement sous ses pas.

« Madame Close », dit-il, regrettant instantanément cette appellation puérile. Il sait qu'elle s'appelle Edith ; à trente-six ans, il devrait l'appeler par son prénom, mais il se sent diminué en sa présence, comme s'il était redevenu petit garçon et qu'elle sorte lui donner des instructions. Il commence à descendre de l'échelle.

Il voit des plis autour de sa bouche ; sa peau

retombe, et ses paupières sont lourdes. Les cernes sous ses yeux indiquent qu'elle a mal dormi ; ces cernes sont de la même couleur que sa robe. Il veut casser cette image de petit garçon et dit d'une voix trop forte pour eux deux : « J'ai pensé m'attaquer à votre pelouse, Edith, quand j'en aurai terminé avec la mienne. » Son ton est inhabituellement rude.

Elle contemple l'herbe haute, la profusion de troènes, et une lueur de lassitude traverse son regard.

De nouveau, il éprouve le désir enfantin de plaire, la gêne qu'il a toujours ressentie en sa présence.

Elle ne répond pas directement. « Belle matinée », dit-elle. Qu'il est étrange de parler sur le même ton, avec la même politesse qu'il y a vingt-cinq ans... comme si rien n'avait changé entre-temps, comme s'il n'y avait pas eu toutes ces morts et la naissance de son propre fils.

Elle hoche la tête. Quelque chose dans ce geste ou dans son profil évoque irrésistiblement la femme plus jeune qu'elle a été. Il voit une main féminine sur un poignet d'homme, le tirant sur les marches et à l'intérieur, même si la corbeille de linge dehors est encore à moitié pleine de draps mouillés. Il se souvient d'avoir frappé à la porte un après-midi, quand il avait huit ans, avec un panier de tomates du jardin de sa mère, qu'ils avaient cueillies en abondance cette année-là. Edith lui ouvrit, essoufflée, la gorge et la poitrine envahies d'une rougeur diffuse, les cheveux épars et humides aux tempes. Elle triturait le haut de sa robe dont les deux derniers boutons étaient défaits, et il comprit, sans en saisir la véritable signification, que Jim était à la maison, qu'il était rentré de bonne heure et qu'ils se livraient ensemble à une activité aussi secrète qu'excitante.

Il en avait pris conscience avant même de savoir de quoi il retournait... qu'il pouvait y avoir entre un homme et une femme quelque chose qui les coupait des autres, qui ne pouvait être partagé par d'autres et qu'on ne devait pas voir de l'extérieur.

Par la suite, il l'observa attentivement, comme si cela pouvait lui fournir quelque information importante. D'autres garçons de la ville, garçons qui aimaient à grimper sur le haut siège en cuir du camion du laitier, garçons qu'il avait connus à la patinoire ou dans les couloirs au carrelage froid du collège, ceux-là avaient découvert la chose différemment, de manière plus classique, à travers les filles qui se déshabillaient à la suite d'un pari derrière les tas de bois ou à travers les images dans les magazines. Sean O'Brien, qui avait été gardien de but quand Andy et lui étaient en première, et qui devait trouver la mort à peine trois ans plus tard, raconta un jour avoir découvert des photos merveilleusement torrides d'hommes et de femmes ensemble dans un tiroir marqué « Charnières » dans la cave de son père. Devenu adulte et propriétaire d'une maison, Andrew a eu parfois la vision triste et fugace d'un réparateur de postes de télévision qui se retirait dans les abysses de sa maison pour y chercher un plaisir furtif.

Il se rendait compte qu'elle était différente de sa mère, de toutes les autres mères... impression involontairement entretenue par la réprobation que sa mère témoignait à leur voisine, mélange d'indignation muette et d'envie à peine déguisée.

« Edith n'est pas discrète », énonçait sa mère, l'ayant entrevue dans la cour, ou se rappelant un geste ou une remarque de la voisine dans la journée. « Edith est parfois d'une insouciance ! » disait-elle. Son père se contentait sagement d'acquiescer, bien qu'Andy le soupçonnât de sourire dans sa barbe. Un soir, il hasarda : « Au moins, ils vont bien ensemble. » Et sa mère répliqua : « Chut », indiquant le garçon qui se trouvait dans la pièce. Son intonation attira l'attention d'Andy sur la phrase qu'il eût certainement oubliée, et il la garda sous le coude, comme les enfants savent le faire, jusqu'à ce qu'il fût en âge de la comprendre.

Il comprit également, grâce à ce sixième sens qui ne trompe jamais les enfants, que la femme que sa mère enviait n'aimait qu'un seul être au monde et qu'elle était parfaitement indifférente à tout le reste, comme si elle prenait garde à ne pas gaspiller ses réserves. Ainsi, par exemple, elle avait toujours semblé manifester une indifférence spectaculaire à l'égard d'Andy : elle ne voyait en lui, pensait-il, que le fils des voisins et, plus tard, le garçon qui accomplissait de menus travaux dans la maison pour gagner un peu d'argent pour ses études. Quelquefois, il avait même l'impression qu'elle ne le *voyait* pas dans la cour, tandis qu'il taillait un mûrier ou ratissait le parterre de fleurs pour enlever les feuilles mortes. Il disait bonjour et la saluait d'un signe de tête ; cependant, elle passait son chemin, perdue dans sa rêverie, sans s'apercevoir de sa présence.

Elle agite la main avant de monter dans la Plymouth, et Andrew grimpe de nouveau sur l'échelle.

Jim, en revanche, songe-t-il, a toujours fait attention à lui. Jamais il ne passait devant Andy sans le saluer, sans lui poser une question ou même lui offrir un chewing-gum. Lorsque les adultes étaient dans la cour, isolés dans leur monde à part, c'était Jim qui se tournait vers Andy pour le prendre par la main... voire pour jouer à l'attraper.

Pendant qu'il décape et repeint le mur de la maison, comme son propre père le faisait tous les cinq ans, Andrew revoit Jim en train de regarder son père travailler... les mains dans les poches, ne tenant pas en place, mais nullement pressé de s'attaquer à ses propres corvées domestiques. Jim était du genre à commencer les choses sans jamais les finir, contrairement à la lente opiniâtreté du père d'Andy. Tous les mois d'août, se rappelle Andrew, on lui demandait de nettoyer le potager que Jim avait livré depuis trop longtemps aux mauvaises herbes. Au printemps, plein d'enthousiasme, Jim achetait des semences exotiques par catalogue et rentrait tous les samedis matin avec un outil tout neuf ou un sac de tourbe. Mais à mesure, que le printemps cédait le pas à l'été, Andy l'apercevait sur son perron en train de fumer, de boire et d'écouter la radio, comme s'il avait oublié jusqu'à l'existence de son jardin.

C'était un homme de haute taille, un alcoolique jovial, dont le charme et le sourire faisaient dire à son entourage qu'il était séduisant, bien qu'avec son visage allongé aux courbes aplaties il ne fût pas vraiment beau. On le disait porté essentiellement sur les femmes et la boisson, même s'il n'avait pas le physique du rôle. Il passait pour être irrésistible aux yeux du sexe opposé et, dans son adolescence, Andy s'était demandé si l'envie que sa mère éprouvait vis-à-vis de la voisine ne relevait pas d'une attirance informulée, inconsciente, pour le mari de cette dernière. Quelquefois, se souvient-il, Jim coinçait sa mère dans la cour, et elle lui échappait en pouffant comme une jeune fille.

Son charme opérait sur Andy, bien que différemment, principalement parce qu'il n'était pas laitier comme son père et la plupart des autres hommes, mais représentant de commerce. Qu'il vendît seulement des pièces métalliques pour machines agricoles n'avait aucune espèce d'importance : c'étaient les voyages fréquents de Jim qui enchantaient Andy : Il ne connaissait personne d'autre qui troquait tous les ans sa voiture presque neuve contre un modèle plus récent : toujours une Buick, généralement noire, qui trônait fièrement dans le chemin et à côté de laquelle les vieilles Ford de son père avaient l'air de poussiéreux cousins de province. C'étaient ces voyages, pense-t-il, qui paniquaient Edith les matins où Jim la quittait. Il passait sa main sur la courbe de sa hanche étroite avant d'ouvrir la portière de la Buick. Puis, un bras sur le dossier du siège en cuir, il reculait sur le chemin et agitait joyeusement la main en s'engageant sur la route, comme s'il était l'homme le plus heureux de la ville.

Aussitôt, elle prenait un air soucieux et restait dans le chemin longtemps après son départ... comme s'il l'avait emmenée avec lui. Elle semblait surprise ou hagarde quand la mère d'Andy l'appelait – ce qu'elle faisait, pensait Andy, par pure malveillance –, et carrément sourde si lui-même venait lui poser une question concernant une tâche ou un outil.

Le pire, cependant, c'était son indifférence à l'égard d'Eden. Même quand Eden était petite et que sa mère la tenait sur sa hanche, pendant de longues secondes, voire des minutes, Edith semblait insensible aux supplications de l'enfant... Eden ne reprenait corps et vie à ses yeux qu'avec le retour de Jim.

Il s'en souvient clairement comme d'une histoire qu'on vient de lui raconter, ou il croit s'en souvenir : aujourd'hui, il est difficile de faire le tri entre ce qui relève de ses propres souvenirs – son premier véritable souvenir avec une intrigue et un dénouement – et ce qu'il a pu entendre par la suite de la bouche de sa mère, de son père ou d'Eden elle-même, et qui s'est intégré au tableau qu'il garde présent à l'esprit.

C'était aussi l'été, mais moins avancé, plus frais, juin peut-être. Une belle journée, le matin, car son père était au travail. Jim était en déplacement également, car ce soir-là, sa mère réussit à le joindre par téléphone dans un motel près de Buffalo pour lui dire de rentrer. Andy était dans le jardin avec sa mère. Il se rappelle l'odeur de la terre, parfum évocateur qu'il n'a pas senti depuis des années, et une rangée de radis, leurs pulpeuses têtes rouges émergeant du sol noir. Il n'était pas peu fier, car sa mère l'avait chargé de les cueillir.

Il se souvient qu'il portait des chaussures de cuir marron et des socquettes blanches, et que l'espace entre les chaussures et les socquettes se remplissait de boue noire.

Edith traversa la cour et s'arrêta devant la grille de la clôture de barbelés. Dans ses bras, elle portait un paquet enveloppé dans une serviette jaune. À la manière dont elle le tenait, il sut tout de suite qu'il s'agissait d'un bébé... ou alors (cette pensée lui traversa l'esprit) ce pouvait être le chat des Close, brusquement tombé malade. Le fait qu'elle pût surgir un beau matin avec un bébé dans les bras ne l'étonna guère : bon nombre d'amies de sa mère arrivaient chez eux sans crier gare avec un bébé tout neuf. Ce qui semblait déjà plus bizarre, c'était que le chat fût malade ; Andy l'avait vu le matin même, et il avait l'air en pleine forme. Ce fut seulement quand il vit le visage de leur voisine et que sa mère se releva pour s'approcher d'elle qu'il comprit qu'il y avait un problème. C'était un bébé, mais peut-être un bébé malade, pensa-t-il.

« Edith », fit sa mère. Ce prénom sonna comme une interrogation.

« Je passais l'aspirateur dans la cuisine. Quand je me suis arrêtée, j'ai entendu un bruit. Un drôle de bruit. J'ai cru que c'était le chat qui gémissait.. Ou un oiseau blessé. Cela venait du dehors, quelque part devant la maison, et je voulais que cela cesse. »

Elle portait comme toujours une robe serrée à la taille dont le corsage ressemblait à une chemise, avec les manches roulées jusqu'au coude. Ses avant-bras étroits s'ornaient de bracelets en or. Ses cheveux séparés par une raie au milieu lui pendaient dans le dos, style que des femmes plus jeunes adopteraient des années plus tard. Il revoit son rouge à lèvres éclatant dans son visage blême.

« Quand j'ai ouvert la porte, il y avait... un carton tout près de la route, juste à l'intérieur de la haie de troènes. C'était écrit Oxydol dessus, et j'ai cru que quelqu'un avait jeté ses ordures sur la pelouse, comme ils font parfois avec les bouteilles de bière. Ensuite, j'ai entendu le même bruit. J'étais en colère car je pensais qu'on nous avait laissé une portée de chatons, et je savais que nous aurions un mal fou à nous en débarrasser. Je me suis approchée... le carton était ouvert et rempli de serviettes... et dedans, il y avait ça qui pleurait... »

La mère d'Andy se pencha par-dessus la clôture et écarta un bout de tissu qui recouvrait le paquet dans les bras de la voisine.

« Doux Jésus », fit-elle, reculant précipitamment comme si elle venait de voir un monstre.

Les deux femmes se dévisagèrent un moment sans parler.

« Qu'est-ce que c'est ? » demanda sa mère finalement. Edith ne comprit pas la question. « Qu'est-ce qui...

— Un garçon ou une fille ? »

Edith la regarda, interdite. Puis elle renversa la tête et ferma les yeux. « Oh ! mon Dieu, si seulement Jim était là, s'écria-t-elle soudain. Je n'en sais rien. Je n'en sais rien. » On eût dit qu'elle allait s'écrouler avec le paquet dans les bras.

« Allons dans la maison. » Sa mère prit instantanément les choses en main, comme chaque fois qu'il y avait un problème ou qu'Andy tombait et se faisait mal. « Nous examinerons le bébé pour voir s'il va bien et nous appellerons la police. Puis nous tâcherons de retrouver Jim. »

Elle se tourna vers Andy accroupi dans la boue. Son expression était inhabituellement sévère. Pointant le doigt sur lui, elle prit sa voix « des grands jours ».

« Tu ne dois quitter ce jardin sous aucun prétexte. Tu as compris ? » Ce n'était pas une question. « Tu restes ici et tu ne bouges pas jusqu'à ce que je revienne te chercher. Il faut que j'aille à côté avec Mme Close. »

Impressionné et effrayé, car elle ne le laissait jamais seul, sans la présence d'un adulte, il les regarda se diriger vers l'autre maison et disparaître par la porte de derrière.

C'était lui, le premier intrus, pense-t-il subitement, non pas l'homme venu rôder par une nuit d'août, mais celui ou celle qui avait abandonné un enfant un matin de juin quatorze ans plus tôt. Parent lui-même, il s'efforce d'imaginer ce à quoi il n'a pas songé jusque-là : une femme qui arrête sa voiture, une incursion rapide derrière la haie. Avait-elle hésité, pleuré, s'était-elle mordu la lèvre pour se donner du courage ? Était-ce un homme ou un garçon qui l'avait conduite ici et qui l'avait obligée à le faire ? Était-ce une jeune fille, enfant elle-même, ou une femme plus âgée avec trop de bouches à nourrir ? Pourquoi cette maison et pas une autre ? Avait-elle sillonné la route des heures durant à la recherche du perron idéal ? Comment pouvait-elle être sûre qu'il y aurait quelqu'un dans cette maison pour s'occuper du bébé ?

« Cela aurait pu être nous », dit son père ce soir-là au dîner. Il parlait plus bas que d'ordinaire. « Cela aurait très bien pu être nous. »

N'était le hasard qui avait placé l'autre maison face à la route et la leur, vingt mètres plus loin, face au nord, il aurait donc pu avoir une sœur. Le sort de l'enfant qu'on allait prénommer Eden avait été fixé par la géographie. En grandissant, tandis qu'il réécoutait cette histoire, il ne pouvait s'empêcher de penser à elle presque comme à une sœur, quelqu'un qu'on aurait appelé Ruth ou Debbie, ainsi que sa mère projetait de le faire pour une fille qui ne vint jamais, et qui aurait pu être à lui, à eux.

Mais avant la fin de la journée, ce fut Jim qui se l'appropria. La mère d'Andy l'entendit dans sa voix tandis qu'elle lui téléphonait à Buffalo.

« Comment a-t-il pris la chose ? s'enquit le père d'Andy lorsqu'elle eut raccroché.

— Il part tout de suite. Il avait l'air... ma foi, très excité. Et il a posé des questions extrêmement bizarres. Pour un homme, j'entends.

— Quel genre de questions ?

— Il voulait savoir... combien elle pesait, quel âge elle avait, à quoi elle ressemblait, et tout ce que le docteur avait dit, dans les moindres détails. » Elle lissa le devant de son tablier et ajouta : « Comme une femme. » Mais, naturellement, pas comme la femme qui aurait dû poser ces questions, sous-entendait-elle.

Puis sa mère secoua la tête avec un soupir. « Pauvre homme. » Tout le monde savait que le bébé partirait aussitôt que la police trouverait une place dans un orphelinat ou bien une famille d'adoption. Lorsque la police était venue ce matin-là, accompagnée du Dr Ryder qui examina l'enfant, elle demanda à Mme Close si elle acceptait de garder le bébé jusqu'à ce que la question fût réglée. Elle répondit oui, sans pour autant en avoir exprimé le souhait elle-même. Pourtant, il était bien connu, comme la mère d'Andy le rappela à son père (l'incorporant plus tard dans le récit maintes fois répété de l'arrivée d'Eden), que Jim rêvait d'avoir un enfant et qu'ils essayaient depuis des années d'en concevoir un, malgré la déclaration du Dr Ryder que l'utérus de Mme Close offrait un environnement « hostile » à la semence de Jim. Déclaration dont l'ironie n'échappait à personne.

Les muscles de l'épaule droite d'Andrew commencent à crier grâce quand une Honda Prelude rouge bifurque prestement sur le chemin. À cette vitesse-là, pense-t-il, ce n'est sûrement pas un autre gâteau au chocolat du patronage. Un homme s'extirpe du siège du conducteur et claque la portière avec une précision martiale. Il porte un costume d'été en toile et des lunettes noires d'aviateur. Ses cheveux, qu'Andrew a connus sales et en désordre derrière ses oreilles, sont courts et nets. L'homme enfonce les mains dans les poches de son pantalon et sourit.

« Andy, mon pote !

— T. J. »

Andrew entreprend de descendre de l'échelle.

Tom Jackson abaisse ses lunettes de soleil et l'enveloppe du regard. « Très coquet », lance-t-il.

Andrew contemple les anachroniques pattes d'éléphant. « Je l'ai trouvé dans le placard, répond-il avec un haussement d'épaules.

— Dis donc... » T. J., qui a perdu son sourire, avance vers lui, la main tendue. « Je suis vraiment désolé, pour ta mère. Je viens de l'apprendre ce matin. Par un client. »

Les deux hommes se serrent la main. « Par chance, cela a été très rapide », dit Andrew stupidement, répétant les paroles du Dr Ryder. Il se rend compte soudain que le rôle de la personne endeuillée est de mettre à l'aise ceux qui viennent lui présenter ses condoléances.

« C'est la meilleure façon de partir, ouais », dit T. J. Il ôte ses lunettes de soleil et les accroche par une branche à la poche de sa veste. « Tu as bonne mine, Andy, mon pote, ajoute-t-il, lui donnant un léger coup sur le bras. Tu t'entretiens ? »

Andrew ne s'entretient, pas, mais à en juger par l'allure de T. J., ce dernier doit y consacrer un temps certain. Quand ils étaient plus jeunes, T. J. arrivait toujours le premier à l'entraînement.

« Non, répond Andrew, contrit. Je faisais du jogging, mais depuis que j'ai déménagé, j'ai laissé tomber.

— Il faut avoir de la discipline », décrète T. J., le patineur le plus rapide qu'Andrew ait jamais connu, un patineur qui semblait voler sur la glace. « Il faut s'en faire une habitude. Tous les jours, quoi qu'il arrive. Il faut rester en forme. Ben oui, vieux, la quarantaine n'est pas loin. »

Andrew n'a jamais songé à la quarantaine en

ces termes, si tant est qu'il y ait songé ; mais ses épaules endolories lui font comprendre qu'il n'est pas aussi jeune qu'il le croyait.

« Tu veux une bière ? » demande-t-il. Il n'a qu'une vague idée de la topographie du réfrigérateur, mais il se dit qu'il doit bien rester quelque chose du pack de six qu'il a acheté la veille à la supérette.

« Volontiers », répond T. J. Il se retourne avec panache pour montrer à Andrew qu'il est en train d'examiner la BMW noire garée sur le chemin. Il siffle d'admiration. « Ça marche fort pour toi, on dirait. Je pensais m'en sortir plutôt bien, mais une BMW... Combien font-elles maintenant ? Vingt... trente mille ? »

À vrai dire, sa voiture est une source d'embarras pour Andrew depuis son arrivée ici. Elle a, dans ce chemin, l'air d'une femme en vison au milieu d'un garage. Et elle lui inspire une sorte d'anxiété indéfinissable.

« Pour ne rien te cacher, j'aimerais mieux avoir ta Prelude. » Andrew ment de bon cœur ; jamais de la vie il n'aurait une voiture rouge vif. « La BMW est trop nerveuse. » Autre pieux mensonge : l'auto noire qu'il cherche à rabaisser est souple comme une panthère.

Il précède T. J. dans la cuisine. À son grand soulagement, il trouve trois Heineken dans la partie supérieure du frigo. T. J. enlève sa veste de toile et l'accroche avec soin sur le dossier d'une chaise blanche. Puis il redresse les épaules et s'adosse à l'évier. Il fait sauter la capsule de sa bière. Malgré son peu d'intérêt pour l'exercice, Andrew est impressionné par son ventre plat.

« Ça fait combien de temps ? Dix ans ? » demande T. J., avalant une grande lampée.

Appuyé au frigo, Andrew fait le calcul. « Je dirais plutôt quinze ou seize. La dernière fois, nous nous sommes vus en soixante et onze ou soixante-douze, je crois. Nous sommes allés voir Tom Rush pendant les fêtes de Noël.

— Seize ans ! s'exclame T. J. Nom d'un petit bonhomme ! J'ai l'impression d'entendre mon paternel. » Il secoue la tête. « Merde alors. »

Du bout du doigt, il trace des figures sur la buée qui recouvre la canette de bière. « Et tu fais quoi maintenant ? T'es dans les affaires, non ?

— Je travaille dans une société de produits pharmaceutiques. Directeur de marketing. » Dans cette cuisine de ferme, son titre paraît ridiculement ronflant, mais T. J. hoche la tête d'un air convaincu.

« Tu voulais être écrivain.

— Et toi, musicien. Joueur de synthé.

— Ouais.

— Ceci mène à cela », observe Andrew, histoire de dire quelque chose. Il n'a pas particulièrement envie d'entrer dans les détails de ce qui l'a « mené » droit à New York, à son premier poste dans un laboratoire pharmaceutique. Ni de la rapidité avec laquelle Martha a vu, dans cet engagement, certaines possibilités financières.

« Ouais, dit T. J. Directement à la banque. »

Les deux hommes rient.

« À l'argent », déclare T. J., levant son reste de bière en direction d'Andrew.

En réponse, Andrew lève sa canette.

« T'es marié ? » demande T. J.

Andrew secoue la tête. « Je l'ai été. Nous nous sommes séparés il y a un an environ. J'ai un fils, Billy. Il a sept ans.

— Désolé, mon vieux. Pour la rupture, j'entends. C'est dur, ça. Qui a eu l'idée, elle ou toi ? »

C'est la deuxième fois en dix minutes que T. J. avoue être désolé pour Andrew... la troisième, si l'on compte son sermon sur l'entretien de la forme physique.

« Ce devait être réciproque, comme c'est souvent le cas, répond Andrew, évasif.

— C'est juste. » T. J. vide entièrement sa cannette et la pose sur le plan de travail.

« Une autre ? propose Andrew.

— Non, merci. J'ai une société cet après-midi qui veut visiter la ferme Gunther. Pour en faire des appartements. Ce pourrait être l'affaire du siècle.

— Tu es dans l'immobilier, dit Andrew.

— Pour le moment. Mais moi, c'est la promotion qui m'intéresse. Les vieux bouseux vendent leurs terres... leurs gosses n'ont pas envie d'être agriculteurs. Alors la nouveauté, c'est quoi, hein ? Les appartements, pour couples qui travaillent ou pour retraités, des gens qui ne veulent pas s'occuper à tondre la pelouse. J'ai eu une affaire il y a un mois... un promoteur qui a acheté la propriété de Gorzynski pour en faire un centre de loisirs, avec studios, terrain de golf, piscine, tout le bataclan. »

T. J. prend la canette vide et la repose sur le plan de travail. « Tu restes un moment dans le coin ? Je voudrais que tu viennes à la maison pour rencontrer mes mômes. Au fait, j'ai épousé Didi Hanson.

— Ma mère me l'a écrit. » L'image de Didi Hanson s'impose à Andrew : dents parfaites, choucroute blonde, jupes et pulls assortis alors que toutes les filles qu'il connaissait portaient des jeans depuis belle lurette. Il se souvient également qu'elle était meneuse de l'équipe de supporters et qu'elle prenait son rôle très au sérieux.

« Nous avons deux garçons. Le petit Tom a quatorze ans ; c'est un sacré numéro. Ellis, le plus jeune, en a neuf, mais on lui en donnerait deux, si tu vois ce que je veux dire. »

Andrew ne voit pas très bien, mais à tout hasard, il hoche la tête. « J'ai prévu de rester une semaine. Le temps de faire quelques réparations avant de mettre la maison en vente. »

Aussitôt qu'il a prononcé le mot *vente*, un soupçon désagréable germe dans son esprit. T. J. aurait-il flairé une affaire potentielle ? Est-il venu à la recherche d'un client ? Les agents immobiliers ont-ils l'habitude de compulser les avis de décès dans les journaux ? Ou bien, pour accorder à son ami le bénéfice du doute, T. J. a-t-il réellement entendu parler de la mort de sa mère ce matin seulement, par un client ? Il peut imaginer la conversation : *Je suis désolé de l'apprendre*, aurait dit T. J., déjà en train de calculer sa marge, qualité qui, naguère, avait fait de lui le meilleur hockeyeur du comté. *Son fils Andy et moi étions de bons amis.*

« Tu veux vendre ? » demande T. J. d'un air trop détaché. Il se penche et regarde par la fenêtre de la cuisine comme si quelque chose venait d'attirer son regard à l'extérieur.

« Je pense que oui.

— Ah bon. » T. J. se redresse, sans tout à fait regarder Andrew en face. « Tu as besoin d'un coup de main... je serais heureux de t'aider, au nom du bon vieux temps, quoi. Pour être franc, je ne m'occupe pas vraiment de petites transactions, mais puisque t'es un vieux pote... » Il contemple la cuisine comme s'il la voyait pour la première fois, mais Andrew a la nette impression qu'il fait l'inventaire depuis qu'il a franchi le seuil.

« Combien veux-tu en tirer ? » demande T. J.

Andrew hausse les épaules. « Aucune idée. Qu'en penses-tu ?

— Elle est plutôt en mauvais état. Et plutôt isolée, à l'exception de la maison des Close, ce qui n'est pas un atout, si tu me suis... J'sais pas, moi. Cent, cent vingt-cinq mille. »

Andrew acquiesce. Il est certain que T. J.. a tout calculé avant de venir. C'est sorti trop vite de sa bouche.

Mais comme Andrew n'a encore contacté aucune autre agence et qu'il désire seulement rendre la transaction aussi indolore que possible, il commence à envisager l'arrivée de T. J. comme une aubaine, sinon une véritable coïncidence. Il se demande si T. J. éprouve la même gêne distante vis-à-vis de leur amitié d'antan... ou s'il s'en fiche complètement.

« Fais comme chez toi », dit-il.

T. J. lui serre la main. « Parfait. » Son sourire le trahit définitivement. « Nous verrons les détails plus tard et, dès que j'aurai parlé à Didi, tu viendras à la maison. J'aurais bien fixé une date tout de suite, mais il faut que je demande à Didi... tu connais les femmes. »

Andrew grimace intérieurement. Il ne connaît pas plus les femmes qu'il ne soupçonne T. J. de les connaître, mais quelque chose dans l'emploi de ce lieu commun lui laisse entendre que le mariage de son ami est un échec. Cette découverte le surprend... puis il se dit qu'il se trompe peut-être, que ça ne marche pas aujourd'hui seulement, cette semaine, ce matin. Si jamais T. J. était venu la semaine dernière, Andrew aurait-il senti la différence ? Plus de complicité, plus d'optimisme ? Sa propre vie conjugale variait d'un jour à l'autre, selon les circonstances, selon que Martha et lui avaient fait l'amour au réveil ou pas.

« Eh bien, voilà », dit T. J., changeant de position devant l'évier.

Maintenant que l'affaire est conclue, Andrew le sent impatient de partir. C'est dans la nature humaine. Lui-même s'est conduit de la sorte un nombre incalculable de fois.

T. J. remet sa veste. Andrew voit des gouttes de sueur perler sur sa lèvre supérieure. Ils se dirigent vers la porte, l'ouvrent et s'arrêtent sur le perron. Tous deux regardent en direction de l'autre maison.

« Tu as déjà vu Eden ? demande T. J.

— Non.

— Je n'ai pas dû la voir plus de six fois en dix ans. Chaque fois, elle était en voiture avec sa mère. Elle est drôlement isolée ici. Bien sûr, elle a été absente si longtemps... Chacun suit son propre chemin, tu vois de quoi je parle. Parfois, je culpabilise de n'être jamais venu frapper à sa porte après son retour, mais je ne sais vraiment pas ce que je pourrais lui dire.

— Oui.

— Elle était sacrément bien roulée. Tu te souviens ?

— Je me souviens.

— Un vrai canon. Elle avait quoi... quatorze ans ?

— À peu près.

— Un drôle de gâchis, si tu veux mon avis. »

T. J. redresse les épaules et regarde les champs de maïs de l'autre côté de la route. « J'ai toujours pensé qu'il a enterré le fusil quelque part dans les champs. Mais tout a dû être labouré depuis.

— Sûrement. »

Le soleil illumine d'un éclair aveuglant la Mazda argentée qui file sur la route et qui leur cache momentanément le paysage. Au-dessus des champs, les corneilles décrivent des arcs de cercle.

Et, comme ils l'ont fait à maintes occasions après la fusillade, en silence, ne voulant rien trahir de leur préoccupation, Andrew se rend compte qu'une fois de plus, ils se repassent le film de l'inconcevable. Le père qui entre dans la maison, entend des bruits étouffés, ouvre la porte de la chambre de sa fille, l'atroce spectacle qui s'offre à ses yeux, les cris perçants. Eden, serrant un drap sur sa poitrine, se précipite vers son père... Les pas de la mère dans l'escalier.

Il se souvient de l'horrible plainte.

« Tu revois des fois les parents de Sean ? » demande Andrew.

T. J. esquisse un mouvement d'épaules comme

pour chasser ses spéculations. « Son père a toujours son atelier de réparation de téléviseurs en
ville, mais l'après-midi, il est généralement déjà
bien parti. Sa mère est morte il y a quelques
années. D'un cancer. Triste histoire. Celle de Sean,
j'entends.

— Ouais, dit Andrew.

— Bien. » T. J. s'empare de sa main. « Allez,
ne t'en fais pas. » Il s'en va vers sa voiture, fouil-
lant dans sa poche à la recherche des clés.

Andrew l'observe du perron. Avec la même
économie de mouvements qui a fait de lui le
patineur le plus agile du comté, T. J. glisse sa
longue carcasse dans la Prelude. Andrew s'apprête
à lui adresser un signe de la main quand il passe
la tête par la portière.

« Et pour l'amour de Dieu, Andy, mon pote,
lance-t-il en mettant le moteur en marche, va
t'acheter un jean décent. »

Andrew sourit et hausse les épaules. Comment
certaines qualités chez un garçon peuvent-elles
donner un résultat aussi bizarre chez un homme ?
Cependant, qui est-il pour le critiquer ? N'a-t-il pas
eu lui-même, en affaires, une conduite tout aussi
déplorable ?

La bière bue à jeun lui est montée à la tête. Il
retourne dans la cuisine.

En poussant la porte, il revoit Eden nue sous un
drap à fleurs. Cette vision le laisse perplexe.

Pourquoi y songer maintenant ? Il se demande
si T. J. connaît ce détail. Le lui a-t-il raconté à
l'époque ?

Après que Jim eut tenu l'enfant dans ses bras, il ne fut plus question de la laisser partir. Elle était à lui avant même son retour à la maison. La mère d'Andy se trouvait dans la cuisine des Close quand Jim poussa la porte et lâcha sa mallette d'échantillons. Il se pencha sur l'enfant – son empressement semblait être dicté par sa bonté d'âme naturelle – et s'en saisit avec l'aisance d'une puéricultrice, comme s'il s'était entraîné en rêve pendant des années.

Dans la confusion générale, la mère d'Andy vit Edith Close offrir son visage au baiser de son mari, baiser qu'elle reçut beaucoup plus tard dans la soirée ; entre-temps, assise devant la table de cuisine, elle le regarda, pétrifiée, danser avec son paquet tiède sur le lino usé. La mère d'Andy la vit lutter pour se composer une expression *ad hoc*, pour se mettre au diapason de son mari, pour feindre une joie qu'elle ne ressentait pas afin de ne pas être en reste.

Elle eut le bon sens de ne pas protester, de ne pas soulever la moindre objection... dont une femme pratique, déclara la mère d'Andy plus tard, devait pourtant forcément tenir compte : la mère en détresse pouvait changer d'avis et revenir ; l'enfant pouvait souffrir d'une anomalie encore indéterminée ; Edith pouvait se réveiller enceinte un jour et avoir ainsi deux bébés à charge (objection qui aurait été balayée sur-le-champ, car réfutée par l'omniscient Dr Ryder).

« Eden, déclara Jim, virevoltant rêveusement entre le four et l'évier. Nous l'appellerons Eden. »

Edith leva les yeux : elle semblait sur le point de protester.

« Le jardin d'Eden est venu à nous dans un panier », psalmodiait-il, faisant preuve, dirait la mère d'Andy plus tard, d'un lyrisme jusque-là caché et plutôt malvenu, vu que l'enfant était arrivée dans une boîte d'Oxydol, et inaugurant ainsi une longue série de quiproquos pour avoir donné au bébé un prénom qui ressemblait à celui de sa mère adoptive. (« Edith a eu des points de suture ? » demanderait le père d'Andy distraitement au cours du dîner, ayant écouté à moitié ce que lui racontait sa femme. « Non, *Eden* a eu des points de suture », répondrait-elle avec exaspération.)

Eden elle devint, sous le regard de la mère d'Andy qui observait le visage de sa voisine... celle-ci parut abandonner le combat, comme si elle s'était brutalement rendu compte que sa vie avait pris un tournant irrévocable et que plus rien ne serait comme avant. La main qui lui soutenait le menton retomba sans bruit sur ses genoux. Elle entrouvrit la bouche, et la mère d'Andy l'entendit prendre une longue et lente inspiration.

Andrew frotte son épaule endolorie et se baisse pour examiner l'intérieur consternant du réfrigérateur de sa mère. On dirait qu'il contient des pièces éparses de différents puzzles... impossible de les assembler en un tout satisfaisant. Il n'a jamais aimé Edith Close (en premier lieu, pense-t-il, parce qu'elle l'a toujours ignoré... mais il préfère croire que c'est à cause d'Eden) ; néanmoins, malgré son antipathie, il ne peut s'empêcher de ressentir la profonde injustice de toute l'histoire, la précise et terrible symétrie des deux intrusions : l'une, par une fraîche matinée de juin, présageant les pertes à venir ; l'autre, par une moite nuit d'août où elle a tout perdu.

Lorsque, le lendemain, la police arriva accompagnée d'une assistante sociale, Jim les attendait à la porte. Ils garderaient l'enfant, annonça-t-il. Même si, pendant quelque temps, ils rempliraient l'office d'une simple famille d'accueil, il ne doutait pas qu'ils finiraient par l'adopter légalement. La police, qui n'avait pas prévu cela, avait des documents signifiant précisément l'inverse, mais, nullement découragé, Jim effectua les démarches nécessaires, signa les papiers qu'il fallait, déploya son charme irrésistible devant les femmes qui connaissaient des raccourcis dans le dédale administratif et zigzagua ainsi entre les chicanes qui eussent dissuadé n'importe quel autre homme.

Brutalement confrontée à la maternité, sans que ses hormones l'eussent préparée à ce rôle, Edith Close exécutait les tâches requises comme un automate mal connecté qui d'un moment à l'autre pouvait tomber en panne à la suite d'un court-circuit. Ce qui arrivait assez fréquemment. Quand Jim était là, le bébé avait au moins un compagnon de jeux... bien que la jalousie naissante d'Edith, brume subtile à travers laquelle elle évoluait et qui ne s'exprimait pas encore par des remarques acerbes, lui fît souvent exiger que Jim reposât le bébé, qu'il laissât « dormir la pauvre enfant ». Mais en l'absence de Jim, Eden cessait d'exister de manière tangible... comme un arbre qui tombe dans la forêt sans que personne l'entende.

Andrew, qui a arrêté son choix sur un ragoût du patronage qui ressemble vaguement à un goulasch, repense à l'après-midi où Edith Close a laissé le bébé dehors dans son landau sans moustiquaire pour monter s'allonger dans sa chambre. Le chat caramel des Close – qui, contrairement à sa maîtresse, ne cherchait nullement à masquer sa jalousie – sauta silencieusement dans le landau, et il allait régler son compte à l'usurpateur quand les hurlements du nourrisson alertèrent la mère d'Andy. Elle sortit en courant de sa cuisine, saisit l'enfant et gratifia le chat vexé d'une taloche remarquablement prompte... croyant que le vacarme allait faire descendre la voisine. Mais même quand elle s'approcha de la porte et appela Edith – avec une certaine irritation, pensa Andy –, quelques minutes s'écoulèrent avant que cette dernière ne parût, hébétée, sur le seuil. Elle eut l'impression, confia la mère d'Andy ce soir-là à son père, à table, qu'Edith avait purement et simplement *oublié* l'enfant.

Andrew doute, tout comme sa mère, que leur voisine cherchât délibérément à nuire au bébé. C'était plutôt une question de mauvais branchement : elle craignait de perdre Jim (qui pendant des années s'était promené de ville en ville dans sa Buick noire et à qui la rumeur prêtait de nombreuses conquêtes féminines). Par un caprice du hasard, l'enfant se trouva pourvue de magnifiques boucles blondes, de plusieurs tons plus claires que les cheveux de sa mère adoptive. Bien qu'elle ne fût pas grosse, elle avait des joues rebondies, un joli teint rose et des cils étonnamment sombres comparés à tant de blondeur. Elle avait les yeux bleus comme Edith, ce qui permettait aux autres femmes en ville de s'exclamer sur la ressemblance entre la mère et la fille (compliment qui devait inspirer à Edith des sentiments mitigés), mais c'était un bleu plus vif, un bleu tirant sur le vert, que les jeunes filles ou jeunes femmes d'aujourd'hui obtiennent au moyen de lentilles de contact. Sa beauté était indéfectible. On pouvait oublier de lui laver le visage ou de peigner ses cheveux, comme cela arrivait souvent à Edith ; on pouvait l'affubler de vieux chiffons dénichés dans une friperie, et cependant, c'était elle qu'on remarquait en premier dans la cour de récréation de la maternelle, parmi les autres visages et les petits corps qui grouillaient sur les balançoires ou sur les agrès.

Plus Edith négligeait l'enfant, plus Jim la gâtait comme pour rétablir l'équilibre... à moins que ce ne fût l'inverse, Edith cherchant inconsciemment à tempérer ses excès. Mais comme, de ces deux forces émotionnelles, l'amour de Jim se révéla le plus passionné, le plus entier, Eden grandit plus gâtée que négligée ; « pourrie », disait la mère d'Andy, mot qui évoquait à ses yeux un fruit mou et flétri, rien à voir avec la fillette ravissante et têtue qui avançait à grands pas vers la puberté dans la maison d'à côté.

Pendant qu'il mange le goulasch congelé, Andrew revoit des scènes depuis longtemps oubliées. Jim rentre d'un déplacement et ouvre la portière de la Buick noire. Il est en manches de chemise, la cravate toujours nouée autour du cou. Il est chargé de paquets. Il aperçoit Eden sur la balançoire neuve qu'il a commandée chez Sears, celle que le père d'Andy a dû sceller dans le sol parce que Jim n'a pas pu (ou n'a pas voulu) déchiffrer les instructions. Eden repère Jim, piaille de joie et court chercher le cadeau qui l'attend. Edith apparaît derrière la moustiquaire, mettant de l'ordre dans sa coiffure. Puis elle dévale les marches à la rencontre de son mari. Elle porte un nouveau pull qu'Andy – qui joue avec une vieille voiture sur son propre perron et qui voudrait bien que Jim s'approche de lui avec une boule de gomme – n'a encore jamais vu : un pull blanc, doux et duveteux, avec un grand décolleté incrusté de pierreries. Quelquefois elle prononce son pré-nom : *Jim*. D'autres fois, elle l'enlace par la taille. Ensuite, après qu'il a salué sa femme d'un baiser, Edith se penche vers l'enfant et, d'une voix animée que ni Eden ni Andy n'ont entendue ces trois derniers jours, la complimente sur la robe que Jim lui a apportée et la touche pour la première fois depuis le départ de Jim. Au début, lorsqu'elle est encore petite, Eden est heureuse quand sa mère la serre enfin dans ses bras. Plus tard, elle sera décon-tenancée. Puis elle apprendra à ricaner. Et enfin elle se dégagera avec un mot grossier ou un geste qu'Edith attribuera publiquement à son « âge dif-ficile ».

Andrew, qui renonce au goulasch et racle son assiette, comprend à présent ces jalousies familia-les bien mieux que lorsqu'il était enfant. La jalou-sie était là, même sous son propre toit, dans le regard de son père, quand Andy, fiévreux ou les genoux écorchés, se réfugiait dans les bras de sa mère plutôt que dans les siens. Lui-même l'a ressentie, plus récemment, quand il voit Billy hésiter au moment de quitter sa mère pour aller passer une soirée ou un week-end chez Andrew.

Mais il suffit qu'il prenne Billy par la main ou qu'il lui ébouriffe les cheveux pour que tout rentre dans l'ordre. Alors que l'imagination d'Edith Close ne semblait lui laisser ni répit ni rémission.

Ils furent amis, bons amis, pendant un an ou deux. Il avait quatorze ans ; Eden, onze. Avant, elle ne présentait guère d'intérêt en tant que camarade de jeux, malgré le prestige que lui avait toujours conféré son arrivée chez les Close. Et elle pleurnichait beaucoup, ayant appris de bonne heure que ses geignements aigrelets, énervants, étaient seuls capables de percer le brouillard de plus en plus épais qui environnait sa mère, et qu'ils agissaient miraculeusement sur Jim, qui ne supportait pas de voir sa fille malheureuse, aussi absurde qu'en fût la cause. Mais vers l'âge de onze ans, elle s'aperçut, regardant de l'autre côté de la cour, qu'Andy et ses amis feraient des compagnons bien plus intéressants que sa mère distante, son père trop attentif ou les filles à l'école qui ne lui avaient jamais témoigné beaucoup de sympathie. Étant intelligente, pour ne pas dire machiavélique, elle flaira vite que pour être acceptée par ces grands garçons, il lui fallait subir une transformation radicale. Ce fut ainsi qu'Eden devint, pour une brève et heureuse période de sa vie, un garçon manqué.

Il se souvient parfaitement du jour où elle est venue les trouver. Sean, T. J. et lui s'affairaient avec leurs cannes à pêche sous le perron d'Andrew, pour aller à l'étang pêcher quelques poissons-chats avant le dîner. C'était en septembre ou octobre, pense Andrew, un soir de semaine, car il avait dû finir ses devoirs avant de sortir. Ce. devait être le tout début de l'année scolaire : l'entraînement de hockey n'avait pas encore commencé. Il faisait lourd ; ils étaient en T-shirt, profitant des derniers plaisirs de l'été avant l'arrivée du froid.

T. J., qui avait toujours été le plus rapide des trois, était fin prêt ; son attirail était appuyé contre le mur, et lui exécutait paresseusement des claquettes dans la poussière qui volait autour de ses tennis.

« Allez, les gars, s'impatientait-il. Il va faire nuit, et je dois rentrer avant le dîner, ou mon vieux m'étripera.

— Du calme, répondit Andy légèrement, passant son fil dans les anneaux. Il nous reste encore deux heures. »

Mais c'était Sean qui peinait le plus ; son fil s'était emmêlé et formait un nœud inextricable qu'il s'efforçait de défaire depuis vingt bonnes minutes. Les sourcils froncés, il était presque aussi rouge que ses cheveux. Andy et T. J. s'attendaient à le voir exploser. Andy craignait surtout de l'entendre hurler *merde*, alors que sa mère hachait les légumes de l'autre côté de la moustiquaire. Ce soir-là, à table, il aurait alors droit à un sermon sur l'usage des gros mots et des commentaires sur ses fréquentations. Si ses parents aimaient bien T. J. qui, dès son plus jeune âge, s'était révélé excellent vendeur, principalement en ce qui concernait sa propre personne, en revanche, ils se méfiaient de Sean comme de la peste.

Les parents de Sean étaient bien connus de toute la ville. Alcooliques tous les deux, ils devaient surtout leur réputation à leurs bagarres : légendaires prises de bec que l'on entendait par la fenêtre ouverte de leur appartement au-dessus de l'atelier de réparation des postes de télévision ; tirades amères dans la boutique même, tandis que les clients gênés faisaient mine d'étudier le tube à image ; ou pénibles tableaux muets entrevus par la vitre de la Pontiac familiale, visage ridé et mortellement pâle de la mère de Sean tourné vers son mari qui, comme son fils, devenait écarlate de fureur.

Enfant, Sean avait souffert des disputes de ses parents, même si dans son adolescence son propre tempérament le trahissait dans les moments les plus inopportuns. Mais pour T. J. et Andy, son embarras et les rapports houleux de ses parents faisaient partie de l'ordre des choses, tout comme le fait que la mère d'Andy fût trop grosse ou celle de T. J., arriviste. S'ils en pâtissaient quelquefois, très vite ils n'y pensaient plus : cela n'avait rien de vital. Le temps, voilà ce qui était vital. Ou l'état de la glace, la pêche. Ou un gant de base-ball volé, une leçon de conduite, la chance lors d'un match de retour. Les parents, eux, étaient plus des obstacles à contourner que les personnages clés du scénario quotidien.

(Ils ont eu bien tort de ne pas s'en soucier, pense Andrew. Ce même tempérament volcanique hérité de ses parents, à moins que ce ne fût l'alcool, devait mener Sean à sa perte ; quant à T. J., n'est-il pas tout aussi obsédé par la réussite sociale que sa mère ?)

Andy n'avait pas remarqué Eden jusqu'à ce que T. J. lançât en guise de salut : « Tiens ! »

Elle portait une chemise écossaise en coton et un short blanc. Elle était pieds nus, se rappelle-t-il, et ses cheveux, encore longs à l'époque, étaient noués en queue de cheval.

Si elle venait parfois quand Andy était seul, jamais elle ne s'approchait de lui lorsqu'il était avec d'autres garçons. Il s'attendait donc à un message ou une requête de la part d'Edith ou de Jim, concernant quelque tâche à accomplir. Mais elle restait là, les mains dans les poches de son short. « Qu'est-ce que vous faites ? » La question était superflue.

Tout s'est passé, songe Andrew, en l'espace de quelques secondes : un prompt échange de questions, de positions, et en deux ou trois phrases, un regard par-ci par-là, chacun a trouvé sa place. Sean leva la tête ; sur son visage, la colère céda la place à la confusion. T. J. fourra les mains dans ses poches. « On va à la pêche. » Andy, qui n'avait toujours pas saisi, attendait le message. Eden sourit, d'un sourire délibéré qui leur fit baisser les yeux. Quand ils la regardèrent de nouveau, elle ne souriait plus.

« Je peux venir avec vous ? » demanda-t-elle le plus sérieusement du monde.

T. J. pirouetta sur son talon. Andy chercha une réponse. « Je ne sais pas, répliqua-t-il sans réfléchir. Tu n'as pas de gaule. »

T. J. poussa un ululement et se mit à boxer l'air. Andy comprit son involontaire jeu de mots et leva les yeux au ciel. Eden ne broncha pas.

« Alors ? » fit-elle sur un ton de défi.

T. J. passa un bras autour de ses épaules, ce qu'Andy n'avait encore jamais fait. Il était certain de ne l'avoir jamais touchée, et le geste de T. J. le déconcerta. Il se sentit agacé, puis gêné, comme quand il lui arrivait de se trouver dans une même pièce avec ses amis et ses parents, et qu'il ne savait quoi dire ni quelle contenance adopter.

« Tu veux regarder pêcher les grands garçons ? s'enquit T. J. avec un clin d'œil à l'adresse d'Andy. Ce doit être fascinant. »

Eden haussa les épaules. Maintenant qu'elle avait fait le premier pas, elle ne voulait pas paraître trop empressée.

T. J. remit ses mains dans ses poches. Sans bien savoir à quoi il s'exposait, Andy déclara : « Ça ne me dérange pas. »

Sean regarda Eden, puis T. J., puis de nouveau Eden. Son visage se plissa. Il examina Eden comme si elle appartenait à une espèce particulièrement nuisible.

« Crénom ! » dit-il tout haut.

Eden joua son rôle de garçon manqué avec brio. Elle apprit la rudesse et le bon sens comme on apprend une langue étrangère, et ce faisant, se révéla bonne élève. Passé le premier moment d'incrédulité, Andy, T. J. et Sean l'acceptèrent à contrecœur ; ils furent même passablement impressionnés par sa ténacité dont aucun d'eux ne se sentait capable. Ils eurent beau essayer de la semer au début, elle s'accrochait comme un crampon. Elle obligea sa mère à lui couper les cheveux, malgré l'interdiction de Jim ; elle prit l'habitude de porter des salopettes et des baskets blanches. Bien que plus petite que les garçons, elle alignait son pas sur le leur, les mains dans les poches de sa veste de collégienne bordeaux et or, beaucoup trop grande pour elle, un bonnet de laine noire, identique aux leurs, cachant sa frange dorée.

C'était l'année où le père de T. J. lui avait offert une carabine pour chasser les écureuils. Quand elle avait réussi à quémander un tour, Eden débusquait les petits animaux et tirait sur eux avec un enthousiasme qui les surprit... surtout Andy qui, même à quatorze ans, avait peine à comprendre le plaisir qu'on pouvait prendre à tuer des animaux. L'hiver, ils passaient tous leurs après-midi la crosse de hockey à la main, sur l'étang derrière les champs de maïs. Au début, Eden regardait les autres, recroquevillée sous sa veste d'écolière, battant la semelle pour se réchauffer, mais aussi d'exaspération. « Je veux patiner, les enfoirés », criait-elle, employant le mot extrême de leur vocabulaire de l'époque. Finalement, Andy fut obligé de lui donner des leçons. Malgré sa petite taille, elle se révéla, comme partout ailleurs, rapide et déterminée. Et quand elle recevait le palet – sur le tibia à travers sa salopette, ou sur la pommette, coup qui la fit saigner, laissant une cicatrice qui eût pu être indélébile si elle n'avait pas été effacée trois ans plus tard –, elle ne pleurait pas, mais retenait son souffle et se figeait, tandis que le sang refluait lentement de son visage.

Ils jouaient sur l'étang depuis le début décembre jusqu'à la fin mars. Il se rappelle que les orteils gelaient les premiers, puis les oreilles, déjà mordues par le froid l'année précédente, lors d'un moment d'inattention. Il se souvient de la glace, bosselée après un coup de gel, et de la sensation au creux de l'estomac quand on butait sur une aspérité, sachant qu'on allait atterrir sur les rotules. Début décembre, après les gelées, la glace était noire, magnifique, mais le reste de la saison, en fin d'après-midi, elle était enneigée, striée d'ornières et d'arabesques, tandis que le soleil rougeoyait à travers la dentelle des branches dénudées et que le ciel virait déjà au bleu marine.

Un jour, se souvient-il, ils étaient assis dans une congère au bord de l'étang, en train de délacer leurs chaussures pour émerger des champs juste à la tombée de la nuit. Ils se traitaient de « connards » et de « têtes de nœud », mélangeant les genres, essayant les mots entendus à l'école ou à la maison. C'était juste après Noël car Andy et Eden avaient chacun une paire de patins neufs. Les doigts engourdis par le froid, il n'arrivait pas à dénouer les lacets trempés. Soudain, relevant la tête, énervé, il les vit dans le crépuscule tombant.

Elle les avait sorties de sa poche, un paquet d'Old Gold... nonchalamment, comme s'il s'agissait d'un simple paquet de chewing-gum. Il revoit encore la scène, le plaisir triomphant dans ses yeux : elle était la première, ce qui lui permettait de se tailler une place au sein de la bande.

L'un après l'autre, ils s'interrompirent pour la regarder ouvrir la cellophane d'une main experte et faire tomber une cigarette du paquet. Elle l'alluma et inhala profondément, comme aucun d'eux ne l'avait encore jamais fait. Elle avait dû s'entraîner, devina Andy, en attendant son heure. Sean, la goutte au nez, tenta de minimiser l'événement en déclarant qu'elle était la seule à avoir un parent qui fumait, autrement dit que c'était plus facile pour elle, mais Eden était la reine du moment, et elle le savait. Elle leur tendit le paquet, et ils prirent chacun une cigarette, la roulant entre les doigts comme des années plus tard ils apprendraient à tenir un joint. Les yeux rivés sur Andy, elle lui lança les allumettes. Elle le défiait d'inhaler aussi profondément qu'elle, bien qu'il pût à peine respirer à cause du froid et de ses efforts sur la glace.

Ils fumèrent leur cigarette, puis en reprirent une autre, jusqu'à ce qu'on ne vît plus que quatre bouts incandescents dans l'obscurité. À la lisière du champ, alors qu'ils étaient sur le point de se séparer – T. J. et Sean devaient faire du stop jusqu'à la ville, les patins accrochés à l'épaule par les lacets, la tête lourde et l'estomac révulsé –, Eden sortit une boîte de pastilles de menthe et leur fit un discours sur l'importance de masquer son haleine. Si elle n'était pas déjà membre à part entière de leur bande depuis qu'elle leur avait offert les cigarettes, elle le serait devenue à ce moment-là. Car, s'ils s'étaient tous fait « ramoner », selon l'expression de T. J., pour être arrivés en retard au dîner, aucun d'eux n'eut à supporter les cris et les sermons qui viendraient plus tard, quand fumer deviendrait une habitude, si bien qu'ils n'y prendraient plus garde.

Cet hiver-là, ils ne furent donc pas trois, mais quatre, quatuor mal assorti (vu de dos, tandis qu'ils marchaient sur les rails, les crosses sur l'épaule) de trois grandes clarinettes filiformes et d'un petit piccolo. En fait, Eden faisait tant et si bien partie de la bande que, quand elle n'était pas là, elle leur manquait.

« Mais alors où est-elle ? » demanda T. J. un après-midi, quand Andy et Sean le rejoignirent à l'étang. Arrivé le premier, il avait déjà chaussé ses patins et décrivait des cercles impatients sur la glace inégale près du bord.

Conscient d'être la principale source d'information en ce qui concernait Eden, position qui lui conférait un certain prestige, Andy répondit qu'elle était chez le dentiste. Il crut déceler une pointe de déception dans la manière dont T. J. frappa la glace de sa crosse. Il est vrai qu'il était plus facile de jouer à quatre.

Sean, qui tirait sur un lacet, prétendait toujours considérer Eden comme une punition. Dégoûté, il clapa de la langue. Mais quand il dit, d'une voix presque trop plaintive : « Aujourd'hui, j'étais censé lui apprendre l'eagle », Andy sut que lui aussi s'était habitué à sa présence.

Pendant une courte période, ils coulèrent des jours heureux sur la glace, sur le terrain de base-ball ou dans les champs, à contempler le ciel d'été qui filait trop vite au-dessus de leurs têtes. Eden et lui étaient, semble-t-il, toujours ensemble, quelquefois en groupe, mais le plus souvent seuls. Il suppose maintenant qu'elle était sa meilleure amie, même si à l'époque cette idée l'eût scandalisé, aussi peu féminine qu'elle fût. Peut-être étaient-ce les longues soirées d'été passées à lancer la balle, ou le silence des champs où ils se réfugiaient pour fumer en cachette, mais quand ils avaient quelque chose à dire, ils se confiaient l'un à l'autre.

« Edith ne m'aime pas », l'entendit-il déclarer, tandis qu'ils étaient couchés sur le dos dans le sentier qui coupait les champs juste derrière les maisons. Ils mangeaient des esquimaux ; il se souvient qu'un peu de chocolat fondu avait coulé dans le cou d'Eden. Le marchand de glaces passait chaque soir après dîner et se faisait un devoir d'arrêter son camion au bout du chemin et de klaxonner en se rendant dans la ville voisine. Andy et Eden s'achetaient une glace, et souvent Andy en prenait aussi une pour sa mère. (Quel délicieux mélange, songe-t-il, l'innocence des esquimaux et l'âcreté défendue des Old Gold qu'ils fumaient ensuite.) Tous deux portaient un T-shirt et un short, et embaumaient la citronnelle : lors de ces humides soirées d'été, les moustiques étaient féroces dans les champs.

« Bien sûr que si, répondit Andy. Ce n'est qu'une impression. Tout le monde croit ça à un moment ou un autre.

— Moi, c'est tout le temps. »

Andy ne trouva aucun exemple récent à opposer à Eden, mais dans l'absolu, il jugeait inconcevable qu'une mère pût ne pas aimer son enfant.

« Qu'est-ce qu'on fait demain ? demanda-t-elle.

« — Aucune idée. T. J. doit tondre la pelouse de son père, et Sean, je ne sais pas ce qu'il fait.

— Et si nous faisions quelque chose tous les deux, rien que toi et moi ?

— Comme quoi ?

— Nous pourrions prendre nos vélos et aller pique-niquer dans un endroit inconnu.

— Pourquoi pas... »

La suggestion plut à Andy. Il tenta de se rappeler si lui aussi était censé aider son père dans la matinée.

« Nous pourrions découvrir un nouveau lac pour la pêche, dit-elle.

— Tu veux qu'on emporte les cannes ?

— Bien sûr. Ce doit être possible. »

Andy réfléchit à la logistique.

« Je crois que je vais mourir jeune, déclara-t-elle en léchant son bâtonnet.

— Ne sois pas stupide. Pourquoi tu dis ça ? »

C'était ce qu'Andy n'aimait pas chez les filles, ce penchant pour le mélodrame. Chaque fois qu'il le sentait chez Eden, il essayait de l'étouffer dans l'œuf.

« Parce que je ne m'imagine pas avec une activité d'adulte.

— Hein ?

— Je ne m'imagine pas femme au foyer, pas plus que je ne m'imagine en institutrice, secrétaire, actrice ou autre chose. C'est sûrement parce que je dois mourir jeune. »

Hormis le vague projet de poursuivre ses études quelque part et le désir farouche de jouer dans une grande équipe de base-ball, Andy ne se voyait dans aucun rôle précis non plus.

« C'est pareil pour moi, répliqua-t-il, mais je ne pense pas pour autant que je vais mourir jeune.

— Sean ne m'aime pas beaucoup, n'est-ce pas ?

— Sean est un abruti, mais il n'a absolument rien contre toi.

— Mais toi, tu m'aimes bien. »

Il s'assit, agitant la main pour chasser la nuée de moucherons qui l'enveloppait.

« Ça peut aller. » Il fut incapable de se dévoiler davantage car, à dire vrai, il en était venu à préférer sa compagnie à celle de T. J. ou de Sean. Il se tourna vers Eden, couchée dans l'herbe.

« Mais que ça ne te monte pas à la tête », ajouta-t-il, lui assenant une bourrade à l'épaule. Elle se redressa vivement et, d'un geste prompt, catapulta son bâtonnet d'esquimau. Il atterrit sur l'oreille d'Andy. Il voulut lui envoyer le sien et la manqua.

« À mon avis, mon vrai père devait être écossais », fit-elle.

On lui avait appris de bonne heure qu'elle était une enfant adoptée... on lui avait même raconté l'histoire – que Jim avait réussi à rendre charmante comme un conte de fées – de son arrivée dans une boîte en carton. D'après le père d'Andy, Jim avait eu bien raison de le faire car il eût été impossible de continuer à le lui cacher, une fois qu'elle irait à l'école. En effet, lorsqu'elle fut confrontée aux autres enfants de la ville, dont les parents considéraient Eden comme une curiosité, sinon comme une légende vivante (son arrivée même est entrée dans les annales de la petite ville), elle se trouva en butte à leurs cruelles moqueries enfantines. « La fille dans la boîte ! La fille dans la boîte ! »

criaient les garçons de sa classe dans la cour de récréation.

« Possible », répondit Andy.

Et tous deux s'allongèrent de nouveau sur l'herbe sèche pour fumer les cigarettes volées à Jim (comment a-t-il pu ne pas remarquer la disparition de deux ou trois paquets par semaine ? s'étonne-t-il maintenant) et pour réfléchir à ces questions et à d'autres, plus urgentes, comme savoir si le père d'Andy mettrait à exécution sa menace de l'interdire de matches de hockey s'il ratait son examen de français en automne. Ou si le père de T. J. ferait installer la piscine avant la fin de l'été. Ou bien, à défaut, comment baratiner le gardien de la piscine municipale, au-dessus de laquelle Eden jurait avoir vu planer les vapeurs de chlore.

Ils passèrent ensemble cette première année, tout l'été et jusqu'au printemps de son année au collège. Depuis longtemps il avait cessé de la considérer comme une anomalie parmi ses amis. Elle était Eden, point. Elle faisait partie de ses amis. Même s'il devait s'avouer qu'il se faisait plus de souci pour elle, qu'il veillait sur elle bien plus que sur Sean ou sur T. J... quoique cela arrivât avec Sean, quand Andy et T. J. devaient le calmer pour éviter un penalty sur la glace.

Néanmoins, quand il repense à l'été des treize ans d'Eden (l'été qui précéda son entrée en terminale, l'été inauguré, lui semble-t-il, par cette journée fatidique sur le terrain de base-ball), il a l'impression qu'une vague s'est retirée de lui avec l'inexorable puissance du jusant.

Ce printemps-là, ils lui avaient permis de jouer à la troisième base dans leur équipe improvisée. Piètre batteuse, elle se montrait rapide et précise dans le carré. Leur équipe, se souvient-il, perdait de peu ce jour-là. Eden était assise sur le banc à côté de lui, pliée en deux comme lui, les coudes sur les genoux. Il avait plu, mais le soleil avait dissipé la brume, ne laissant que quelques flaques dans le champ derrière l'école. Il la vit se redresser, une main sur son ventre. Il la trouva singulièrement pâle. Elle portait sa casquette à l'envers, la visière dans le dos. Elle gémit légèrement, presque imperceptiblement, mais il l'avait entendue, et il lui demanda si tout allait bien. Elle le regarda, mais ne répondit pas. À cet instant, T. J., rattrapa une balle, et ils bondirent sur leurs pieds.

Andy se rassit, mais Eden était toujours debout. Ce fut alors qu'il aperçut la tache rouge sombre.

Au début, il prit peur. Elle était blessée et ne l'avait dit à personne. C'était typique d'elle. Puis il comprit.

« Eden ? » fit-il doucement.

Elle pivota vers lui, vit son expression et s'assit. « Ne te lève pas. »

Regardant autour de lui, il aperçut un gilet posé sur le banc à côté de Sean. Se penchant derrière le dos de son ami, il tira sur le gilet, le mit négligemment sur ses genoux et ensuite le passa discrètement à Eden.

Elle le noua autour de sa taille.

« Dis donc, lança Andy à Sean absorbé par le jeu. Eden a mal au cœur. » Il fut surpris de l'aisance avec laquelle il mentait. « Je la raccompagne chez elle. Mets Warren à ma place, OK ? Il meurt d'envie de jouer à la première. » Sans regarder Andy, Sean hocha distraitement la tête.

Andy se tourna vers Eden. Il hésita avant de demander : « Tu sais ce que c'est ? »

Elle haussa les épaules. « Je crois que oui. »

Ils rentrèrent à pied, chacun portant un gant, le gilet drapé autour de la taille d'Eden. Il frappait son gant, décrivant parfois un arc de cercle avec son bras pour mimer le lancer. Ni l'un ni l'autre ne mentionnaient la raison pour laquelle ils rentraient chez eux avant la fin de la partie. Ni l'un ni l'autre ne firent remarquer qu'Andy n'avait pas besoin de la raccompagner. En fait, Eden desserra à peine les dents. Supposant qu'elle devait être gênée, il essaya de parler d'autre chose, sur un ton qui frisait la désinvolture, mais son monologue fut entrecoupé de longues pauses.

Lorsqu'il repense à ce trajet aujourd'hui – vingt ans après – ce n'est pas de la gêne qu'il ressent (il sourit en songeant à leur embarras et à la pudeur d'Eden), mais plutôt de la tristesse. Car bien qu'elle fût jeune et timide, tout juste capable de faire face à cet étrange et déroutant problème, il ne doute pas que ce fut là son dernier jour de pureté, le dernier jour de l'enfance d'Eden.

Cet été-là, elle quitta l'équipe, abandonna le sport. Pour toute explication, elle déclara qu'elle les trouvait « ennuyeux », explication qui laissa Andy perplexe. Car s'il approchait lui aussi de la puberté – avec sa voix qui muait et son duvet au-dessus de la lèvre supérieure –, il se sentait fondamentalement le même, toujours passionné par le hockey et le base-ball, toujours proche de ses amis comme un frère. Le jour, il travaillait – son premier job d'été – à la laiterie, déchargeant les camions et préparant les bouteilles au lavage. Le soir, après le dîner, lors de ce second été ensemble, Eden et lui jouaient à la course-poursuite et s'échappaient dans les champs pour fuir la corvée de vaisselle. Là, ils se chamaillèrent pour la première fois. Il décréta que ses oreilles nouvellement percées relevaient de la barbarie ; elle écrasa sa cigarette et l'appela « bébé ». Elle se moqua de lui car il ne connaissait pas les dix premiers titres du hit-parade ; il l'accusa de passer ses journées dans sa chaise longue en plastique à écouter la radio. Elle ne faisait pas que ça, répondit-elle, lui montrant les bagues et les boucles d'oreilles chapardées au Woolworth de la ville voisine. Elle prenait le car le matin, expliqua-t-elle, et descendait où bon lui semblait. La prochaine fois, elle essayerait de lui rapporter une Timex. « Ne prends pas cette peine », répliqua-t-il avec irritation. En vérité, il était horrifié. Le vol l'effrayait. Ayant trouvé un billet de dix dollars sur le plancher du camion qu'il déchargeait une semaine plus tôt, il s'en fut aussitôt à la recherche du chauffeur ; rien que de tenir ce billet à la main, il s'était senti coupable.

Elle portait des shorts et des corsages à dos nu et commençait à arborer un bronzage de paysanne. En parlant, elle repliait ses jambes sous elle et, quand elle fumait, elle faisait glisser distraitement ses doigts le long de son bras jusqu'à l'épaule et en sens inverse. Ce geste hypnotisait Andy. Elle se laissait pousser les cheveux, et elle s'était peint les ongles.

En septembre, la métamorphose fut complète. Il se rappelle le jour de la rentrée des classes. Il attendait le car. Elle était en retard. Il voyait déjà au loin la tache jaune du véhicule bringuebalant sur la route droite qui venait de la ville. Il se retourna et, mettant ses mains en porte-voix, hurla en direction de sa maison : « Eden ! »

Elle sortit par-derrière, sans courir comme elle l'eût fait au printemps, mais en se déhanchant légèrement, tandis qu'elle rajustait la bandoulière de son sac sur son épaule. Avant même qu'elle n'eût croisé son regard, il vit un lent sourire se dessiner sur son visage. Elle jouissait de sa stupéfaction. Hors de la vue de sa mère, elle ouvrit son sac et en sortit un tube de rouge à lèvres. La bouche entrouverte, elle ôta une poussière à la commissure de ses lèvres. Il ne l'avait encore jamais vue se mettre du rouge à lèvres. Ses cheveux, coiffés sur le côté, lui tombaient en cascade sur un œil. Elle portait une jupe noire et droite, mais ce fut son chemisier surtout qui plongea Andy dans un abîme de confusion. C'était un chemisier blanc à manches courtes, avec un col... un chemisier d'écolière ou de ceux qu'on emporte en colonie de vacances. Sauf que le coton était fin et qu'en dessous, on voyait qu'elle portait un soutien-gorge. Ses seins semblaient avoir poussé du jour au lendemain, trop vite pour sa silhouette menue ; ils pointaient sous le tissu. Le car arriva en cahotant. Andy grimpa prestement les marches, passa devant plusieurs garçons de sa connaissance et alla s'asseoir au fond, à côté d'une fenêtre. Trop tard, il se rendit compte de son erreur.

Au printemps, elle se serait assise à côté de lui,

rebondissant sur le siège avec plus de vigueur qu'on ne l'eût cru de sa petite personne. Elle aurait dit, en faisant claquer son chewing-gum, où as-tu dégoté cette chemise ringarde, et il aurait haussé les épaules, OK, elle était ringarde – une fine chemise blanche avec des rayures brillantes – mais il ne la mettait que cette fois, pour faire plaisir à sa mère qui l'avait achetée la semaine dernière.

Au lieu de quoi, il vit la mine concupiscente du chauffeur et la stupeur des autres garçons lorsque cette créature qu'il avait l'impression de ne plus connaître s'avança dans l'allée, se tenant aux barres métalliques au-dessus des sièges. Il entrevit l'éclat des ongles peints et entendit le bruissement de sa jupe sur le siège en cuir derrière lui. Furieux, il tourna la tête vers la vitre.

Pour la première fois de sa vie, il sentait dans sa bouche le goût métallique de la trahison et du désir. Et il comprit que les choses les plus sûres, les plus familières, pouvaient, du jour au lendemain, devenir totalement étrangères.

Je crois que tu sais. Je crois que, d'eux tous, tu es le seul à savoir. Tu parles comme si tu ne savais pas, mais je pense que c'est faux.

Je t'entends gratter, gratter, puis tu déplaces l'échelle. Ma fenêtre est toujours ouverte. Mon monde est ce que j'entends. Je peux nommer avec précision le moment de la journée grâce aux bruits extérieurs.

Ma vie n'est que cela.

Elle me lave les cheveux. Elle penche ma tête en arrière dans l'évier. Ses mains sont rudes. Je suis comme une personne âgée dont elle doit prendre soin.

J'écoute ta voix et celle de T. J. La sienne est pleine de mensonges. On les entend quand il rit. Une fois, il était dans une voiture avec moi, et je l'ai laissé toucher mes seins. J'ai ouvert mon chemisier ; il était avec d'autres garçons. Je parie qu'il ne te l'a jamais dit.

L'eau miroitait. Tu étais assis par terre, les genoux relevés. Tu avais noué tes bras autour de tes genoux. Tu te laissais pousser les cheveux pour partir étudier ailleurs, disais-tu. Je t'ai forcé à me regarder.

J'ai dit, tu as peur ?

Tu as secoué la tête. Tu as dit que j'aurais pu être ta sœur.

3

La distance est courte, vingt mètres. La pelouse est en train de sécher : il pourrait la tondre dès maintenant. *Dans une heure*, pense-t-il.

Il s'est lavé et changé, enfilant un pantalon kaki et une chemise de soirée dont il a retroussé les manches. Il marche les mains dans les poches ; ce chemin, il l'a fait sans réfléchir des milliers de fois dans sa jeunesse. Il a entendu sa voiture alors qu'il était dans la salle de bains. La porte a claqué légèrement ; avec une exactitude d'horloge, elle rentre tous les jours à deux heures et quart. Une douzaine de grosses fleurs d'hortensia rose brunâtre gisent éparpillées sur l'herbe haute en bordure du chemin. L'arbrisseau, note-t-il de nouveau, n'a pas résisté à l'orage magnétique de la nuit dernière. Andrew n'imagine pas qu'il puisse durer beaucoup plus longtemps. Sa mère l'a planté quand ils ont acheté la maison, il y a quarante ans au moins, et il l'a toujours associé à sa mère, associé la luxuriante verdure de l'un au bien-être de l'autre. À présent, il a l'impression que le feuillage est devenu trop dense pour son tronc sinueux et qu'il va finir par le courber.

Son cœur bat trop vite quand il arrive au perron. Ennuyé, il inspire profondément et redresse les épaules. Lorsqu'il pose le pied sur la première marche, il la sent céder... comme si, pendant toutes ces années, elle s'était habituée au poids d'une seule et unique personne et qu'elle ne supportât pas un gramme de plus. Voici dix-neuf ans qu'il n'a pas mis les pieds dans cette maison. Il est conscient, tandis qu'il tambourine sur le cadre de la moustiquaire, de pénétrer à nouveau dans une scène du passé, même s'il sait, d'après les rencontres de ces derniers jours, que rien ne sera comme avant.

Elle paraît aussitôt derrière la porte, méfiante, puis alarmée. Leurs regards se fuient involontairement, comme entre deux individus qui ne s'aiment guère, mais qui se sentent obligés de rester polis.

« Andy, dit-elle sans ouvrir la porte.

— Je viens dire bonjour à Eden », déclare-t-il sur un ton presque trop enjoué. Sur ce, il pousse la porte et entre dans la cuisine. Edith recule devant lui.

« Eden dort », répond-elle précipitamment.

Elle porte toujours sa robe gris-rose, dont la couleur commence à pâlir sitôt qu'il s'éloigne de la lumière du jour. Les stores sont baissés au-dessus de l'évier et sur la fenêtre qui donne sur le chemin, détail qu'il n'a pas remarqué lors de ses allées et venues en voiture. On a l'impression que la cuisine est fermée pour la saison, qu'elle attend l'arrivée des estivants ou des nouveaux locataires.

Il résiste à la tentation de relever ces stores d'un coup sec pour voir sa cuisine et son visage au soleil.

« Je les ferme pour garder la fraîcheur », explique-t-elle, interceptant son coup d'œil en direction de la fenêtre.

Il reste planté sur le lino, attendant que ses yeux s'accommodent à la pénombre, attendant un signe d'Edith, qui ne vient pas.

« Puis-je m'asseoir ? » demande-t-il.

D'un geste étrangement nerveux, elle lui désigne une chaise. Elle lui propose un verre de thé glacé. Elle va à l'évier, puis au réfrigérateur chercher des glaçons, lui tournant le dos.

« Merci de tout ce que vous avez fait pour ma mère, dit-il, sans réellement savoir ce qui a été fait au juste.

— Je me sens coupable vis-à-vis de votre mère, répond-elle, se retournant avec un grand verre dans chaque main. J'aurais dû le voir venir. Elle a dit une fois qu'elle souffrait de migraines. Au mois de juin, j'étais au marché quand Carol – vous vous rappelez Carol Turner – Carol m'a dit que votre mère avait failli s'évanouir dans le magasin juste la veille. Mais j'ai cru que c'était la chaleur, pas un coup de sang. »

Un *coup de sang*. Seule sa mère employait cette expression en parlant de sa grand-mère... pour lui faire comprendre pourquoi elle était malade et ne pouvait le recevoir. *Elle a ses coups de sang, Andy.* Elle aussi en a eu, seulement il n'y avait personne à la maison pour s'en apercevoir.

« On observe ça chez nos patients à la maison

de retraite. Ce sont de petites attaques qui obéissent bien à la médication. J'aurais dû me douter...

— Ce n'est pas votre faute », dit Andrew. Il
boit une gorgée de thé glacé. Elle l'a préparé à
partir d'un mélange instantané. Qui contient du
sucre : il n'aime pas ça. Maintenant que ses yeux
se sont habitués à l'obscurité, la couleur des murs
ressort plus nettement, une couleur vert pâle qui
lui revient en mémoire, le vert des hôpitaux et des
bâtiments administratifs. Il se souvient que cette
nuance de vert réfléchie par les murs changeait la
couleur de la peau. Ou était-ce sa mère qui avait
dit cela, secouant la tête avec réprobation, et il l'a
remarqué plus tard en venant chercher Eden ou
son argent de la semaine ? Un vert maladif, pense-
t-il, bien que la pénombre en atténue l'effet.

La cuisine, dans sa disposition, rappelle celle de
sa mère. On y trouve la même cuisinière Magic
Chef aux contours arrondis, mais la ressemblance
s'arrête là. Rien, sur le plan de travail ou sur la
table, n'indique qu'on y prépare à manger... ou
qu'on y entre tout court. Pas de sucrier encroûté,
pas de grille-pain constellé de miettes, pas de
porte-casseroles difforme fabriqué par un enfant.
Sur le mur à côté du frigo, où dans la cuisine de
sa mère trône un cadre avec un collage de photos
– essentiellement de Billy bébé –, il n'y a qu'une
horloge murale en plastique. Mais le plus déconcertant, quoique peut-être seulement pour Andrew
qui a manqué dix-neuf années de l'histoire de cette
maison, c'est l'absence de toute trace de Jim. Il y
avait toujours, se souvient-il, des pardessus et des
feutres sur les crochets derrière la porte, une ran-

gée de lourdes chaussures de cuir près de la cuisinière, une pile de revues sur la table – *Life*, *Reader's Digest*, *Popular Mechanics* (cette dernière étant un sujet de plaisanterie familiale chez les parents d'Andy) – et la corbeille de fruits de Jim, toujours pleine. Non seulement il n'y a pas le moindre fruit dans la pièce ; il n'y a pas de nourriture du tout. C'est peut-être différent là-haut, dans la chambre. Il repense à l'armoire de son père dans la chambre de sa mère, intacte, comme si d'une minute à l'autre son père allait entrer et décrocher un vêtement sur la tringle. Les fenêtres, note-t-il, n'ont pas de rideaux, seulement des stores. Il essaie de se rappeler s'il en a toujours été ainsi.

« Alors, vous allez vendre. » Elle sirote son thé glacé. Il se souvient de cette particularité qu'elle a : elle est capable d'entretenir la conversation sans regarder son interlocuteur une seule fois. Il se force à détailler son visage et, ce faisant, revoit dans la lumière diffuse, comme cela lui est déjà arrivé, la femme qu'elle a été, le profil plus net superposé au visage en face de lui.

« Oui, je suis obligé. » Il sait que son regard scrutateur la met mal à l'aise. « Je n'ai plus aucune raison de garder la maison.

— Oui, opine-t-elle, effleurant ses cheveux dans la nuque. Oui, certainement. Quoique, avec de nouveaux propriétaires... »

Elle ne termine pas sa pensée. Andrew répète ce qu'il a déjà dit : « J'essaie de la rafistoler ici ou là, histoire de la rendre présentable. Tant que j'y suis, je peux sans problème vous donner un coup de main. Pour la pelouse, naturellement. Et votre perron a besoin d'être réparé. C'est dangereux ; vous pourriez vous casser une jambe. Je pourrais aussi remettre en place le volet qui est tombé de là-haut.

— Oh, dit-elle, prise de court. Non. Pas le volet. Je... je ne l'ai pas. Ce n'est pas utile. Les marches, oui, si vous voulez. Je vous payerai.

— Je ne...

— Je vous payerai », coupe-t-elle.

Son visage, visage de femme vieillissante, se profile clairement devant lui. Sous un léger voile de poudre, il voit la délicate calligraphie des rides autour de ses yeux. Il est difficile de regarder ses yeux, mais en parlant d'elle à un tiers (ce qu'il n'a probablement jamais fait), il dirait qu'elle est encore belle. Ce n'est pas seulement une question d'avoir bien vieilli (elle est beaucoup moins marquée que sa mère, devenue méconnaissable les dernières années de sa vie), mais c'est quelque chose qui lui est propre : le maintien bien droit, une inépuisable réserve de patience. Il songe à toute cette passion qu'il y avait en elle, passion qui l'intriguait tant. Que devient-elle, se demande-t-il, quand l'objet de votre passion disparaît ?

Il détourne le regard. Malgré les années, malgré son sentiment de malaise, cette cuisine lui est étrangement familière. Quelquefois, quand il rêve, c'est elle qui lui sert de décor. Les personnages n'ont rien à voir avec l'endroit : son patron, Billy, une femme croisée à un coin de rue. Ils se rassemblent dans cette cuisine ; ou alors, dans un autre rêve, à la suite d'un changement de décor, il les retrouve ici, pour poursuivre une histoire commencée ailleurs.

« Comment va Eden ? » questionne-t-il subitement. Il parle plus fort qu'il ne l'aurait voulu.

Elle regarde l'évier. « Pas très bien. Elle se fatigue facilement. » La phrase semble avoir été préparée d'avance ou bien maintes fois répétée.

« J'aimerais la voir », s'enhardit-il.

Elle secoue la tête. « Ça va la perturber.

— Je ne veux pas la perturber. Je voudrais juste... – il cherche le mot – ... lui rendre visite.

— Eh bien, pas aujourd'hui. » Elle fait tinter les glaçons dans son verre. Sa bouche est pincée. Elle lève le menton.

« Pourquoi ?

— Elle dort. Et j'ai remarqué que les souvenirs du passé la bouleversent. Je dois lutter contre ça des jours et des jours durant. » Elle repousse une mèche imaginaire de son front.

« Mais est-ce qu'elle voit du monde ? (Son insistance le surprend. Pourquoi est-il aussi grossier ? Cependant, emporté par son élan, il ne peut plus s'arrêter.) A-t-elle l'occasion de sortir ? Il doit y avoir des programmes, des centres pour aveugles. »

Elle se lève pour rincer son verre dans l'évier. « Je suis *infirmière.* » Elle met l'accent sur ce dernier mot comme si cela devait régler la question. Et aussi comme pour le ravaler de nouveau au rang du gosse des voisins. « Ainsi que vous devez le savoir, Eden *est* partie plusieurs années au début, mais nous nous sommes aperçus qu'elle était mieux ici avec moi. Nous menons une existence tranquille qui lui convient. »

Il s'apprête à poursuivre l'interrogatoire quand il entend un bruit au-dessus de sa tête. Un bruit de chaise qui racle le plancher. Ou il croit l'entendre. Edith Close ne bronche pas. Il la dévisage pour voir si elle a entendu, elle aussi. Puis il perçoit un autre bruit, des pas qui traversent la pièce de part en part. La chambre d'Eden, au fond du couloir, est située au-dessus de la cuisine. À moins qu'elle n'en ait changé depuis.

Edith Close s'approche d'Andrew et tend la main pour lui prendre son verre. « Cinq dollars l'heure, ça vous va ? » demande-t-elle.

Il lève les yeux. Toute discussion semble inutile. Elle ne le laissera pas faire le travail sans une quelconque rétribution. Il répond : « Parfait. » Il lui donne son verre à peine entamé. « Il y aura des planches en bois pour les marches, ajoute-t-elle. Voulez-vous un peu d'argent tout de suite ? »

Il secoue la tête. Il sait qu'elle souhaite le voir partir.

Il se lève et, à ce moment-là, entend de la musique en provenance d'un poste de radio. Il tend l'oreille. Pas de doute : c'est une radio. Elle l'entend également. Il voit ses épaules se voûter presque imperceptiblement comme pour chasser ce bruit. Il croit distinguer une phrase de *Glory Days*, puis une pause et la voix du disc jockey. Il regarde le plafond.

Elle le touche, pose une main sur son coude, le prenant au dépourvu. Ses doigts sont glacés.

« J'ai un patient à voir », dit-elle, le propulsant vers la porte.

Il a beau savoir que ce ne peut pas être vrai, il

a beau vouloir lui dire qu'Eden doit être réveillée maintenant, son contact – froid, déplaisant – lui donne le sentiment de redevenir petit garçon, pressé de s'échapper, de quitter cette cuisine sombre.

Elle le raccompagne à la porte. La voix de la radio les poursuit ; elle semble même avoir augmenté de volume.

« Merci pour le thé glacé », marmonne-t-il.

Il descend à reculons avec un geste qui ressemble à un signe de la main, et elle s'empresse de refermer la porte. Il a oublié le perron pourri. La marche du bas craque sous son poids. Il manque tomber à la renverse et se rattrape maladroitement à la rampe. Quand il se retourne, il a les mains qui tremblent. Pour se reprendre, il enfonce ses poings serrés dans ses poches.

Il est à deux pas de son propre perron quand il sent un picotement dans la nuque. Il s'arrête et pivote vivement sur lui-même. Un, deux. Il aperçoit d'abord, au coin d'un store de la cuisine, un mouvement rapide, puis dans la fenêtre du haut, un frémissement plus lent, une vague impression de robe bleue et de bras blanc et maigre.

L'image s'évanouit en un éclair. Mais il reste, fixant la fenêtre ouverte, l'appelant de toutes ses forces, incapable de bouger.

Elle n'a pas pu venir à la fenêtre pour me voir, pense-t-il. *Elle a dû venir pour être vue.*

Il verse de l'essence dans la tondeuse et vérifie l'huile. Il ignore totalement de quand date cette huile ou quand la machine a été utilisée pour la dernière fois, mais il est trop impatient pour retourner à la station-service. Se penchant pour tirer sur le cordon pour la cinquième fois, il y met tout son cœur, plus par dépit que par bon sens. Contre toute attente, la machine s'anime bruyamment. Son vrombissement sonore rompt agréablement le silence. Le vacarme, espère-t-il, agacera la femme qui se terre derrière ses stores baissés. Il inspire profondément pour se calmer. Le bruit l'apaise. C'est un bruit qui lui fait du bien, qu'il peut comprendre... même si, paradoxalement, voici des années qu'il n'a pas tondu une pelouse.

Le travail, pense-t-il, est tout aussi agréable. On pousse la tondeuse droit devant soi et, se retournant, on voit un andain bien net ; toutefois, il ne coupe que cinq ou six centimètres lors de ce premier passage, ayant surélevé la lame pour ne pas l'obstruer avec de l'herbe humide. Il rejette l'herbe sur le côté : plus tard, il mettra le sac et repassera sur la pelouse afin de la couper à ras tout en ramassant les déchets.

Le soleil lui brûle le visage. Les vibrations de la machine se communiquent à ses bras ; il sent la tension l'abandonner. Le tout, pense-t-il, c'est de continuer d'avancer à l'intérieur du bruit, de laisser le bruit noyer les pensées dans sa tête et les images devant ses yeux, jusqu'à ce qu'il puisse les tenir à distance. Il a envie de fermer les yeux, mais bien sûr, c'est impossible. Pourtant, il aimerait bien rester une seconde sans bouger à l'intérieur du vacarme, les yeux clos, le visage offert au soleil.

Elle était sacrément bien roulée. Tu te souviens ?

110

Je me souviens.

Par moments, il avait l'impression de la connaître à peine, même s'ils se voyaient tous les jours.
Il entendait les rumeurs qui circulaient sur son
compte. Il était au courant. Il l'observait comme
on observe une maison où l'on a vécu et que les
nouveaux propriétaires sont en train de transformer.

Il la croisait dans le car de ramassage scolaire,
dans la cour, sur le chemin, dans un couloir où il
s'arrêtait pour boire de l'eau à la fontaine murale.
Elle aimait à le taquiner, et il la laissait faire. Il
ne savait comment y mettre fin. L'affronter comme
il l'avait fait au début, alarmé par sa réputation
grandissante, ne servait à rien : il sortait perdant
de leurs joutes verbales. La meilleure défense,
décida-t-il, était de l'ignorer. Elle persistait cependant, égrenant son prénom d'une voix de gorge
qui semblait s'être épanouie en même temps que
son anatomie et qui, malheureusement, s'entendait
à l'autre bout du car ou de la salle. Il se demandait
parfois, en étant tout à fait honnête avec lui-même,
s'il ne se complaisait pas dans la curieuse posture
que l'attention d'Eden lui conférait.

Elle en pince pour toi.

*Sûrement pas. Je la connais pratiquement
depuis sa naissance.*

*Ça se voit, vieux. Perillo l'a pelotée au drive-in
quatre fois au mois d'août. Il dit qu'elle a des
nichons...*

Bon sang, elle n'a que treize ans.

*Elle est comme ça depuis la reprise des cours.
C'est elle qui le cherche.*

Laissez-la tranquille, les gars.
La laisser tranquille ? Ça ne va pas, la tête !

On eût dit qu'elle était en train de changer pour
suivre l'évolution de son corps, qui se développait
à une allure beaucoup trop rapide pour elle. Il ne
voyait pas d'autre explication. Ou plutôt, pensait-
il, ses traits fondamentaux étaient toujours là – son
aplomb, son effronterie –, mais elle déployait ses
talents non plus pour se faire accepter des garçons,
mais pour les soumettre.

Certains jours, assis sur le perron où il faisait
mine de réviser son français, il l'apercevait à
l'autre bout du chemin et se demandait ce que l'on
ressentait enfermé avec elle dans une voiture au
drive-in. Il ne pouvait s'empêcher d'y penser :
l'idée était dans l'air, et de là elle était passée
dans son sang. Cela le mettait mal à l'aise, presque comme lorsqu'il pensait à ses parents dans le
même genre de situation. Quelquefois il se sentait
coupable... comme s'il aurait dû mieux s'occuper
d'elle. C'était idiot, bien sûr. Elle échappait à toute
surveillance, à la sienne, à celle des autres.

De son perron, il entendait également des éclats
de voix dans la cuisine des Close. La mère et la
fille se crêpaient le chignon ; les insultes volaient
à travers les moustiquaires. Les disputes avaient
commencé pendant l'été et s'étaient poursuivies
durant l'année scolaire marquée par cette mémorable journée sur le terrain de base-ball. C'était
Eden qui les déclenchait (qui semblait les chercher,
même) par ses tenues et son comportement outran-
ciers, jusqu'à ce qu'Edith Close, novice en matière

de bagarre, apprît au contact de sa fille à hausser le ton... par pur désarroi, supposait-il. On ne peut pas rester indifférent à la mouche du coche.

Au début, les scènes dans la maison voisine les avaient passablement inquiétés, lui et ses parents. Chez lui, on criait rarement. Puis, à mesure que les semaines et les mois passaient sans la moindre trêve, il s'habitua aux disputes quotidiennes comme on s'habitue au passage régulier d'un train. Elles aussi devaient faire partie du paysage en mutation.

Parfois, la porte claquait, et Eden, les yeux rougis, repoussant brutalement les cheveux de son visage, le repérait sur le perron. Un poing sur la hanche, elle plissait les yeux dans sa direction. Ou alors, entièrement métamorphosée en un clin d'œil, elle traversait la cour en chaloupant et avançait vers lui, le sourire aux lèvres, un paquet d'Old Gold ou de Winston à la main. Elle fumait après la bagarre, sous les yeux de sa mère, ponctuant par ce geste leur antagonisme. (Il ne serait pas venu à l'esprit d'Andy de fumer devant ses parents ; d'ailleurs, il songeait déjà à arrêter.) Elle s'approchait des marches, s'adossait à la rampe, tirait une cigarette du paquet et, délibérément, lui en proposait une. Elle gardait ses allumettes dans la cellophane. Quelquefois, d'un geste horripilant, elle lui ébouriffait les cheveux, et il secouait la tête avec brusquerie pour se dégager d'elle.

« Il t'a plu, le spectacle de ce soir ? » demandait-elle.

Quand Jim était à la maison, les disputes cessaient. Non pas que Jim maintînt l'ordre dans son foyer ; simplement, en sa présence, Edith évitait de critiquer leur fille adoptive et ne répondait pas aux provocations d'Eden lorsque celle-ci enfilait un pull trop moulant, manquait le dîner ou rentrait chez elle à onze heures, une heure après le couvre-feu officiel.

« Bichette », disait Jim, sortant sur le perron lors de ces retours tardifs pour intercepter Eden avant qu'elle ne mît les pieds dans la maison.

« Papa », répondait Eden. Pourtant, à l'extérieur, elle appelait ses parents Jim et Edith ; jamais Andrew ne l'avait entendue dire à Edith « mère » ou « maman ».

« Bichette, ta mère est inquiète. Tu aurais dû nous avertir que tu sortais. Nous t'avons attendue à dîner. »

Et Eden, magnifiquement contrite, penchait légèrement la tête et murmurait « Pardon, papa » d'une voix qu'Andy entendait rarement, la voix normale d'une fille de quatorze ans.

Jim, immédiatement apaisé, prêt à céder au charme de ce qu'il croyait être la douceur de sa fille, déposait un baiser sur ses boucles blondes.

« Écœurant », lâchait la mère d'Andy à propos de l'incapacité de Jim à discipliner sa fille, tandis qu'elle observait la scène par la fenêtre de leur cuisine.

Un après-midi de ce printemps-là, se souvient-il, il était en train de changer l'huile de la voiture de son père quand soudain, il entendit un bruit de dispute particulièrement fort, suivi aussitôt d'un fracas de verre brisé. C'était un dimanche ; Jim était absent depuis des lustres. Il n'y avait eu

114

aucun échange préliminaire, aucun signe avant-coureur de l'orage. Andy ne savait même pas qu'Eden était à la maison.

Le ton de l'altercation était différent des autres jours. Alors que, normalement, il serait retourné aussitôt à son occupation, cette fois-ci, il s'extirpa de sous la voiture et s'assit. Son père, qui faisait de la plomberie sous l'évier, s'approcha de la porte.

« Qu'est-ce qui... », commença-t-il.

Mais les cris avaient cessé, et il retourna à son travail. Andy allait se glisser de nouveau sous la voiture quand Edith Close sortit de la maison, vêtue de son manteau, son sac à main au bras, les lèvres serrées. Sans un regard pour Andy, elle tourna sur le chemin et se dirigea vers l'arbre qui servait d'arrêt d'autocar.

Andy s'assit sur le gravier. Ses mains étaient maculées de cambouis. Il se leva et s'avança vers l'autre maison. Hors de la vue d'Edith, il hésita au pied du perron. Il s'essuya les paumes sur son jean. Il tendit l'oreille et, n'entendant rien, gravit les marches. C'était au mois d'avril, se souvient-il ; il portait deux vieilles chemises en flanelle de son père. Edith, dans sa hâte, n'avait pas fermé la porte. Il approcha son visage de la moustiquaire, levant la main pour se protéger les yeux.

Eden était assise à la table. Elle portait une longue chemise de nuit et un peignoir de bain. Ses cheveux étaient emmêlés, en désordre, comme si elle venait juste de se réveiller. Elle pleurait. Il ne se rappelait pas l'avoir déjà vue pleurer. D'une main, elle toucha le coin de sa bouche. Il se souvient de l'avoir trouvée toute petite sur sa chaise.

Il se souvient d'avoir eu envie d'entrer et de s'asseoir à côté d'elle. Il aurait voulu frapper, mais il ne l'a pas fait.

En mai de sa dernière année au lycée, au printemps avant la fusillade, Eden sembla avoir arrêté son choix, de manière très délibérée et à la surprise générale, sur Sean. Andy ne sut jamais ce qui l'avait séduite chez son vieil ami, si tant est qu'elle fût séduite. Il se demandait parfois, à l'époque et plus tard, si ce n'était pas poussé par cette tendance perverse à l'autodestruction qui paraissait l'animer depuis un an, qu'elle avait choisi un garçon réputé pour son caractère ombrageux et, plus vraisemblablement pour le bénéfice d'Andy, quelqu'un qui lui fût aussi proche.

Il était assis sur un banc au vestiaire quand T. J. lui annonça la nouvelle. C'était après une partie de base-ball, et Andy, une serviette autour des reins, se battait avec son caleçon quand T. J., qui lui tournait le dos, lança : « T'es au courant, pour Sean ?

— Pour Sean ? »

T. J. ouvrit son casier et chercha sa chaussette. « Et Eden. »

« Sean et Eden ? » Andy ne comprenait pas. S'étaient-ils disputés ? S'étaient-ils fait attraper en train de fumer dans la cour du lycée ?

« Ils sont ensemble. » T. J. coula un regard furtif en direction d'Andy et se mit à siffloter entre ses dents.

« Tu veux dire qu'ils sortent ensemble ? » demanda Andy. Il articula le mot *sortent* comme

116

s'il ne pouvait certainement pas s'appliquer au cas en question.

T. J. se gratta le torse. « Ouais, c'est ça. »

Andy secoua la tête. Ce devait être une erreur. « C'est impossible. Tu en es sûr ? Je l'aurais su, si c'était vrai.

— Ah ouais ? Et comment ?

— Je les aurais vus ensemble à la maison, j'sais pas, moi.

— Certainement pas. Son père ne veut pas qu'elle ramène des garçons chez elle. Ils se retrouvent plutôt dans la voiture de Sean... » T. J. s'interrompit, ne voulant pas accabler son ami de détails.

« Mais Sean n'a jamais vraiment aimé Eden, protesta Andy. De nous trois... »

T. J. pivota sur ses talons. « Tu sais, Andy, mon pote, je crois que tu as la tête dans les nuages. Tu ne vois même pas ce qui se passe sous ton propre nez.

— Je ne sais pas de quoi tu parles, répondit Andy, désarçonné par cette attaque subite.

— Je parle d'Eden, rétorqua T. J., exaspéré.

— Eh bien quoi, Eden ?

— N'importe quel imbécile a pu se rendre compte que c'est toi qu'elle a toujours préféré. Tu dois être aveugle ou bien plus con que je ne le pensais.

— Tu débloques, fit Andy, sur la défensive. Elle n'a que quatorze ans. Elle faisait partie des gars de la bande. Elle était comme une sœur... » S'apercevant qu'il était en train de se contredire, il se tut.

« Ah oui ? » T. J. reboutonna sa chemise et prit

son sac de sport. « C'est de l'histoire ancienne, ça. »

Il accrocha le sac à son épaule et se dirigea vers la porte. Sans attendre Andy, sans même lui dire au revoir.

Andy resta assis sur le banc, serrant son caleçon dans son poing. Il essayait d'imaginer Sean et Eden dans une voiture : elle riait, Sean se penchait pour toucher le col de son chemisier. Mais quelque chose en lui empêchait l'image de prendre forme. Il jeta le caleçon au fond du casier et poussa la porte du pied.

« Qu'ils aillent se faire foutre », dit-il, enfilant son pantalon.

Depuis ce jour-là, l'air de rien, il guetta la confirmation des dires de T. J. Et il conclut que son ami avait raison : il était aveugle. Car comment n'avait-il pas remarqué que Sean était toujours le premier habillé après un match pour se précipiter vers sa voiture ? Qu'il le saluait au passage, mais sans s'arrêter pour discuter avec lui, et ce depuis des semaines ? Et la façon dont Sean et Eden s'asseyaient sur les marches derrière le gymnase pour fumer, épaule contre épaule ? Au fil des jours, il y eut d'autres signes, plus flagrants. Eden manquait le car scolaire, arrivait en retard au dîner, disant qu'elle était rentrée à pied, mais Andy savait que Sean la déposait à trois cents mètres de la maison. Un jour, au lycée, il déboucha dans le couloir vide près de la salle de musique et vit Sean qui écrasait Eden contre le mur de brique. Ils s'embrassaient, et Andy se sentit piégé. Il ne pouvait pas faire demi-tour, battre en retraite. Il s'efforça de passer son chemin, profondément absorbé dans la couverture de son livre de math. Eden s'écarta juste au moment où il arrivait à leur hauteur.

« Andy, mon pote, fit Sean, hors d'haleine.

— Sean, répondit Andy, continuant d'avancer.

— Salut, Andy », lâcha Eden.

Il entendit glousser derrière lui.

Il fit de son mieux pour éviter Eden. Il s'arrêtait net à la porte s'il la voyait sortir de chez elle, et il persuada T. J. de passer le prendre et de le ramener chez lui pendant les quinze derniers jours de cours. Sean amena Eden au bal de fin d'année, mais Andy, venu avec une autre fille, prétendit ostensiblement s'amuser beaucoup plus qu'il ne s'amusait en réalité. Après l'avoir raccompagnée chez elle, T. J. et lui roulèrent pendant des heures. Ils se soûlèrent tant et si bien qu'ils durent se garer sur le bas-côté d'une route déserte avant de s'écrouler ivres morts. Lorsque Andy rentra chez lui, bien après six heures du matin, s'attendant à recevoir les foudres de son père, ce dernier jeta un coup d'œil sur lui, secoua tristement la tête et remonta se coucher.

Une fois seulement, dans les semaines qui précédèrent la fusillade, il se trouva seul avec Eden. C'était un lundi après-midi, se souvient-il, son jour de congé à la station Texaco. Cet été-là, ses journées de travail étaient longues, et ses parents le laissaient faire ce qu'il voulait de son temps libre. Cette attitude le flattait : ils semblaient le considérer comme un homme, un vrai travailleur, avec ses congés et ses privilèges. Il s'était levé tard et, quand il descendit dans la cuisine, sa mère était déjà habillée, et sa journée bien entamée. C'était l'été où il lisait *La Chute* et *L'Étranger* pour se préparer à son entrée à l'université du Massachusetts, et il avait emporté un livre à table. Dehors, dans la cour, il y avait un transat en aluminium où sa mère somnolait quelquefois dans l'après-midi, *Le Cercle de famille* sur les genoux. Après le petit déjeuner, il alla s'y étendre, tenant le livre comme un écran entre le soleil et lui. Il était midi passé ; ce jour-là, se souvient-il, le soleil tapait sans merci. Presque aussitôt, il déboutonna sa chemise, s'éventant avec le tissu.

Il dormait quand il sentit un gros insecte ramper sur son abdomen. Il se dressa d'un bond, gesticulant frénétiquement pour le chasser. Soudain, il entendit son rire... un rire qu'il trouva déplaisant, grinçant, à travers les brumes du sommeil et les battements désordonnés de son cœur. Il retomba sur le transat. Elle était penchée sur lui, beaucoup trop près, lui cachant le soleil.

« Allez, debout, feignant ! Le soleil est levé, la sorcière est morte.

— Quoi ?

— Andy, il est presque une heure !

— Tu peux parler.

— On va se baigner ? »

Elle portait un short blanc moulant et une chemisette bleue sans manches. Ses bras étaient hâlés et, lorsqu'elle s'écarta de lui, il nota que sa poitrine, ou ce qu'il pouvait en voir, était hâlée aussi. Son regard frôla ses seins et se détourna aussitôt. Il espérait qu'elle n'avait rien remarqué. C'était un réflexe irrésistible qu'il s'efforçait de combattre chaque fois qu'il regardait une fille, ses yeux étaient immédiatement attirés par sa poitrine, plutôt que par son visage. Instinctivement, il reboutonna sa propre chemise.

« Non, répliqua-t-il. Je suis en train de lire. »

Elle se mit à rire. « Je vois. » Elle ramassa le livre qui avait glissé sur l'herbe et jeta un coup d'œil sur le titre : *Le Mythe de Sisyphe.*

« Franchement, Andy, tu deviens complètement débile. Tu ne t'es pas baigné depuis une éternité. Je le sais très bien. Nous sommes en été, au cas où tu ne l'aurais pas remarqué. »

Elle se percha sur le bord du transat. « Je ne partirai pas tant que tu ne m'auras pas dit oui. Je m'ennuie à mourir, et j'ai besoin de compagnie.

— Où est Sean ? » Ce nom faillit lui rester en travers de la gorge. Ils n'avaient jamais parlé de Sean.

« Oh, lui, fit-elle d'un air trop détaché. Comment veux-tu que je le sache ?

— Cherche-toi un boulot, si tu t'ennuies à ce point.

— Je n'ai que quatorze ans, geignit-elle. Et, de toute façon, en quoi cela te regarde ?

— *Moi* je travaillais à quatorze ans, déclara-t-il, le regrettant instantanément.

— Taratata ! Ce que tu peux être con, Andy, parfois.

— D'accord, d'accord, capitula-t-il. Où ?

— Dans l'étang. La piscine est une véritable

horreur. Je jure qu'il y a au moins un centimètre de mousse à la surface de l'eau.

— D'accord, répéta-t-il à contrecœur. Je vais chercher mon maillot. Va chercher le tien.

— Je l'ai sur moi. »

Il se retint juste à temps, mais sa mémoire visuelle était infaillible. Ce ne pouvait être vrai, pensa-t-il, mais il n'eut pas le cœur de la défier.

« Écoute, voici ce que je te propose. Un compromis, OK ? Je t'accompagne à l'étang où tu pourras te baigner. Je te tiendrai compagnie, mais moi, je n'ai pas envie de nager. » Il n'avait surtout pas envie de se fatiguer à chercher son maillot de bain, et encore moins d'expliquer à sa mère où il allait et avec qui.

Elle haussa les épaules et se leva. « Comme tu voudras. »

Ils traversèrent les champs sous un soleil de plomb. Le sentier était si familier qu'il ne doutait pas de pouvoir trouver son chemin les yeux bandés. À peine eurent-ils quitté l'ombre des arbres et des maisons qu'il regretta de n'avoir pas emporté son maillot. Il savait qu'en arrivant, il n'aurait qu'une envie : se jeter à l'eau. Tant pis, il se baignerait tout habillé. Ses habits sécheraient sur lui au retour.

Elle marchait devant lui. Il était impossible d'ignorer sa façon de se mouvoir... ses hanches étroites se balançaient sous son short blanc. Ses cheveux noués en queue de cheval se balançaient également. Il songea furtivement à ce qu'on racon-

122

tait sur elle. Sur elle et sur Sean. Des phrases lui vinrent à l'esprit, et il se força à les chasser.

Il n'était pas retourné à l'étang depuis la fin des cours, et l'abondance de la végétation le surprit : grands lis écarlates, dentelle de la reine Anne, vigne vierge à foison. Et des arbres, enfin. Il s'assit à l'ombre et, à sa surprise, elle s'assit à côté de lui.

« Je croyais que tu voulais te baigner, fit-il en la regardant.

— Et alors ? » Elle étendit les jambes dans l'herbe et les croisa. D'un coup de pied, elle fit tomber ses tennis. Il regarda ses jambes. Elles étaient bronzées, dorées jusqu'au short. Elle n'avait plus ses bleus de l'année précédente. Il ne voyait à présent que le galbe long et lisse de ses jambes et le vernis rouge sur ses orteils. Il détourna la tête avec difficulté.

Des reflets miroitants dansaient sur l'eau. Il avait appris à nager dans cet étang alors qu'il n'avait guère plus de cinq ans. C'était son père qui le lui avait appris, patiemment, jour après jour. Andy le soupçonnait toutefois de lui avoir fait croire qu'il y avait des sangsues dans l'étang... histoire d'accélérer le processus. Terrifié à l'idée de toucher le fond, il avait réussi à se maintenir sur l'eau dès le premier jour. Les sangsues étaient un mythe. L'étang était d'une pureté cristalline, même si le sol minéral lui conférait sa teinte cuivrée. D'un instant à l'autre, il allait s'élancer, plonger, et l'eau fraîche se refermerait sur lui.

« O-oh, fit-elle. Des fourmis. » Elle se contorsionna pour ôter quelque chose de sa cuisse. Son bras effleura le bras nu d'Andy. Électrisé, il s'écarta d'elle.

« C'est pour quoi faire ? demanda-t-il soudain.

— Quoi donc ? répliqua-t-elle sur un ton neutre.

— Ça. » Il désigna d'un geste l'espace qui les environnait.

« Je ne vois pas de quoi tu parles.

— Ah oui ? »

Peut-être se trompait-il. Peut-être ne pensait-elle qu'à se baigner. Mais pourquoi alors était-elle assise aussi près de lui ? L'éclat de l'eau l'éblouissait.

« Andy », dit-elle. Sa voix contenait une interrogation.

« Allons dans l'eau », fit-il précipitamment. Il se pencha en avant comme pour se lever.

« Andy, tu ne te demandes jamais comment ce serait ? »

Il entendait un sifflement dans ses oreilles. « Comment serait *quoi ?*

— Tu sais bien.

— Non, je ne sais pas, rétorqua-t-il avec irritation. Tu as dit que tu voulais te baigner. » Il savait qu'il lui suffirait de se lever et de se diriger vers l'eau, mais il attendait la suite. Il voulait savoir ce qu'elle dirait ensuite. Malgré lui. Parce que c'était lui.

« Moi, j'y pense, dit-elle d'une voix étrangement atone.

— Tu penses à quoi ? » Il s'efforça de prendre un ton agacé.

« À nous. »

Le dernier mot tomba dans l'herbe comme une

124

feuille et resta là devant eux : lui, à moitié levé, elle, les jambes croisées. L'eau brillait tellement qu'il en eut mal aux yeux. Autour d'eux, les insectes bourdonnaient et stridulaient dans la chaleur. Noyé dans la verdure, l'étang paraissait toujours plus petit en été. En le regardant, Andy avait du mal à s'imaginer jouant au hockey là-dessus.

Elle se planta devant lui, à genoux, lui barrant le passage.

« Eden...

— Tu peux me toucher, si tu veux. Tu peux toucher mon chemisier. »

Il contempla son chemisier. La faim qu'il ressentait était si vive, si profonde, qu'il en eut la gorge sèche. Il vit ses seins saillir sous l'étoffe. Elle ne portait ni maillot de bain ni rien d'autre en dessous. Jamais encore il n'avait touché les seins d'une fille ; pourtant, il en rêvait... et quelquefois, il rêvait qu'il la touchait, elle. Il eut envie de défaire les boutons, lentement, un par un. Il leva les yeux sur elle. Les siens, bleu-vert, étaient rivés sur son visage.

Il se détourna. Il ne voyait rien... rien qu'une brume scintillante. Le sang lui montait au visage, et il n'y pouvait rien. Il serra les poings dans l'herbe.

« Eden », répéta-t-il.

Elle esquissa un geste. Il savait ce qu'elle faisait, et il se figea, feignant de n'avoir rien vu. Il voulait qu'elle le fît. Il savait ce qu'elle faisait, et il le voulait.

« Regarde-moi », dit-elle au bout d'un moment.

Il s'obligea à se retourner sans hâte. Il s'était composé un visage calme. C'était une sorte de test ; il resterait calme coûte que coûte, bien qu'il eût envie d'enfouir son visage dans sa peau. Ses seins étaient très blancs, et cette blancheur le fascina. Son bronzage portait la marque de son maillot de bain. Il leva la main pour repousser une mèche de cheveux de son front. Son visage était calme, mais sa main le trahit.

« Tu as peur ? » demanda-t-elle.

Il secoua la tête. Mais il mentait. Il était pris de vertige... il avait l'impression de flotter, énorme, dans l'apesanteur. Il savait qu'il n'avait qu'à la toucher.

Il leva le visage vers le ciel. Le soleil était entouré d'un halo. Agenouillée devant lui, elle attendait. Une minute de plus, et ils étaient perdus tous les deux.

Il se releva gauchement. « Je vais me baigner. » Sa voix était inhabituellement grave. Il s'approcha du bord de l'eau, se baissa pour délacer ses tennis. Puis il se redressa, se jeta dans l'étang et se mit à nager comme si sa vie en dépendait, même s'il suffisait d'une cinquantaine de brasses pour atteindre l'autre rive. Quand il y parvint, il fit demi-tour et nagea de nouveau ; il continua ainsi jusqu'à ce qu'il pût à peine sortir le bras de l'eau. Mais il nageait toujours, ou plutôt il barbotait : il émergea seulement quand il sut qu'il ne risquait plus rien.

Lorsqu'il grimpa sur l'herbe, secouant la tête pour se déboucher l'oreille, Eden était assise, les genoux sous le menton.

Elle avait reboutonné son chemisier. Son visage était fermé ; elle refusait de le regarder. En l'observant, il comprit qu'il avait eu tort. Elle semblait si petite, si seule... une fille de quatorze ans qui ne savait pas où aller. Il voulut toucher sa peau, lui dire que oui, il avait rêvé d'elle, l'avait désirée, les avait souvent imaginés ensemble, qu'il éprouvait pour elle quelque chose qu'il n'osait même pas s'avouer... mais il ne savait comment s'y prendre.

« Tu aurais pu être ma sœur », dit-il à la place.

Elle ne répondit pas.

Ils rentrèrent en silence. Elle marchait devant lui. La chemise d'Andy lui collait au torse ; ses cheveux ruisselants étaient plaqués sur son front.

À l'approche des maisons, il tendit le bras pour essayer de lui prendre la main. Il avait quelque chose à lui dire – cette fois, il *allait* le lui dire –, mais n'ayant pas remarqué son geste, elle choisit ce moment-là pour sprinter jusque chez elle. Il faillit s'élancer derrière elle, puis s'arrêta. Il ne la rattraperait pas. Il venait de se souvenir qu'elle courait aussi vite que lui.

La semaine suivante, T. J. informa Andy qu'Eden avait brusquement laissé tomber Sean. On racontait, dit T. J., que Jim avait surpris le couple un soir dans la voiture de Sean, à une centaine de mètres de la maison, et qu'il avait formellement interdit à Eden de revoir Sean. Mais T. J. n'y croyait pas. Andy non plus. Jim buvait de plus en plus, surtout cette dernière année ; parfois il accostait le père d'Andy pour lui tenir de longs et nébuleux discours, ou alors il s'asseyait en silence sur le perron, une bière à la main, en attendant le retour d'Eden. Mais en aucun cas Andy ne le pensait capable de poser un tel acte d'autorité. Plus vraisemblablement, Sean avait dû concocter cette histoire lui-même pour sauver la face. Selon toute apparence, Eden s'était simplement lassée de lui. Elle l'avait utilisé dans un but indéterminé et maintenant il ne l'intéressait plus. Sean en perdit la tête. Au début, il harcela Eden de questions et de supplications, mais comme elle restait sourde à ses prières, il entra dans une rage sans nom.

« Je l'aurai, cette garce », disait-il à quiconque voulait bien l'écouter. Sa colère s'enflait de jour en jour. « Je la tuerai, cette garce. » Ses hurlements ricochaient à l'intérieur de sa voiture. T. J. lui dit de se calmer, de se ressaisir. Plus tard, fatigué de subir les interminables tirades de Sean, il lui conseilla de « grandir ».

Mais Sean, furieux, désespéré, ne voulut rien entendre. Le dernier jour de juillet, à deux heures du matin, il poussa son moteur sur la route qui menait chez Eden et fut arrêté pour excès de vitesse et conduite en état d'ivresse. Un matin de la première semaine d'août, le gardien du lycée trouva deux fenêtres brisées en mille morceaux dans l'aile est, près de la salle de musique. Vers la mi-août, Jim avait appelé la police à deux reprises pour se plaindre de Sean qui, posté sur la route, attendait qu'Eden sortît de chez elle pour prendre le car.

Mais ce n'était pas le pire, confessa T. J. à Andy un soir, alors qu'ils allaient au cinéma après le travail. Le pire était ceci : quand Sean lui avait dit pour la première fois qu'Eden ne voulait plus le voir, il avait serré le volant de la voiture à faire blanchir ses jointures. Puis il avait inspiré convulsivement et s'était mis à pleurer comme un petit enfant.

Quand il arrête la tondeuse, il entend le téléphone sonner. Son propre téléphone, dans la cuisine. Il se précipite, saute par-dessus le perron, claque la porte et décroche après la troisième sonnerie.

« Allô ? dit-il, à bout de souffle.

— Tu perds la forme, Andy, mon pote. Tu devrais reprendre le jogging.

— T. J. »

Andrew pose la main sur sa poitrine comme pour ralentir les battements affolés de son cœur.

« Qu'est-ce que tu fabriques, au juste ?

— J'étais en train de tondre la pelouse. J'ai couru pour répondre au téléphone.

— Tu devrais t'acheter un téléphone sans fil. Nous en avons un dans le jardin.

— Ah », dit Andrew. Cela vaut-il la peine de rappeler à T. J. qu'il n'a pas l'intention de rester dans cette maison et de lui parler du téléphone sans fil que lui et Martha avaient à Saddle River ?

« Écoute-moi. J'ai parlé à Didi. Peux-tu venir vendredi soir ? »

Andrew fait ses calculs. « Quel jour sommes-nous ? demande-t-il.

— Mardi. » Une pause. « Tu vas bien ? questionne T. J.

— Je vais très bien. » Comme c'est facile de perdre la notion du temps quand on n'a pas à aller au bureau. « Je serai là. C'est prévu.

— Parfait. Tu te souviens de la ferme des Conroy ? »

Andrew revoit les champs de luzerne à trois

kilomètres de la ville, ondoyant comme une mer bleue, un grand silo blanc, étincelant, navire qui surplombe l'étendue sans fin. « La ferme où il y avait la luzerne ?

— Exact. Ce sont des maisons maintenant. Une sorte de lotissement. Le Bord d'eau, ça s'appelle. Nous sommes dans Tudor Lane, deuxième à gauche, numéro douze.

— OK.

— Nous parlerons de la vente de ta maison sur place.

— OK. »

Une nouvelle pause. « Tu es sûr que tu vas bien ?

— Je vais *très* bien.

— D'accord, d'accord, je te crois. Viens vers sept heures, OK ? »

Les mains sur les hanches, Andrew sent son cœur reprendre un rythme normal. C'est agaçant, mais T. J. a raison : il a perdu la forme. Il se verse un verre d'eau et s'assied sur une chaise de cuisine, allongeant les jambes devant lui. Il essaie d'imaginer la ferme des Conroy transformée en maisons – qu'ont-ils fait de cet immense silo blanc ? – quand le téléphone sonne à nouveau. Il pense que ce doit être T. J. qui lui a fixé une mauvaise heure et répond, désinvolte : « Oui ? » Mais c'est une femme à l'autre bout du fil.

« Andrew ?

— Jayne ? dit-il, quelque peu surpris.

— Comment allez-vous ? demande sa secrétaire. Comment vous sentez-vous ?

— Je vais très bien, réplique-t-il pour la troisième fois en cinq minutes. Merci pour les fleurs.

Remerciez tout le monde de ma part, quoique je sache bien que ça vient de vous.

— Nous avons tous pensé à vous. Nous nous sommes tous demandé comment vous alliez. N'ayant pas eu de vos nouvelles, nous... » Il voit Jayne dans son tailleur gris avec un chemisier de soie blanche, ses cheveux courts poivre et sel. Un ordre impeccable règne sur son bureau. Elle a le don d'absorber le chaos et d'en tirer des classements simples et nets.

« Désolé, dit Andrew. J'aurais dû appeler. L'enterrement n'a pas pu avoir lieu dimanche ; nous l'avons donc eu hier, et j'ai dû régler quelques formalités. Il faut que je vende la maison, que je trie les affaires de mes parents. Il n'y a personne d'autre pour s'en occuper. » Il s'interrompt. Sa voix manque de conviction, même à son propre goût.

« Geoffrey m'a chargée de vous dire de prendre tout le temps nécessaire. Simplement, il se demandait... si vous aviez une idée de la date de votre retour. Apparemment, il y a des problèmes avec l'agence... mais rien ne presse, d'après Geoffrey. » Andrew croit déceler une note d'embarras dans la voix de Jayne. *Tâchez de découvrir quand il rentre*, a dû lui dire Geoffrey, son patron, se déchargeant sur elle de cette délicate mission. *Voyez si vous ne pouvez pas accélérer le processus.*

Andrew se passe les doigts dans les cheveux et regarde par la fenêtre. Le carré de pelouse qu'il voit le satisfait : l'herbe est courte, nette. Il pourrait affirmer aisément : *Je serai au bureau vendredi matin.* Mais il n'en a pas envie. Tout pourrait être fini pour vendredi ; rien ne l'oblige à rester.

T. J. s'occuperait de ses affaires, si Andrew le lui demandait.

« J'essayerai d'être là au début de la semaine prochaine, dit-il, cherchant à noyer le poisson.

— Il y a sûrement... beaucoup à faire, et vous devez être épuisé. Je dirai à Geoffrey que vous avez... un tas de choses à régler.

— Oui.

— Dois-je dire lundi ou mardi ? demande-t-elle après un silence.

— Tout à fait... Jayne ?

— Oui ?

— Il me faut du temps, se justifie-t-il précipitamment, contrit. C'est difficile à expliquer. Quelques jours. Dites à Geoffrey lundi. Mais ce ne sera peut-être pas lundi. Vous comprenez ? »

Après une fraction de seconde, elle répond : « Absolument. »

Il lève les yeux au plafond. Il adore sa secrétaire. Même s'il lui est arrivé de le rappeler sévèrement à l'ordre quand il tardait à joindre un interlocuteur important, elle l'a couvert un nombre incalculable de fois.

« Vous êtes formidable, Jayne.

— Je pense que vous méritez une pause. » Il devine un sourire dans sa voix. « Ne vous inquiétez pas, je me charge de Geoffrey. »

Andrew raccroche en souriant lui aussi. Il tambourine un rythme africain sur la surface en Formica et roule les épaules pour délasser ses muscles. Huit jours de plus. Il a l'impression déraisonnable d'avoir remporté un prix.

Il y a une semaine à peine, il supervisait un projet qui l'empêchait de dormir la nuit, une lourde campagne publicitaire pour un analgésique dont il avait lui-même eu l'idée. Il pense qu'il devrait se faire du souci pour le projet chancelant, ne serait-ce que par habitude, mais celui-ci lui paraît trop lointain, comme si le nombre de kilomètres avait suffi à l'éloigner de son bureau. Il a le sentiment de faire l'école buissonnière... d'aller à la pêche au lieu de passer un examen de physique.

Pourtant, objectivement, il sait que rien ne peut nuire à sa réputation, au personnage qu'il joue dans le feuilleton de sa vie professionnelle. Voici des années qu'il mène sa modeste carrière de protégé, rôle qu'il trouve facile à tenir, à condition de faire son travail et de paraître suffisamment motivé. Il ne sait pas très bien pourquoi il a réussi : il a toujours senti qu'il manquait d'ambition ; c'est plutôt, pense-t-il, le fait d'avoir franchi passivement un certain nombre de portes ouvertes. C'est parce que, disait Martha, Andrew ne se montrait pas ouvertement empressé qu'un tas de gens avaient été écartés pour lui laisser le passage... elle était bien placée (lui rappelait-elle souvent) pour le savoir.

Il termine son verre d'eau, le repose sur la table ; il est déjà à moitié dehors quand le téléphone sonne à nouveau.

« Doux Jésus », s'exclame-t-il joyeusement.

« Je n'arrête pas d'appeler, déclare Martha tout de go. Où étais-tu passé ? »

C'est aussi inévitable que la tombée de la nuit.

Il a beau se promettre de rester indifférent, le son de la voix de Martha au téléphone déclenche une réaction chimique dans son sang, qui se répercute aussitôt sur ses cordes vocales. Sa voix s'éteint, se rabougrit, meurt.

« Martha.

— J'ai dû appeler au moins quatre fois. Je croyais que tu étais censé être en plein rangement.

— J'étais en train de tondre la pelouse », répond-il calmement. De même qu'il connaît l'effet qu'elle produit sur lui, il sait avec certitude qu'elle ne parle sur ce ton agacé à personne d'autre que lui. C'est une des particularités de leur relation.

« Eh bien, voilà. Nous sommes à Nantucket, dit-elle.

— C'est ce qui était prévu.

— J'ai appelé pour savoir comment ça s'est passé.

— Très bien.

— Très bien ? C'est tout ?

— Qu'est-ce que tu veux de plus ? On prononce quelques mots, on met la personne en terre, on boit un café, et c'est terminé. »

Un silence. « J'ai l'impression que tu ne t'en sors pas.

— Je m'en sors très bien. Où est Billy ?

— À côté de moi. Tu veux lui parler ?

— Évidemment. »

Il s'adosse au frigo et s'apprête à entendre la voix de son fils.

« Papa ? »

La chaleur se répand en lui comme après un alcool fort.

134

« Salut, Billy. Qu'est-ce que tu fais en ce moment ?

— Je te parle. »

Andrew sourit et hoche la tête. « Je sais, Billy. Et qu'as-tu fait avant de me parler ?

— Maman, Nana et moi avons ramassé des moules. Pas... euh... pas des moules à gâteaux. Tu sais ce que c'est, les moules ?

— Elles ont une coquille noire et elles s'accrochent aux rochers dans l'eau ? dit Andrew.

— Ouais. C'est ça. Elles sont très dures à détacher. Si tu voyais mes doigts ! Nana va me montrer comment les faire cuire à la vapeur, puis nous les mangerons avec du beurre fondu.

— Mmm, ça a l'air bon.

— Je ne sais pas, dit Billy, sceptique. Je ne suis pas sûr d'aimer ça. Elles ont un drôle d'air.

— Tu me manques, dit Andrew, s'efforçant de maîtriser sa voix.

— Toi aussi, tu me manques, papa. Où es-tu ?

— Chez grand-mère. »

Silence.

« Billy ?

— Maman dit que grand-mère est au ciel. »

Cela étonne Andrew : Martha a toujours méprisé la religion. A-t-elle changé d'avis ? Ou était-ce l'explication la plus simple à donner à un enfant de sept ans ? « C'est vrai, Billy. Mais moi, je suis dans sa maison. Je range ses affaires.

— Oh ! Papa ?

— Oui, Billy ?

— Ne range pas la voiture. »

Il sait que Billy fait allusion au kart en bois que son père avait construit pour Andrew lorsqu'il était enfant et que sa mère a conservé en attendant qu'Andrew ait des enfants à son tour. Lors d'une visite chez sa mère, quand Billy avait cinq ans, il emmena son fils sur le parking du lycée pour lui apprendre à piloter l'engin.

« Non, promis. Elle ne bougera pas du garage.

— Maman veut te parler.

— Billy ?

— Oui, papa ?

— Je t'aime.

— Moi aussi, je t'aime. »

Andrew entend Billy déposer un gros baiser sur le combiné du téléphone. Il se penche pour faire la même chose, mais la petite voix s'est déjà éloignée. Le combiné change de main ; Martha demande à sa mère d'emmener Billy dehors. Andrew se raidit.

« Eh bien », dit-elle. Il entend un léger soupir. Fatigue ? Exaspération ? Il l'entend tirer une bouffée de sa cigarette, puis souffler la fumée. Il la voit aussi clairement que si elle était à côté de lui. Jean, chemise blanche, chandail noué autour du cou, sandales, pieds bronzés. Son front plissé d'impatience. Sa tête légèrement penchée ; ses cheveux châtains mi-longs sont séparés par une raie de côté et ont tendance à lui retomber sur le visage.

« Il a l'air... » Andrew inspire rapidement. « Il a l'air en pleine forme.

— Il pète les flammes. Il voulait te parler. Il a été triste quand je lui ai dit, pour ta mère. Mais ça va mieux maintenant. » Encore une bouffée.

La cigarette entre les doigts, elle doit repousser

les cheveux de son visage. Il l'a vue parler au téléphone des milliers de fois.

« Tant mieux, dit Andrew.

— Écoute, tu es sûr que ça va ?

— Ça va très bien.

— Tu comptes rester combien de temps là-bas ?

— Encore une semaine.

— Ah... Je suppose qu'il n'y a rien à dire.

— Non. Sans doute pas.

— Tu viendras chercher Billy à notre retour ?

— Évidemment.

— Bon, très bien. »

Elle fait une pause.

« Andrew ?

— Quoi ?

— C'est bizarre, non ?

— Qu'est-ce qui est bizarre ?

— Que tu sois seul à t'occuper de tout ça. »

Quelqu'un entre dans une pièce, dit bonjour, et votre vie prend une direction tout à fait inattendue. C'est un instant fugitif (presque – mais pas entièrement – banal), le premier d'une centaine de milliers d'autres instants fugitifs ou non. Un spermatozoïde rencontre un ovule au hasard et devient votre enfant, que vous chérissez plus que la vie même. Pourtant, la rencontre, ce début infinitésimal, n'est guère plus extraordinaire que la division d'une cellule.

Il avait rencontré Martha à un rassemblement contre la guerre alors qu'ils étaient tous deux en train de finir leurs études. Ce ne fut pas une rencontre mémorable – elle lui demanda simple

137

ment de distribuer des tracts dans la rue –, mais elle le séduisit malgré, ou peut-être précisément par son engagement absolu. Ce fut sa colère qui le marqua, une colère bleu clair, si nettement définie par la volonté de mettre fin à la guerre... colère qui lui colorait les pommettes et qui conférait à son élocution, avec ses *a* ouverts et autres particularités du parler de la Nouvelle-Angleterre, un rythme accéléré. Au début, il se contenta de l'observer – elle se montrait féroce, mais sans hystérie, dans les réunions auxquelles il assistait –, mais au fil des mois, il se retrouva à collaborer de plus en plus souvent avec elle sur des projets politiques. Des années plus tard, contraint d'examiner les raisons de leur union comme on peine sur un problème de calcul insoluble, il conclut que cette collaboration les avait non pas embrasés de passion, mais plutôt orientés vers un avenir déterminé autant par les circonstances que par un choix conscient. S'ils s'étaient, par exemple, connus plus tôt ou plus tard, et qu'ils n'avaient pas été confrontés à la nécessité de quitter le dortoir et de chercher un logement, se seraient-ils sentis obligés de prendre un appartement ensemble ?

Non pas que ce ne fût pas de l'amour. Il l'aimait, ou croyait pouvoir l'aimer, bien qu'avec son tempérament tout en piquants et pointes, ce ne fût guère chose facile. Ils étaient déjà mariés alors et vivaient dans un deux-pièces au troisième étage sans ascenseur dans Fayette Street, à Cambridge. La baignoire était dans la cuisine. Martha étudiait sur le lit. Lui-même disposait d'une table près de la fenêtre du séjour. Le soir, lorsqu'il avait fini son travail, il entrait dans la chambre. Elle dormait, assise, un livre sur les genoux. Doucement, pour ne pas la réveiller, il rangeait tous les livres et les papiers sur la table à côté du lit et l'allongeait sous les couvertures.

Ensuite, il lui arrivait de la contempler : il commençait déjà à formuler le problème de calcul que serait leur mariage. Car même à l'époque la colère de Martha se dispersait, devenait diffuse. La guerre était finie ; les causes se faisaient rares. Elle se montrait souvent grognon, insatisfaite. Il la trouvait courageuse de vouloir vivre sa vie sur le fil du rasoir. Plus tard, il dut reconnaître à contrecœur qu'elle ne l'avait pas choisi : cette colère lui était consubstantielle.

Aujourd'hui, il pense à tout le temps qu'il avait mis à le comprendre, à l'impatience qu'il avait manifestée vis-à-vis de ce trait de son caractère dont elle n'était pas responsable. Quand ils vivaient à New York, dans l'East Side, il attribuait sa colère à son déracinement et au fait qu'elle n'avait pas trouvé de meilleur poste que celui de professeur d'anglais dans une école privée. Mais quand Billy était déjà né et qu'ils avaient déménagé à Saddle River, sa colère s'était retournée contre lui, plus exactement contre le mariage ou, pour être plus précis encore, contre le fait d'être mariée à ce moment-là et dans ce contexte particulier. Et elle l'avait contaminé, si bien qu'il apprit à son tour à se hérisser de piquants et de pointes en sa présence, mais, beaucoup moins rompu à l'art de la dispute, il perdait généralement les batailles.

Il pensait quelquefois que c'était le déménagement qui avait détruit leur couple. Ce fut un concours de circonstances : une porte s'était ouverte juste au bon moment et il était entré. Ce fut un après-midi de leur dernière année d'études – tous deux cherchaient du travail –, que la fortune lui sourit, après un trimestre particulièrement abrutissant de cours qu'il donnait en première année. Resté ce jour-là dans la salle après le départ des étudiants, il vit son avenir s'étendre devant lui : interminable suite d'après-midi identiques, de livres poussiéreux, de salles qui sentent la craie et de sujets de première année. Il comprit alors que ce n'était pas du tout ce qu'il cherchait. Cependant, ce fut seulement quand Geoffrey l'appela quelques semaines plus tard, pour lui proposer un poste dans sa société de produits pharmaceutiques, qu'un plan prit forme dans son esprit. Geoffrey avait été son professeur au séminaire d'études américaines. Andrew était son élève préféré... en fait, ils terminaient souvent le séminaire autour d'une bière au bar du coin. *Ce n'est pas forcément définitif*, déclara Geoffrey par téléphone, sachant qu'après tant d'efforts Andrew hésiterait à tourner le dos à la faculté. *Tu n'as qu'à faire un essai*. Ainsi fut fait, et la société lui offrit tant d'argent que même Martha, pour une fois, resta sans voix.

Quand il repense à Martha et à lui à Saddle River, avant la séparation, les souvenirs sont à la fois trop et trop peu nombreux. Ils l'inondent comme la pluie, mais comme la pluie lui filent entre les doigts sans qu'il puisse les retenir. Il croyait que son amnésie était due à sa mémoire défaillante, mais maintenant, il pense qu'il s'agit plutôt d'un mécanisme de défense mis en place par son cerveau. Il le protège des bons souvenirs, trop douloureux, et des mauvais, qui le plongent dans l'embarras pour elle et pour lui.

Quand leurs nuits étaient détestables, il ne se rappelait absolument pas leurs bons moments. Ou alors ils ressemblaient à ces histoires enfantines depuis longtemps dépourvues de sens. Pourtant, dans les bons moments, de plus en plus rares vers la fin, il était incapable de se rappeler les silences, le vide ou l'amertume qui avaient suivi leurs disputes une semaine plus tôt. Ou la peur à l'idée – persistante – de voir sa minuscule famille se disloquer. Il lui arrivait même de ne pas se souvenir du moindre mot de la dispute qu'ils venaient d'avoir la veille.

L'amour tirait à sa fin, comme s'il avait toujours eu une durée de vie prédéterminée, à l'instar de l'enfance. S'ils l'avaient su depuis le début, ils auraient peut-être choisi de ne pas se marier et de ne pas avoir d'enfant, même si Andrew ne pouvait concevoir de prendre une décision susceptible de déboucher sur un monde sans Billy. Ils restèrent donc ensemble bien après la fin de leur amour, prétendant et espérant que l'imbroglio n'était que provisoire, redoutant l'avenir. Jusqu'au jour où le fossé entre eux devint si profond que Martha, plus courageuse que lui, et craignant moins de perdre Billy, alla vivre chez sa mère en attendant le départ d'Andrew. Ce soir-là, en rentrant du bureau, il trouva un mot triste dont la lecture, tout en lui procurant un certain soulagement, faillit le rendre fou.

N'étaient-ce pas pourtant ses meilleures années... avec Billy bébé, bambin, petit garçon debout dans son berceau, les bras tendus vers son

141

père qui rentrait tard du travail ? Un garçon minuscule, avec un gant trois fois trop grand pour lui, qui ratait joyeusement toutes les balles, trop heureux de pouvoir jouer avec son père, comme son père était heureux de simplement jouer avec lui.

C'est un casse-tête qui fascine Andrew. Souvent, il se demande s'il est le seul à qui c'est arrivé, ou bien si ça arrive à tous les couples mariés.

Et combien de fois, pendant tout ce temps, a-t-il pensé à Eden ? N'a-t-elle pas périodiquement resurgi à la surface de ses rêves ?

Au début de ses études à l'université, il se sentait mal à l'aise chaque fois qu'il rencontrait une fille. Rechercher le plaisir, alors qu'Eden avait tant souffert, lui semblait être un acte de déloyauté. En rentrant chez lui, il harcelait sa mère de questions, mais elle se montrait étrangement réticente et changeait de sujet, comme pour le protéger du drame sordide qui avait eu lieu à côté, croyant peut-être que cela risquait de le distraire d'une occupation bien plus importante à ses yeux : ses études. Lorsque Martha commença à venir en visite avec lui, il trouva plus gênant de prendre des nouvelles d'Eden, sinon en passant. Ensuite, après qu'ils eurent déménagé à New York (tandis que la fréquence des visites chez ses parents baissait à vue d'œil), il n'eut des nouvelles d'Eden qu'à travers les lettres de sa mère... c'était l'époque des journées de dix heures au bureau et de la naissance de Billy.

Aujourd'hui, il a le sentiment qu'Eden a toujours été là, comme une présence en marge de ses rêves, un fragment de vie pas tout à fait oublié. Il pensait à elle dans les moments les plus inattendus, en jouant au hockey avec son fils, en croisant dans la rue une fille aux boucles blondes. Parfois, lorsqu'il songeait à Eden et à lui, il voyait deux trains lancés à toute allure sur des voies parallèles : l'un d'eux déraillait tandis que l'autre, le sien, continuait sur sa lancée.

Et ne pensait-il pas, au même moment et tout aussi souvent, à Sean ?

Le lendemain de la fusillade, Sean quitta la ville... mû par le chagrin ou la culpabilité, nul ne le sut. Personne ne savait non plus où il était, car il n'avait laissé aucun mot. Mais T. J., ayant appris dans la soirée l'absence de Sean, confia à Andy par téléphone qu'à son avis, Sean avait dû aller à New York.

Soupçon qui fut confirmé le jour d'après, quand un représentant de la police routière sonna à l'appartement au-dessus de l'atelier de réparation de téléviseurs peu après l'heure du dîner pour annoncer aux parents de Sean que leur fils avait été tué par un chauffard alors qu'il tentait de traverser la 178e Rue dans le quartier de Washington Heights. Le garçon avait trop bu dans un bar irlandais situé au coin de la rue ; selon les témoins, il avait entrepris de traverser la chaussée à l'aveuglette. On ne sut jamais ce que faisait Sean à la périphérie de Manhattan... Était-il descendu du car au pont George-Washington par erreur (ignorant l'existence du terminus dans la 42e Rue), ou avait-il rencontré quelqu'un dans le car qui l'avait amené là ? S'il y avait eu quelqu'un, lui ou elle ne se manifesta pas. En fait, aucun des témoins n'avait vu Sean auparavant.

Depuis, Andrew repensa souvent à ce voyage fatidique en car, essayant d'imaginer ce que Sean avait pu éprouver sur la route, de deviner où il avait passé la nuit et pourquoi. Aujourd'hui encore, quand il remonte vers le nord et aperçoit le pont George-Washington, ou quand il traverse le pont en venant du New jersey, il a toujours une pensée pour Sean... perdu ivre mort dans Washington Heights.

Ces deux nouvelles ébranlèrent la petite ville (elle n'avait pas connu de meurtre depuis quarante-deux ans ; jamais un chauffard n'y avait renversé quelqu'un sur la voie publique), qui attendit le réveil d'Eden dans l'espoir qu'elle remettrait en place les pièces du puzzle. Aussi, lorsque Eden émergea du coma qui l'avait maintenue prisonnière sur son lit d'hôpital pendant dix jours, et qu'elle prononça (sous l'œil vigilant de sa mère) un seul nom – une fois, sans jamais le confirmer ni l'infirmer –, cela ne surprit personne.

Le matin, il inspecte la gouttière. Elle s'est détachée à une extrémité et pend comme si, d'une minute à l'autre, le chéneau tout entier allait s'effondrer. Il faut la fixer, mais il ne sait pas trop comment s'y prendre. Il arpente le mur de la maison, s'efforçant d'aborder le problème avec logique. Il va examiner les supports qui tiennent encore, voir comment ils tiennent et reproduire le

144

même système sur toute la longueur de la gouttière. Il n'est pas vraiment novice en matière de bricolage. Il lui reste encore quelques vagues notions du temps où il bricolait avec son père. Simplement, pour des raisons qui lui échappent, il se sent énervé ce matin ; le calme bucolique de la veille n'est plus qu'un souvenir.

Ce doit être à cause de sa nuit agitée. Lorsqu'il s'est réveillé à cinq heures, à moitié étouffé par le drap du dessus et tenaillé par une inexplicable envie de bière, il venait de rêver d'une robe bleue dans une fenêtre. Il regarde en direction de l'autre maison. La fenêtre, avec ses quatre carreaux verticaux, est nue et sans vie, comme si ce qu'il y avait vu n'était effectivement qu'un rêve, et non une image tangible.

Il va chercher l'échelle et la pose contre la maison, prenant garde à ne pas déranger la gouttière. Quand il grimpe, il découvre à sa consternation qu'elle est remplie presque à ras bords de détritus, mélange de vase séchée et de feuilles pétrifiées. Il aurait bien besoin de son père pour savoir par quoi commencer : nettoyer la gouttière ou la fixer d'abord ? Arrivera-t-il à fixer le chéneau avec le poids supplémentaire des détritus ? D'un autre côté, s'il commence par nettoyer, la moindre pression pourrait tout arracher.

Le travail est ingrat, irritant, rien à voir avec le plaisir de tondre la pelouse. Le résultat est moins immédiat, moins spectaculaire. Personne d'autre que lui ne saura que la gouttière a été réparée. À l'endroit où il faudrait planter les clous, le bois est pourri ; une latte entière est à remplacer, mais s'il déplace les supports, il devrait pouvoir s'en tirer sans toucher au bois. Ce n'est pas ainsi que son père aurait procédé ; ce n'est pas ce qu'on lui a appris. Mais aujourd'hui, sa patience est très limitée. Elle l'est d'autant plus que la seule truelle qu'il a trouvée pour nettoyer la gouttière (au bout d'un quart d'heure de recherches) est beaucoup trop grande pour pénétrer à l'intérieur du chéneau.

Il revient du garage avec un burin quand il la voit ouvrir la portière de la Plymouth et se glisser derrière le volant. Elle fait mine de ne pas l'avoir vu, et il ne la salue pas. Il se demande comment elle s'est débrouillée pour franchir la marche cassée : il faut absolument qu'il la répare aujourd'hui. Il s'arrête pour la regarder. Elle passe la marche arrière et sort du chemin. Il doit être dix heures moins le quart ; il n'a pas besoin de consulter sa montre. À nouveau, il lève les yeux sur la fenêtre au coin. Il s'attend à entrevoir un reflet bleu, mais rien ne bouge, il n'y a aucun signe de vie dans cette maison.

À midi, la gouttière est aux trois quarts propre. Il s'est écorché les doigts ; la chaleur, réverbérée par les bardeaux goudronnés, lui a donné un abominable mal de tête. Régulièrement, il appuie son front sur le rebord de la gouttière pour se reposer les yeux. Mais il ne s'y attarde guère. Il a presque fini et il a hâte de se débarrasser de cette corvée.

Il déplace l'échelle d'une cinquantaine de centimètres. Il escalade les barreaux, inclinant la tête de manière à faire cesser le martèlement. Peut-être devrait-il manger quelque chose, ou prendre deux aspirines. Que fait-elle toute la journée ? se demande-t-il, obsédé par la vision dans la fenêtre. Il fouille sa mémoire à la recherche d'un détail qu'il aurait oublié... quelle sorte de détail, il l'ignore, puisqu'il ne voit qu'une forme floue et une vague tache de couleur. Il sent le goût de la bière qu'il a bue au petit déjeuner, une bière qu'il soupçonne d'être la véritable cause de sa migraine, exacerbée par le soleil qui lui tape impitoyablement sur la tête.

Il plonge le burin dans la gouttière, s'érafle à nouveau les doigts. Grimaçant, il l'enfonce davantage et rapporte une pêche miraculeuse. Quinze centimètres de détritus se détachent sans difficulté ; il perd l'équilibre, panique, se raccroche au toit, mais sa main dérape jusqu'à la gouttière. Il s'y cramponne, et elle arrête sa chute, mais ce faisant, se décroche en entraînant le tuyau de descente. Dans sa mésaventure, Andrew a glissé deux barreaux plus bas.

Il peste et jette le burin qui se plante droit dans la terre comme s'il avait visé. Tremblant, il descend de l'échelle et donne un coup de pied dans le tuyau. Les mains sur les hanches, il inspire profondément. Il est pris d'une brusque envie de partir en voiture, de rouler vite, de s'éloigner pour une heure ou deux de ces maisons.

Il va déjeuner en ville, décide-t-il, au snack.

Une autre porte munie d'une moustiquaire claque légèrement derrière lui, et c'est comme s'il n'était jamais parti. Le même comptoir en Formica orange dont le motif représente des boomerangs blancs et bleus, les mêmes tabourets de bar métalliques au siège en vinyle rouge, tabourets sur lesquels Sean, T. J. et lui pivotaient sans cesse en réfléchissant, en discutant, en soufflant après l'entraînement... le genre de tabouret de bar que Billy adorerait avoir aujourd'hui. Les mêmes bols blancs en porcelaine de Buffalo, les boîtes de céréales Kellogg's à côté du café, le distributeur de boules de gomme... qui lui a fait découvrir, à ses dépens, la versatilité des objets inanimés car tout en avalant les pièces de cinq *cents*, il refusait mystérieusement de cracher les cinq boules dures et colorées qu'Andy avait payées. Extraordinaire, pense-t-il, c'est toujours le même appareil, toujours cinq boules pour une pièce de cinq *cents*, peut-être le dernier achat épargné par l'inflation en Amérique. Si Billy était là avec lui, ils tenteraient leur chance.

Mais, bien sûr, l'endroit n'est plus du tout le même. La Vietnamienne derrière le comptoir le salue poliment d'un signe de tête comme un parfait inconnu. À l'époque de son adolescence, le patron du snack s'appelait Bud ; ils disaient *On se retrouve chez Bud*, devenu au fil des ans Bill ou autre chose, pour se transformer enfin, curieusement, en Al... ce qui n'est certainement pas un véritable prénom vietnamien, pense-t-il. La salle est plus propre que dans son souvenir ; c'est plus une impression qu'un constat objectif car en ce temps-là, il n'y faisait guère attention. Même le vieux ventilateur au plafond, note-t-il, a été astiqué jusqu'à ce qu'il brille.

Les spécialités figurent sur le tableau noir : Sandwich du Hallebardier servi avec des frites ; Club Sandwich à la dinde avec choux de Bruxelles et avocat... seul signe authentique, hormis les nouveaux propriétaires, du passage du temps. Il se perche sur un tabouret à une extrémité du comptoir. La Vietnamienne hoche la tête. Il en fait autant. Il commande un Club Sandwich et un Pepsi.

Il y a du mouvement à l'autre bout du comptoir. Un homme âgé en costume de jogging gris prend son sandwich, son verre de lait, s'approche d'Andrew et pose son déjeuner à côté de lui.

« Andy ? »

Andrew entreprend de se lever. Il serre la main tendue de l'homme. « Commandant DeSalvo.

— Plus maintenant.. J'ai pris ma retraite. Il y a six ans. Art. Appelle-moi Art. Ça te dérange si je me joins à toi ? Je viens ici tous les jours. Même heure, même position. J'en ai assez de ma propre compagnie.

— Bien sûr. Je vous en prie. »

La Vietnamienne apporte à Andrew un grand verre de Pepsi rempli à ras bord. Sans glaçons. Andrew et DeSalvo regardent le verre.

« Y a des choses qu'on peut pas traduire », dit DeSalvo. Andrew rit.

« Désolé pour ta mère. Tellement de souvenirs...

— Merci.

— Tu es là pour longtemps ?

— Non. Encore quelques jours. Le temps de ranger, de remettre la maison en état.

— Tu veux vendre ? »

Andrew hoche la tête. DeSalvo a les cheveux gris acier, coupés à ras comme chez un Romain. Un duvet grisâtre lui couvre les joues, cachant quelques-unes de ses marques de petite vérole, mais ses sourcils sont toujours aussi noirs et broussailleux. Sous son costume de jogging, son corps est large et difforme, ce qu'ils appelaient autrefois une barrique de graisse. Il parle d'une voix éraillée. Ses yeux, cependant, sont toujours d'un bleu étonnamment dur.

« Mon garçon était plus vieux que toi... de quoi, trois, quatre ans ? »

Andrew opine. « Nicky. Comment va-t-il ?

— J'en sais rien, répond DeSalvo avec lassitude. Les gosses, quel fardeau. T'as des gosses ?

— J'ai un fils. Billy. Il a sept ans.

— Magnifique. Le plus bel âge. C'est plus tard qu'ils te pompent l'air. Nicky a eu les pires ennuis avec la drogue. Il a perdu son boulot. Sa femme et ses gosses l'ont quitté. Remarque, je la comprends. Il s'en est sorti maintenant, mais qu'est-ce que ça change, hein ? La partie est finie, et il n'a même pas eu droit aux prolongations.

— On peut changer de vie, hasarde Andrew prudemment.

— Tu parles ! Ma femme pleure tous les soirs au lit : ses petits-enfants sont en Californie. Ton môme, il fait du patin ?

— Pas vraiment. Il habite dans le New jersey. Les étangs n'y gèlent pas très longtemps en hiver. Le hockey y est moins en vogue qu'ici. »

La Vietnamienne lui apporte son sandwich ; garni de choux de Bruxelles, il a l'air singulièrement appétissant.

« Il habite dans le New jersey et pas toi ?

— J'habite New York.

— T'es divorcé ou quoi ? »

Andrew acquiesce.

DeSalvo secoue la tête. « J'ai toujours dit à ma

femme : t'as la santé, t'as une famille, le reste, c'est des conneries. »

Andrew opine à nouveau ; il se sent vaguement puni.

« En tout cas, dit DeSalvo, ça a l'air de bien marcher pour toi. J'ai vu ta voiture. Tu as l'air en forme. Tu t'entretiens ? »

Andrew sourit. « Non. »

DeSalvo se tourne pour l'examiner. « Tu n'as pas vraiment changé. La dernière fois que je t'ai vu, ça devait être il y a... quoi, dix, quinze ans ?

— Plutôt vingt. J'ai dû vous voir pour la dernière fois la nuit de... enfin, de la fusillade.

— Tu t'es présenté à l'enquête ?

— Non. Étant donné que ma mère et moi avons été ensemble tout le temps, c'est elle qui a été convoquée pour témoigner.

— Ouais, je m'en souviens maintenant. Ça fait un bail. »

La Vietnamienne reparaît avec une tasse de café pour DeSalvo.

« Ça me turlupine, cette affaire, reprend-il. Ça me chiffonne sacrément, si tu veux tout savoir. Je vais te le dire carrément, nous sommes passés carrément à côté. Il aurait fallu agir plus vite... nous avons perdu dix, quinze minutes. Ça fait une énorme différence. Nous aurions dû coffrer le jeune O'Brien. L'interroger tout au moins, le placer en garde à vue pour l'empêcher de quitter la ville. Ça ressemble bien à une tête brûlée comme O'Brien... un gosse qu'elle aurait largué et qui se serait soûlé la gueule. Puis il se serait affolé et aurait tiré sur le père. Quand elle a dit, tu sais, cette seule et unique fois, à l'infirmière, que c'était lui, nous nous y attendions. À ce moment-là, il était déjà mort, alors où est le problème ? »

Il avale une petite gorgée de café et repose sa tasse.

« T'as vu la fille ?

— Eden ?

— Ouais.

— Je n'en suis pas sûr. J'ai cru l'apercevoir hier à la fenêtre.

— Drôle d'histoire. Elle s'est pris les retombées d'une décharge de chevrotine. Paraît que ça lui a endommagé quelque chose d'important derrière les yeux. Je ne me rappelle plus quoi. Elle m'a toujours fait pitié, même avant. D'accord, c'était une emmerdeuse, si tu veux tout savoir, et elle aurait pu mal tourner, ça oui. Je l'ai chopée une fois ou deux pour vol à l'étalage. Mais elle avait du cran, et je l'aimais bien. Il lui manquait une case, voilà tout. Tu parles d'un gâchis.

DeSalvo penche la tête en avant et se masse la nuque. « Là, tout de suite, je pourrais tuer pour une cigarette, dit-il. J'ai dû arrêter il y a un an. Je vais te dire ce qui me tracasse le plus. Tu veux un café ? »

Andrew hoche la tête. DeSalvo fait signe à la Vietnamienne : un café pour Andrew.

« Alors ? demande Andrew.

— Explique-moi pourquoi elle était entièrement nue. Un type qui viole une fille n'attend pas qu'elle se déshabille. Crois-moi, des viols, j'en ai vu quelques-uns.

— À minuit, elle n'avait sûrement qu'un pyjama ou une chemise de nuit sur elle.

— Nous avons trouvé une longue chemise de

152

nuit, une culotte et un livre posés en tas à côté du lit. Elle était en train de lire.

— Lire ?

— Ouais. Un bouquin intello, Reardon le connaissait. Elle l'avait, par parenthèse, chipé dans la bibliothèque. Voyons voir... *Le Mythe de Vésuve*, ou quelque chose comme ça. Ça te parle ? »

Le Mythe de Sisyphe ? Andrew lève vivement les yeux sur DeSalvo. Il ne sait ce qui le trouble le plus : le livre ou la modestie de la culotte.

« Il aurait pu l'obliger à se dévêtir sous la menace du fusil », observe-t-il. Lui aussi songeait inconsciemment à Eden nue sous le drap.

« Peut-être. Mais elle ne s'en souvient pas. Elle ne se souvient de rien. Elle n'a rien dit alors, pas un mot, et depuis non plus, pour autant que je sache. Mais penses-y. Moi j'y pense depuis dix-neuf ans. »

Cette conversation avec DeSalvo fait perler des gouttes de sueur sur le front d'Andrew et entre ses omoplates. L'espace d'une ou deux secondes, il éprouve la même sensation que quand il est sur le point de vomir. Le ventilateur tourne lentement au-dessus de sa tête, tandis qu'à côté, derrière DeSalvo, il entend le cliquetis de cuillères et de couteaux sur la porcelaine. C'est la pause déjeuner, peut-être le meilleur moment de la journée pour ces hommes qui attendent leur part de tarte aux myrtilles maison comme une récompense. Il porte la chemise et le pantalon qu'il a mis hier pour rendre visite à Edith, et il sent la chemise devenir humide dans le dos et sous les bras. Il regarde la pendule à côté du tableau des spécialités, un visage rond dans une fausse bouilloire en cuivre. Elle indique deux heures moins cinq. Mais elle pourrait être mal réglée. Il vérifie sur sa montre. C'est la même chose. Deux heures moins cinq.

Est-ce possible ?

Il peut toujours essayer.

Il se lève abruptement et fouille dans la poche de son pantalon. Il sort son chéquier, une liasse de billets, quelques pièces de monnaie. La plus petite coupure en sa possession est un billet de dix dollars. Il le pose sur le comptoir. « Annulez le café », dit-il à la Vietnamienne. Il est obligé de parler fort car elle est à l'autre bout du comptoir. Un ou deux hommes lèvent la tête. DeSalvo se tourne vers lui.

« Qu'est-ce qui te... ?

— Je viens juste de voir l'heure. Bon Dieu, je suis un imbécile. Je suis censé être à la maison pour une réunion téléphonique avec mon bureau à deux heures de l'après-midi, improvise-t-il sans vergogne. Je vais l'avoir dans l'os.

— Avec cette voiture-là, tu y arriveras, dit DeSalvo. Simplement, entre toi et moi, Matheson a installé un radar devant chez les Gansvoort. Je peux me charger de la contredanse, mais si tu te fais pincer, ça va te retarder.

— Merci pour le tuyau. »

Andrew agite la main et sort. Il traverse en courant la rue pour regagner sa voiture. Il a envie de foncer, mais il se retient, ralentit son allure, pour bien montrer qu'il s'agit d'une simple réunion téléphonique.

Une fois au volant, il a toutes les peines du

154

monde à se contenir. Il ne se demande pas *pour-quoi* ; tout ce qui compte, c'est d'y arriver. Il faut qu'il y arrive. Il débraye, fait rugir le moteur, effectue un demi-tour interdit devant le snack et, comme un gamin qui vient juste d'avoir son permis, démarre sur les chapeaux de roue. Il jette un coup d'œil à sa montre. Une heure cinquante-huit. Sur cette ligne droite, étroite, il peut le faire en deux ou trois minutes. Il le sait depuis sa folle équipée avec Sean, lorsqu'ils étaient tous deux en terminale : ils ont fait la course de front, à minuit, lui dans la voiture de son père, priant pour ne pas rencontrer un chien ou un plus gros obstacle sur la route.

Son esprit ne fait qu'un avec le moteur car s'il se laisse aller à penser à ce qu'il fait, s'il se voit en train de le faire, il va commencer à douter, et s'il doute, il est perdu. Devant la ferme des Gansvoort, il ralentit jusqu'à l'exaspérant cinquante à l'heure. Il se penche vers la vitre du passager pour tenter de repérer une voiture de police dans la forêt des vieilles Chevrolet rouillées que collectionne Gansvoort, mais il ne voit rien. Quatre cents mètres plus loin, le compteur de vitesse affiche cent à l'heure. Puis cent dix. Cent vingt.

Il roule presque à cent trente à l'heure quand il aperçoit les maisons au loin. Il regarde sa montre. Deux heures deux. Il s'engage sur le chemin, soulevant des gerbes de gravillons. La Plymouth n'est pas encore là. Il en était sûr.

Il bondit hors de la voiture. Il saute par-dessus la marche cassée et appuie sur la poignée de la porte. La porte s'ouvre. Alors seulement il se rend compte qu'elle aurait pu être fermée à clé.

Il est aveuglé par la pénombre qui règne dans la cuisine, par le brusque passage du soleil à l'obscurité. Il avance à tâtons, guidé davantage par l'instinct et par ses souvenirs d'enfance que par sa vue ; il traverse la salle à manger voilée, le salon, où il se cogne contre une table basse, et se dirige vers le hall d'entrée, d'où il sait qu'un escalier mène à l'étage.

Sa mémoire ne l'a pas trahi. Pièce après pièce, il finit par arriver dans le hall. Il tourne, s'arrête au pied de l'escalier, lève la tête.

Elle est là qui l'attend sur le palier.

« C'est Andrew.

— Je sais », répond-elle.

Un store relevé laisse filtrer un rai de lumière qui l'éclaire de biais. Le cœur d'Andrew qui, il en est sûr, lui a fait frôler la crise cardiaque, s'agite bruyamment dans sa cage thoracique. Elle a les cheveux longs, si longs qu'ils lui tombent, emmêlés, presque jusqu'à la taille. La blondeur de ses souvenirs ressemble davantage à du laiton terni... par les ans, par la négligence. Elle porte un jersey blanc sans manches et un short bleu trop grand pour elle. Ses mains sont maculées de gris : on dirait de la peinture. Ses jambes et ses bras nus sont blancs comme neige, de cette blancheur immaculée qu'a la porcelaine de Buffalo ; du moins c'est l'impression qu'il en a, regardant ses longues jambes blanches d'en bas.

Elle tourne la tête, ou l'incline, comme pour capter un son. Un peu de lumière de la fenêtre tombe sur son visage. Ses yeux, bien que sans vie et qui semblent fixer un point au-dessus de son épaule droite, ont gardé leur étrange couleur bleu-vert. Elle esquisse un geste pour repousser une mèche en désordre derrière son épaule, et ce geste révèle un délicat réseau de petites cicatrices blanches près d'une tempe, à côté d'un œil. Il remarque que cet œil-là est plus en amande que l'autre ; la paupière supérieure, légèrement étirée, lui donne une forme oblique.

« Elle va arriver », dit Eden.

Sa voix est curieusement atone, comme si elle l'utilisait rarement.

« Je sais. Je reviendrai », répond Andrew.

Il pose le pied sur la première marche, mais elle secoue la tête. Elle a quatorze et trente-trois ans, et se dresse au-dessus de lui aussi immatérielle qu'un songe, plus belle que n'importe quelle autre femme.

Il a envie de gravir l'escalier, de voir son visage de plus près. Il aimerait examiner ses cicatrices, son œil. Il aimerait toucher la peau blanche de son bras.

« Nous n'avons pas le temps », dit-elle en reculant.

La voiture fonçait sur la route, puis j'ai entendu le gravier.

Si je ne te dis rien, tu repartiras.

Tu as brisé le miroir de l'eau, et j'ai cru que tu allais te noyer. J'ai prié pour que tu te noies. Ta chemise est mouillée et colle à ta peau.

Ton poids sur la marche. Es-tu enfin venu me chercher ?

Ta voix comme à travers un brouillard, mais je connais ta voix, je l'ai entendue toutes ces années. Tu seras tel que je t'ai rêvé.

Je t'ai entendu garer lentement la voiture. Tu es resté là-bas à regarder ma fenêtre. Tu es un garçon avec des bras comme des baguettes. Puis j'ai entendu sa voiture sur la route. Tu n'es pas entré. Tu l'as regardée sortir de la voiture, mais tu ne lui as pas adressé la parole.

Cette pièce est très longue et vide.

Ton père était un homme courageux, mais stupide.

4

Il pleut, une pluie chaude et grasse qui va bientôt cesser et ramener les vers à la surface. Plus
tard, quand il sortira de la maison et posera le pied
sur l'herbe ou sur le gravier, la terre exhalera leur
odeur. La veille, il s'est finalement rendu au supermarché à côté du centre commercial, et ce matin,
il a pris son premier vrai petit déjeuner de la
semaine, ou presque – céréales, pain grillé, jus de
fruit, café –, qui lui a rappelé la routine de sa vie
de tous les jours. La pluie clapote, tambourine sur
le carreau dans la chambre de sa mère. Il s'aperçoit, trop tard, qu'il a laissé une fenêtre ouverte
toute la nuit. Il essuie le rebord mouillé avec une
serviette de bain. Les papiers de sa mère sont sur
le lit, tas chaotique, désordonné, qu'il a fini par
découvrir la veille, après le dîner, sous le lit,
dans un carton normalement destiné aux lainages
d'hiver. Elle n'avait pas dû prévoir, ni même pressentir sa mort car les papiers ne sont pas classés :
aucun mot d'explication concernant l'assurance ou

l'hypothèque, aucune indication de l'endroit où elle a rangé la clé du coffre.

Il se tient devant son bureau, les mains sur les poignées de cuivre du tiroir du dessus. C'est un meuble en chêne, lourd et massif, début du siècle. Jamais Andrew n'a ouvert ce tiroir ; il a un arrière-goût de fruit défendu, un arrière-goût de l'enfance qui tente de percer en cachette les secrets des grandes personnes. Son père avait le même tiroir – il l'a toujours, suppose Andrew qui ne s'est pas encore attaqué au bureau de son père – qu'Andrew explora, petit garçon, un soir où ses parents étaient allés au cinéma. Il devait être jeune, neuf ou dix ans tout au plus, car il se souvient de l'excitante découverte d'un paquet de Durex qu'il savait, d'une manière ou d'une autre, être liés au sexe, mais sans bien comprendre comment (sans oser imaginer le tableau). Il fut persuadé – il en rit maintenant – que son père les gardait simplement pour quelqu'un d'autre.

Le tiroir s'ouvre sans bruit comme s'il venait d'être ciré la veille. Son contenu est net et précis, carrés et rectangles de différentes tailles disposés en un puzzle intime. Sa mère, constate-t-il, n'avait pas la tête à ses papiers qui portent la marque de la négligence et de l'abandon. Le tiroir, en revanche, expose ses trésors comme pour dire à celle ou celui qui l'ouvre : *Ça, c'est moi.* Il y a une ancienne chemise de nuit en satin ivoire, expertement pliée dans le coin gauche et, dessus, un rang de perles avec une agrafe incrustée de diamants, cadeau de son père lors de leur nuit de noces. Derrière la chemise de nuit, il y a un petit coffret à bijoux capitonné de rose et, à sa droite, un mince paquet de lettres dont les timbres portent le cachet des années 1943 et 1944, lettres envoyées de France par son père durant la Seconde Guerre mondiale. Dans le coin de droite, il y a ses propres affaires de bébé : une grenouillère brodée à la main, une paire de minuscules bottines en cuir marron, un album de bébé qui regorge de photos et de notes. Cet album, il le connaît. Un soir, sa mère l'apporta pour le montrer à Martha, à l'époque où Martha était enceinte de six mois ; il se souvient de son sentiment de plénitude entre sa femme et sa mère blotties l'une contre l'autre, et son enfant à venir.

Au milieu du tiroir, il y a un classeur crème. Lui aussi déborde et ne demande qu'à être ouvert. Andrew l'ouvre. Il contient des coupures de journaux, principalement avec lui-même en tenue de hockey ; des certificats et des papiers qui jalonnent l'enfance du petit garçon ; un dessin qu'il a fait pour sa mère ; une dictée avec un « 100 » dessus ; une lettre annonçant son admission à la National Honor Society.

Il presse le bas de ses paumes contre ses yeux. Les voici donc, ses trésors : la chemise de sa nuit de noces, les souvenirs de son unique enfant, les jalons de l'enfance de son fils. Pas de lettres d'amour secrètes d'un autre homme ; pas de bagues mystérieuses avec des inscriptions énigmatiques ; pas de fioles de tranquillisants ; pas de dessous osés ; pas de journaux intimes, témoins d'instants de rage ou d'amertume. Bien qu'elle ait forcément eu un monologue intérieur qu'il n'entendra jamais, elle a fait disparaître les preuves tangibles des plaisirs simples qu'il a imaginés pour elle. Il s'assied sur le bord du lit et contemple le tiroir d'un air hébété. Que va-t-il faire de toutes ces choses ? se demande-t-il, désemparé. Où va-t-il les mettre ?

Il aurait tant à demander, tant à dire à sa mère, tout ce qu'il ne lui a pas dit ces douze dernières années, pendant lesquelles sa propre vie, ses propres soucis égoïstes – son travail, son mariage bancal, sa paternité – l'ont évincée de sa mémoire, comme si elle se dématérialisait de plus en plus, et que cette maison, paradoxalement, devenait de plus en plus lointaine, même si l'autoroute permet aujourd'hui de gagner une heure sur le trajet.

Il fut un temps où, jeune garçon, il pensait ne pas pouvoir survivre à la mort de ses parents. S'ils mouraient dans un accident de voiture, il était persuadé de sombrer lui aussi dans le néant. Maintenant, c'est l'idée de la mort de son fils qui lui est insupportable, lorsqu'il lit, pétrifié d'horreur, les histoires d'enfants leucémiques ou tombés par la fenêtre. Quand Billy avait cinq ans, l'un de ses camarades d'école fut renversé et tué par un car de ramassage scolaire, sous les yeux de sa mère qui se tenait sur le pas de la porte. Le petit garçon, à qui l'on avait appris à contourner le car par-devant, s'était précipité vers l'arrière – sans aucune raison apparente, hormis le fait qu'il avait cinq ans –, et le conducteur (une femme encore jeune, aux références impeccables, elle-même mère de famille) l'écrasa en reculant. Pendant une semaine, l'école engagea un psychiatre pour effectuer le trajet en car avec Billy et les autres bambins, au cas où l'un d'eux manifesterait les signes d'un quelconque traumatisme. Mais ce n'étaient pas les enfants qui avaient besoin d'un psy, pensait Andrew. C'étaient les parents qui, comme lui-même, répétaient l'histoire entre eux, à leurs amis et collègues, par téléphone, au bureau, dans la cuisine, comme si le fait d'en parler sans cesse pouvait conjurer le mal.

Il s'approche de la fenêtre, attiré par un rayon de soleil qui danse sur le plancher. Bien qu'il pleuve toujours, les nuages vont vite, laissant ici et là s'infiltrer le soleil. L'averse va s'arrêter d'une minute à l'autre, et il pourra sortir. Il aime la terre après la pluie ; il l'a toujours aimée.

Elle sera en train de l'attendre.

Il consulte sa montre. Neuf heures cinq. Il lui reste moins d'une heure à tirer. Pour tuer le temps, il pourrait bricoler la gouttière.

Adossé au chambranle, les mains dans les poches, il regarde l'autre maison. Une nuée de lumière, comme un vol d'oiseaux, passe au-dessus du toit et disparaît.

Il se demande où Eden serait maintenant s'il n'y avait pas eu cette fusillade. Si le violeur ne s'était pas introduit dans sa chambre et si Jim n'y avait pas fait irruption à son tour, que serait-elle deve-nue ? Aurait-elle mal tourné, comme le suggère DeSalvo ? Serait-elle mariée, avec deux enfants, confinée dans un mariage sans amour ? Serait-elle serveuse ? Putain ? Ou alors, sauvée – par ses propres moyens ou par quelqu'un d'autre – et heureuse en ménage à Boston ? Ou actrice à Los Angeles ? Ou travaillant, comme lui-même, à New York ? L'aurait-il rencontrée par hasard au coin d'une rue, dans un bar ?

163

Telle qu'elle est maintenant, pense-t-il, elle est étrangement pure... intacte, comme inachevée.

Caché par la moustiquaire, il attend derrière la porte de la cuisine. Il est moins le quart. Dans quelques secondes, Edith Close va ouvrir la porte qu'il surveille, descendre les marches et monter dans la Plymouth. Il jette un coup d'œil à sa montre, pour la dixième fois en quinze minutes. Il se sent vaguement ridicule. Un homme adulte caché derrière une porte pour ne pas affronter une femme vieillissante, sans défense.

Il entrevoit un chiffon rose, un éclair d'or sur un poignet. Évidemment. Raisonnable, Edith Close est sortie par la porte principale pour éviter la marche pourrie. À contre-jour, il a du mal à distinguer ses traits, bien qu'elle ne semble pas regarder dans sa direction. Eden n'a pas dû parler de lui. Cela ne l'étonne pas. Il regarde Edith Close sortir prudemment sa voiture en marche arrière, comme il l'a vue faire plusieurs fois cette semaine, comme elle doit le faire tous les jours de l'année, d'après les lettres de sa mère. Une fois dans la bonne direction, elle passe la première et s'éloigne sur la route droite vers le sud, vers la maison de retraite.

Bien que la voie soit libre, il attend un peu derrière la porte. Un silence épais, paisible, enveloppe les deux maisons... ou est-ce un simple fruit de son imagination ? Il entend un bourdonnement ; l'été, on entend toujours un bourdonnement au-dessus des champs de maïs et, plus près, le gré-sillement, le crissement incessant des insectes dans les plantes vivaces envahies de mauvaises herbes, mais tout cela fait partie du silence, silence des deux maisons solitaires, éloignées de la ville, dont seul le vrombissement d'un moteur de voiture ou, plus rarement, le son d'une voix humaine, trouble parfois la quiétude. Il ferme les yeux et penche la tête vers la moustiquaire. Il écoute attentivement, comme Eden doit le faire. Cela est son univers sonore, aussi cacophonique et dérangeant que le bruit de la grande ville, à condition d'être capable d'écouter comme elle, de saisir au vol les différents sons et leur signification.

Edith Close ne reviendra pas chercher un pull ou son sac à main oublié, décide-t-il. Elle ne l'a pas fait une seule fois dans la semaine, alors pourquoi aujourd'hui ? Il claque la porte pour annoncer ses intentions et traverse l'herbe spongieuse et mouillée. Ses tennis sont trempés. Contrairement à hier, sa démarche est délibérément lente et, quand il arrive au perron pourri, il le gravit avec précaution.

Il tambourine une fois sur la porte et l'ouvre presque aussitôt. Sans hâte, il pénètre dans la cuisine où la pénombre l'aveugle de nouveau. Puis il l'aperçoit, comme un cliché de photographe qui émerge peu à peu du révélateur.

Plus tard, le soir, couché dans son lit, incapable de trouver le sommeil, ou bien allant chercher une bière au frigo, Andrew se rappellera la surprise que lui a causée sa présence. Elle était adossée à l'évier, les bras croisés sur la poitrine. Bien sûr, il s'attendait à la voir. Mais ce fut sa proximité, après toutes ces années, qui le troubla profondément, comme si un fragment de rêve, rêve qu'il croyait perdu depuis longtemps, était finalement devenu réalité.

« Salut », dit-elle.

Elle se tient immobile, le regard apparemment rivé sur une fenêtre à côté de lui.

« Je voulais te voir. » Il secoue la tête. « Te parler, je veux dire. » Planté au milieu de la cuisine, il ne sait s'il doit s'asseoir, prendre ses aises, ou non. Elle, en tout cas, ne l'y a pas invité. Peut-être, pense-t-il, ne ressent-elle pas comme lui l'inconfort de discuter debout, face à face. Bien qu'elle ne puisse pas le voir, il se sent mal à l'aise devant elle. Ses bras, ses mains sont des appendices qui ne lui appartiennent plus. Il les replie sur sa poitrine, singeant inconsciemment la posture d'Eden.

« J'y ai pensé. Oui », répond-elle, laconique.

Une brève inspiration, qu'elle ne peut manquer d'entendre, trahit la nervosité d'Andrew. « Alors comment vas-tu ? » demande-t-il. Question inepte qu'il regrette instantanément.

Elle hausse imperceptiblement les épaules. « Je vais toujours bien », réplique-t-elle posément.

Il cherche la phrase suivante comme on cherche un sentier pour sortir d'un bois inconnu. Toutes les solutions lui paraissent bancales.

« Ça fait un bon bout de temps. »

Elle ne répond pas. Mais elle tourne la tête et le regarde si fixement qu'il se demande un instant s'il n'a pas compris de travers... si elle ne voit pas, après tout. Son regard le transperce. Il tente d'ima-

166

giner ce qu'elle « voit » : pour elle, sa présence doit être une voix dans une vaste mer d'encre.

« Ta mère est morte », dit-elle.

Ses paroles le déconcertent. La phrase est directe, sans fioritures. Presque indifférente. Mais il constate qu'il aime cette franchise. Qu'il la préfère aux condoléances, au « Je suis désolé » répété pour la centième fois. Le fait est simple : sa mère est morte, et elle l'a énoncé tel quel.

« Oui. Nous l'avons enterrée. Ta mère était là. Elle te l'a dit ?

— Elle me dit... certaines choses. Mais tu as toujours fait ça.

— Quoi ?

— L'appeler ma mère.

— Eh bien, elle...

— Ne l'est pas. »

Il hoche la tête. Puis il se rend compte qu'elle ne peut pas le voir. « C'est juste », dit-il.

Il faudra un certain temps pour apprendre à lui parler, pense-t-il. Tout doit être dans la voix.

« Jim est mort ici », dit-elle.

Autre phrase abrupte, et qui le prend au dépourvu. Lors de ses trois brèves incursions dans cette maison, Andrew n'a jamais songé à cela, mais naturellement, c'est la vérité. Jim est mort dans cette maison, là-haut, à l'étage, où le père d'Andrew l'a découvert. Il revoit brusquement, avec netteté, Edith Close que les ambulanciers plaquent au sol, Eden avec une serviette tachée de sang sur la tête, son père avec le fusil qui pend mollement le long de sa jambe.

« Tu as une femme et un enfant. » Le regard d'Eden s'écarte de quelques degrés de son visage.

C'est sans doute parce qu'elle est seule depuis si longtemps que ses phrases sont réduites à leur plus simple expression, pense-t-il. Elle a oublié les règles de la conversation et n'a jamais dû avoir l'habitude de parler de la pluie et du beau temps. Dans la bouche de T. J. ou d'un autre, ç'aurait été plus fluide : « Alors, il paraît que tu es marié »... sur un ton de familiarité.

« Non, explique-t-il, s'efforçant de répondre avec la même franchise. J'ai un fils, mais pas de femme. Nous sommes séparés. Je vis seul et je vois Billy, mon fils, le week-end.

— Je n'aurai pas de fils. »

Elle le dit rapidement, sans émotion, et pourtant, il reste coi. Il a envie de répondre, avec trop d'entrain : *Bien sûr que si*, comme à n'importe qui d'autre, mais cette affirmation sonne si vrai qu'il ne trouve rien à dire.

Il se dandine d'un pied sur l'autre. Il baisse les yeux sur ses pieds, puis la regarde de nouveau. Il essaie d'assimiler. Toutes les années passées ici. Toutes les journées dans cette maison pendant qu'il était loin ; toutes les années pendant qu'il était à l'université, dans la grande ville, chez lui à Saddle River. Il pense à tout ce qu'il a eu – ses jouets et gadgets d'adulte, ses journées remplies de couleur, de gens et de travail – alors qu'elle n'a eu que cela. Qui peut calculer, songe-t-il, le poids accumulé ne serait-ce que d'une seule journée : une centaine de couleurs aperçues en un coup d'œil par la fenêtre de la cuisine ; une douzaine de vies entrevues en traversant le bureau d'un pas alerte ; l'opulent rituel d'un repas avec femme et enfant ? Ses journées à elle lui semblent, lui apparaissent appauvries par contraste... sans poids, identiques les unes aux autres. Ou bien se trompe-t-il ? Y a-t-il dans son lent univers une vie aussi riche, plus riche même, que la sienne ?

Néanmoins, en dépit de tous ses avantages, il a le net sentiment d'être désavantagé. Il ne s'attendait guère à cette réalité-là, réalité qui n'a rien à voir avec les détails de son quotidien à lui. Elle correspond à ce qu'il a ressenti dernièrement, à ce qu'il éprouve quelquefois en vacances, quand le monde du travail recule d'heure en heure au point qu'il semble remonter à une autre période de sa vie, au point qu'Andrew ne sait plus quelle est sa *vraie* vie, celle-ci ou l'autre. Son monde actuel, circonscrit par ces deux maisons, loin de la salle de projection et des sonneries de téléphone, loin du restaurant thaïlandais où il déjeune habituellement et des plaisanteries de bureau, est ce minuscule espace géographique et les trois femmes qui l'ont habité durant les dix-neuf ans de son absence.

Il l'examine. En voyeur, car il voit ce qu'elle ne peut pas voir. Elle a grandi, note-t-il, mais elle n'est vraiment pas grande : un mètre soixante-cinq, soixante-huit. Ses membres sont fuselés ; son ventre, inexistant comme chez une jeune fille. La rencontrant dans la rue, il serait impossible de deviner son âge.

Avec ses cheveux en désordre et ses bras croisés, elle pourrait être une jeune ménagère, pense-t-il, pieds nus, vêtue de vieux habits, qui se serait détournée de sa vaisselle pour faire face à son mari, tandis que ses enfants jouent à côté dans la cour. Il remarque de nouveau les taches de substance grise sur ses mains. Elle est, d'une certaine

façon, étonnamment banale. À quoi s'attendait-il ?
À une demeurée ? À un monstre ? À un personnage de rêve ? Au diable dans la boîte ?

En même temps, elle n'est pas banale du tout.
Cela transparaît dans son discours, dans sa manière
de pencher la tête comme pour capter un signal
dans le silence. Son discours détonne : trop direct,
puis trop énigmatique, comme si elle l'avait répété
sans jamais passer à l'acte. Il songe aux dialogues
entiers qu'il lui arrive de répéter mentalement et
qui n'ont jamais lieu dans la réalité.

« Comment es-tu maintenant ? » demande-t-elle.

Il rit, plus pour se libérer de sa tension que
parce qu'il trouve la question amusante. Il pose
ses mains sur ses hanches.

« Ma foi, toujours pareil, en plus vieux et plus
décati. » Il sourit. Peut-elle se souvenir de son
apparence physique après toutes ces années d'obscurité, de néant ? Peut-elle encore se souvenir de
n'importe quel visage humain ?

« Quelques rides par-ci par-là, poursuit-il. Quelques cheveux blancs. T. J. dit que j'ai perdu la
forme ; il a sûrement raison. »

Quand il prononce le nom de T. J., elle se raidit presque imperceptiblement, mais il est certain
d'avoir bien vu.

« Es-tu en train de me regarder ? demande-
t-elle.

— Oui.

— Comment suis-je maintenant ?

— Euh... » Est-il possible qu'elle ne le sache
pas ? Bien sûr que oui, pense-t-il. À moins qu'elle
ne puisse se voir par le toucher, ou à moins
qu'Edith ne lui ait patiemment décrit ses traits.

Mais il imagine mal Edith en train de faire cela. D'ailleurs, lui dirait-elle la vérité ?

« Tu as grandi, commence-t-il, mais tu parais plus jeune que la plupart des femmes de ton âge. Tu es mince. Ton visage n'a presque pas changé, sauf... euh, un œil et ton teint qui est pâle. Tu as la peau très blanche. Inhabituellement blanche. »

C'est cette blancheur qui l'incite à la prudence, qui lui rappelle qu'il est un intrus... comme si, plongeant tout au fond de l'océan, il y avait découvert dans une caverne sous-marine une créature censée ne jamais voir le jour ni être vue. Il fait un pas vers elle – il veut voir son visage de plus près –, et une latte du plancher recouvert de linoléum craque sous son poids.

« Parle-moi de mon œil, dit-elle.

— Il est... » Andrew déglutit. « Il est allongé, un peu plus en amande que l'autre. À côté, la peau est plus lisse qu'ailleurs. Il y a quelques petits creux, très légers. Ça a l'air... OK, bégaie-t-il, je le pense vraiment. Ça n'a pas l'air tout à fait normal, mais ce n'est pas... dénué de charme. J'essaie d'être exact.

— Merci.

— Est-ce ainsi que tu te vois ? Que tu penses à toi, j'entends ?

— Je ne savais pas que j'avais la peau blanche. J'ai du mal à l'imaginer. »

Elle change de position devant l'évier. Croise les chevilles. Ses os sont fins et délicats. Il est surpris de la trouver délicate : dans son esprit, elle a toujours été forte et robuste, mais c'est sans doute son comportement qui a dû créer cette impression.

« Je n'ai peut-être pas dit exactement ce que je pensais. Tu es vraiment très belle. »

Il croit surprendre un sourire fugace sur ses lèvres et il est déçu de le voir disparaître. Il veut, s'aperçoit-il, un vrai sourire.

Cette perspective, pourtant, semble lointaine. L'entrevue se révèle plus difficile qu'il ne l'avait imaginée. Les retrouvailles sont toujours lourdes de tensions embarrassantes – de par la nécessité de rendre des comptes ; la tentative de raviver, à travers les souvenirs, le brasier des émotions d'antan – mais celles-ci échappent à toutes les règles. Quel souvenir pourrait-il évoquer aujourd'hui sans craindre de la blesser ? *Les souvenirs du passé la perturbent*, a dit Edith. Est-ce vrai ?

« Alors que fais-tu de tes journées ? bredouille-t-il, incapable de supporter le silence et son sang-froid.

— Que fais-tu des tiennes ? rétorque-t-elle vivement.

— Juste », répond-il en hochant la tête. Il sourit. Voilà qui est mieux.

Il lève la main, se frotte la joue. Il a une idée. « As-tu déjà... ? questionne-t-il. J'ai entendu parler, ou lu, et je me demandais... Aimerais-tu toucher mon visage ? Cela t'aiderait-il ? »

Il est content qu'elle ne puisse pas le voir en ce moment. C'est l'un des mille subterfuges que les voyants utilisent à l'égard des non-voyants. Ou bien ces derniers ont-ils un moyen de tromper les voyants ? D'entendre des mots que nous ignorons avoir prononcés ? Il se demande si elle serait capable de sentir la chaleur sur son visage.

Elle hausse les épaules.

Le silence dans la cuisine est si profond qu'on entend couiner le réfrigérateur.

Il se dirige vers l'évier, s'arrête et lui prend la main. Sa main est fraîche et, quand il la touche, ce contact lui apparaît si intime qu'il redoute de perdre l'équilibre et manque retirer ses propres doigts. Il tire sur la main qu'elle a repliée autour de son coude. Elle ne résiste pas. Il approche sa main de son visage, de sa joue, en un geste peu naturel. Il sent le poids de sa main dans la sienne, mais quand il la relâche, elle laisse ses doigts sur sa peau.

Au début, elle semble paralysée, et il est sur le point de lever le bras quand elle fait lentement glisser ses doigts sur sa pommette jusqu'à l'arête de son nez. Il ferme les yeux. Il la sent qui remonte vers son front. Elle l'effleure à peine. Elle trace la limite de ses cheveux d'un côté, s'arrête, remonte à nouveau vers le front et passe de l'autre côté. Elle semble vouloir rompre le contact, mais elle ne le fait pas. Sa main glisse vers ses sourcils, lui frôle délicatement les paupières. Ses doigts sont une caresse d'air frais sur sa peau. Elle suit la courbe du nez jusqu'à sa bouche. Elle redessine le contour de ses lèvres, les lisse avec ses doigts, puis plonge sous le menton jusqu'à la gorge, faisant naître un violent frisson au fond de lui. Il sait qu'elle doit le sentir frissonner, mais elle n'en montre rien. Elle palpe le col de sa chemise, fait traîner sa main le long de la crête de ses épaules et la laisse retomber.

Quand il rouvre les yeux, elle a déjà détourné la tête et croisé de nouveau les bras.

Il aspire une longue et lente bouffée d'air.

« Suis-je tel que tu m'imaginais ?

— Non. »

Il pose une main sur sa joue et la tourne face à lui.

« Quoi ? dit-elle.

— Ne bouge pas. »

Il ferme les yeux. Il part de la joue, comme elle, et refait exactement le même trajet qu'elle. C'est une carte dont il se souviendra toujours à la perfection, qu'il retiendra dans ses moindres détails pour les années à venir. Elle a la peau lisse et sèche. La paupière de l'œil en amande est tendue ; juste à côté, la peau soyeuse est mouchetée de points minuscules. Sa bouche est chaude et humide ; lorsqu'il la touche, elle se mord la lèvre inférieure. Il s'efforce de « voir » son visage de cette façon, de se forger une image à partir d'indices fournis uniquement par ses doigts. Le résultat diffère de ce qu'il voit avec les yeux. Le grain de sa peau est plus plein ; ses lèvres sont plus pulpeuses. Sa main descend sous son menton ; il pose les doigts dans le creux de sa gorge. Puis il suit la courbe de ses épaules.

Se retournant, il se dirige vers la table. Il s'assied et passe la main sur la toile poisseuse.

« Que puis-je t'apporter ? » demande-t-il, changeant de sujet. Sa question respire la condescendance ; il s'en aperçoit au moment même où il la pose. « Il y a sûrement quelque chose dont tu dois avoir besoin.

— Ne fais pas ça, dit-elle.

— Ne pas faire quoi ?

— Ne m'apporte rien.

— Pourquoi ?

— Elle saura que tu es venu.

— Et alors ? »

Elle hausse de nouveau les épaules, sans lui répondre. « Qu'est-ce que tu veux, toi ? »

Il la regarde. « Je ne veux rien du tout, sauf te parler.

— T. J., Sean et les autres, beaucoup d'autres, ils veulent toujours quelque chose. Pas toi ?

— Sean est mort. Et T. J. ? » Il secoue la tête. Si elle pense à ce qu'il pense qu'elle pense, elle ne doit certainement pas faire allusion à T. J. Andrew en est absolument convaincu.

« Il y a des mensonges dans la voix de T. J., dit-elle. Je les entends quand il rit. »

Il est désarçonné. Sa façon de passer du coq à l'âne, du présent au passé, lui donne le vertige tandis qu'il essaie de la suivre. C'est comme si, hors du temps, passé, présent et futur s'entremêlaient sans contexte ; comme si une journée d'il y a vingt ans était aussi vivante, aussi prenante que les soucis de ce matin ou de demain matin.

« Comment ça, T. J. ment ? À propos de quoi ? demande-t-il.

— À propos de lui-même. »

Il l'enveloppe du regard. « Quand tu m'as demandé comment tu étais maintenant...

— Oui ?

— Il y a autre chose que je ne t'ai pas dit. »

Elle relève légèrement la tête, mais ne dit rien. « Tes cheveux sont très emmêlés. »

Elle se détourne, pose ses mains sur l'évier.

Il s'approche d'elle, lui effleure la chevelure. « Si tu veux, je peux les brosser. Maintenant. »

Elle secoue la tête.

Ce n'est pas grave, car il a une autre idée.

Maintenant qu'il a un but, il se sent compétent ;
la cuisine n'est plus un lieu étrange, mais un
simple reflet de sa cuisine à lui.

Elle entre dans la cuisine avec deux serviettes,
un peigne, un gant de toilette et un flacon de shampooing, ainsi qu'il le lui a demandé. Elle dépose le
tout sur la table. Quand il lui a dit d'aller les
chercher, elle a protesté, et son absence a duré si
longtemps qu'il a cru qu'elle ne reviendrait pas. Elle
reste devant la table comme pour le surveiller. Les
mains d'Andrew ne lui obéissent pas vraiment –
fanfaronnade ? fausse assurance ? – et de nouveau,
il remercie le ciel qu'elle ne puisse pas le voir. Pour
les empêcher de trembler, il sort les assiettes de
l'évier et le frotte à l'Ajax jusqu'à ce qu'il brille.
Il pose l'une des serviettes sur le bord en guise de
coussin, met le shampooing et le gant de toilette sur
l'égouttoir. Il essaie l'eau. Lorsqu'elle est à la bonne
température, il s'approche d'Eden.

« Je suis très doué pour ça. » Affirmation purement gratuite. Il n'a jamais lavé les cheveux de
quiconque, excepté ceux, coupés à ras, de Billy. Il
la guide vers la chaise qu'il a placée de travers à
côté de l'évier et l'installe dessus. Lentement, en
dépit de sa résistance, il repousse ses épaules en
arrière jusqu'à ce que son cou touche la serviette
sur le bord du vieil évier de porcelaine. Il sent une
tension dans ses épaules, tension qui envahit ses
propres doigts, les paumes de ses mains.

« Détends-toi, dit-il. Essaie de te détendre. »

176

Son cou est arqué ; il suit des yeux la longue courbe blanche de sa gorge jusqu'au premier bouton de son chemisier. Il glisse un bras sous ses épaules – son menton frôle le front d'Eden - et la soulève un instant pour faire passer ses cheveux par-dessus le bord. Sa tignasse sauvage envahit l'évier. La vue de cette masse emmêlée de cuivre et d'or manque le paralyser ; il a l'impression de toucher à une chose défendue. Il ouvre l'eau et la laisse couler entre ses doigts sur la chevelure d'Eden. Constatant qu'il ne pourra pas mouiller toute la tête à l'aide du robinet, il fouille dans les placards à la recherche d'un broc. Il en trouve un et le remplit d'eau tiède. Lorsqu'il le vide sur sa tête, elle grimace comme si elle craignait que l'eau ne soit trop chaude ou trop froide. Il vérifie de nouveau la température. « Ça va ? » demande-t-il.

Elle murmure quelque chose qu'il prend pour un assentiment.

Lentement, il verse l'eau jusqu'à ce que sa tête soit complètement trempée. Il soupèse ses cheveux avec les deux mains. Il ouvre le flacon de shampooing et le presse généreusement sur le sommet de son crâne. Plongeant les doigts dans ses cheveux – si épais que ses doigts s'y perdent – il lui masse le cuir chevelu pour faire pénétrer la mousse, tout doucement d'abord, pour ne pas l'effrayer ou lui faire mal, puis, comme elle ne proteste pas, plus fermement. Elle laisse échapper un faible soupir, soupir de plaisir, espère-t-il. Soulagé, il voit son visage se radoucir, les muscles se relâcher ; les yeux clos, elle a presque l'air de dormir. Il continue le massage pour ne pas troubler son repos. Un tortillon de mousse lui glisse sur la

177

pommette ; il le cueille du bout du doigt. Il se revoit en train de baigner Billy dans l'évier, soutenant d'une main la tête du nourrisson, pendant qu'il le savonne avec le gant de toilette. Il se revoit plus tard, dans la baignoire avec Billy, qui avait deux ou trois ans : il étendait ses longues jambes velues, et Billy se nichait entre elles. Billy l'arrosait avec son pistolet à eau, et ils chantaient des chansons sous l'œil de Martha debout dans l'encadrement de la porte. Le bain de Billy a toujours été son affaire.

C'est seulement quand il commence à rincer la mousse après le second lavage que les cheveux semblent se démêler. Après le rinçage final, il a l'impression de pouvoir les passer au peigne. Il les essore, doucement et drape une grande serviette autour de sa tête en lui soulevant les épaules. Le col et les épaules de son chemisier sont mouillés. Elle est lourde maintenant, comme un enfant ensommeillé. Il se poste en face d'elle pour lui sécher les cheveux. Son visage est à quelques centimètres de son estomac. Il sent son souffle tiède à travers sa fine chemise d'été. En un éclair, il se voit appuyer sur la tête d'Eden pour qu'elle pose sa bouche sur sa peau.

Il tire une chaise de cuisine vers elle et entreprend de peigner sa chevelure. La tâche est pénible, d'autant plus délicate qu'il ne veut pas lui faire mal et qu'il est novice en la matière. Il apprend à serrer une poignée de cheveux au-dessus du nœud qu'il tente de démêler ; ainsi, elle ne le sentira pas tirer sur son cuir chevelu. Ne sachant quoi faire d'autre, il trace une raie au milieu.

« Il vaut mieux les sécher au soleil », dit-il. Sa

voix s'est enrouée. Il se racle la gorge. « Nous allons nous asseoir sur les marches. Il doit y avoir du soleil par là.

— Je ne vais jamais dehors, répond-elle. Et nous n'avons plus que vingt-cinq minutes. »

Il consulte sa montre. Elle a raison. « Comment le sais-tu ?

— Je le sais, c'est tout. je l'entends. Les bruits sont différents selon le moment de la journée. »

Il ouvre la porte et la conduit sur le perron. Il lui dit que la marche du bas est cassée, et elle réplique qu'elle est au courant... elle l'a entendu jurer hier. Il rit. Ils s'assoient côte à côte sur la marche supérieure. Il pose ses coudes sur ses genoux. Leurs épaules se touchent presque.

« Pourquoi avoir fait ça pour moi ? demande-t-elle.

— Je ne sais pas. »

Ils restent assis en silence. Il aimerait lui demander à quoi elle pense, mais il sait que lui-même n'apprécierait guère cette question, et il se tait. Ses cheveux commencent à sécher et tournent au maïs soyeux, d'abord aux pointes, puis aux racines, bouclant autour de son visage. C'était, pense-t-il, un acte risqué, une intrusion, dictée par des motifs pas entièrement altruistes s'il devait les examiner de près, ce qu'il n'a pas l'intention de faire. Pour le moins, cela ne lui ressemble guère... bien qu'il soit en peine de savoir ces jours-ci ce qui lui ressemble ou pas. Pendant toutes ses années de mariage, jamais il n'a peigné les cheveux de Martha, sans même parler de lavage.

« Il faut que je rentre maintenant et que toi, tu

partes », dit-elle quand il ne leur reste plus que cinq minutes.

Elle se lève, et il en fait autant.

« Eden...

— Elle saura maintenant, dit-elle rapidement.

— Ça ira, n'est-ce pas ? »

Sans répondre, elle se tourne vers la porte.

« Je reviendrai », lance-t-il.

Il se gare devant la boutique du réparateur de postes de télévision. Voici une heure qu'il a quitté Eden. Il ignore ce qui l'a poussé à prendre cette direction, mais en regardant par la vitrine, il a le sentiment que oui, il avait l'intention de venir ici pour voir O'Brien, lui dire bonjour.

La porte est ouverte. Toutefois, quand il entre dans la boutique, tout est si calme et silencieux que, de prime abord, il pense que Henry O'Brien n'est pas là. En dix-neuf ans, la boutique n'a guère changé, si ce n'est l'épaisse couche de poussière qui recouvre les téléviseurs, les postes de radio, les tubes à image et autres composants. Les téléviseurs eux-mêmes ont l'air vieux : tous d'occasion, certains portables, d'autres plus gros. Il ne se souvient pas de la poussière, ni de ce silence de mort dans la salle chaude et poussiéreuse par une journée d'été. Petit garçon, il était fasciné par ce qui lui apparaissait alors comme autant d'éléments étincelants, mystérieux, quasi insondables, appartenant à cette chose excitante qu'on nomme technologie. Plus tard, en attendant que Sean ait fini de tergiverser avec son père au sujet d'une permission de sortie ou d'un prêt de cinq dollars, il s'est souvent senti mal à l'aise dans cette boutique, priant pour que Sean puisse s'échapper avant que son père n'explose.

« Il y a quelqu'un ? » appelle Andrew.

Il entend un murmure, un mouvement dans l'arrière-boutique. Il s'y dirige.

« Il y a quelqu'un ? » demande-t-il de nouveau.

Il croit entendre une réponse et jette un coup d'œil par la porte ouverte. Henry O'Brien est assis derrière un grand bureau en métal gris jonché de petits composants électriques, de quittances vierges, de tasses à café en carton. Le cendrier déborde de mégots et de papiers de chewing-gum. Au début, Andrew ne voit que le sommet de sa tête : ses cheveux roussâtres, clairsemés, sont à présent striés de gris. Il se redresse et plisse les yeux pour mieux voir Andrew. Ses yeux sont rouges et larmoient, comme s'il passait son temps à pleurer.

« Je vous connais, dit O'Brien. Attendez une minute. »

Andrew peut suivre le cours de ses pensées sur son visage. Un client ? Non. Quelqu'un de la ville ? Non. L'expression subitement douloureuse de son regard témoigne qu'il l'a reconnu.

« Andy.

— Oui.

— C'est bien ça. Ta mère est morte.

— Oui.

— Ma femme...

— Je sais. Je suis navré.

— Tu as besoin d'un dépannage ? »

Il n'y a pas d air conditionné, pas même un ventilateur, dans la boutique. L'atmosphère est étouffante, fortement imprégnée de fumée. O'Brien porte un T-shirt troué à l'épaule. Sa peau est d'une couleur rosée, tachetée ; une barbe grise de plusieurs jours lui mange les joues. Andrew remarque, de sa place au-dessus du bureau, que la tasse à café sous le coude d'O'Brien est remplie d'un liquide transparent et ambré.

« Non, répond-il. je suis juste passé dire bonjour.

— C'est ça. »

La morosité de la réponse prend Andrew au dépourvu. Pourquoi est-il venu ? se demande-t-il maintenant. O'Brien ne l'invite pas à s'asseoir. Il boit une longue gorgée dans sa tasse à café. Puis il inspecte Andrew de la tête aux pieds. « Tu t'es bien débrouillé, à ce qu'il paraît, dit-il, le dévisageant fixement.

— Sans doute, opine Andrew.

— Mieux que mon fils.

— C'est-à-dire...

— On l'a crucifié, tu sais. Ou peut-être que tu ne le sais pas : tu étais parti faire les grandes études. On l'a crucifié ici, dans cette ville ; peu leur importait qu'il soit déjà mort. Il leur fallait un bouc émissaire, ils l'ont trouvé. Sa mère en est morte.

— Je...

— Le gamin n'a jamais eu de procès. »

O'Brien avale rageusement une lampée de liquide ambré, mais il l'avale de travers, tousse et se tord, en proie à une crise convulsive de haut-le-cœur. Lorsqu'il recouvre la voix, il y a une larme de salive au coin de sa bouche, et Andrew a l'impression qu'il s'apprête à cracher ses mots.

« Dans ce pays, déclare O'Brien d'une voix rauque, un homme est présumé innocent jusqu'à preuve du contraire, mais vu comment on me regarde en ville, c'est clair que les gens ont pris leur parti depuis longtemps.

— Je suis sûr...

— Tout ça, c'est sa faute, ajoute O'Brien, s'essuyant la bouche du revers de la main. C'est elle, la coupable.

— Qui ?

— Cette putain. Cette garce. »

Andrew ne dit rien. Il sent la chaleur lui monter dans la nuque.

« Tout vient d'elle. Elle lui a bourré le mou, puis l'a laissé tomber. Elle l'a rendu chèvre. En plus, donner son nom comme ça... »

Le silence, comme la fumée de cigarette, plane entre les deux hommes.

« Elle n'avait que quatorze ans, dit Andrew doucement.

— Quatorze. Cent quatorze. C'est du pareil au même. Sans elle, mon fils serait toujours là.

— Je m'excuse de devoir..., commence Andrew.

— C'est à toi, cette voiture ? »

Andrew se retourne et aperçoit l'arrière de la BMW noire garée juste à l'entrée de la boutique. La lumière du dehors, par contraste avec l'obscurité qui règne à l'intérieur, est si intense qu'elle baigne la voiture d'une aura presque irréelle. Vue d'ici, par-dessus les articles miteux de la boutique, la BMW semble d'une prétention insupportable.

— Oui », acquiesce Andrew.

O'Brien suçote ses dents.

« Eh bien, je crois que je vais... » Andrew se retourne vers O'Brien qui a délibérément repris sa posture courbée au-dessus d'une petite pièce métallique hérissée d'une multitude de fils.

« Ouais, c'est ça... », rétorque O'Brien sans lever les yeux.

Andrew retraverse la boutique dans l'autre sens. L'amertume flotte dans l'air comme de la poussière. Une fois dehors, il s'arrête un instant sur le trottoir pour s'immerger dans la chaleur de l'après-midi. Sous le soleil blanc, il se sent poussiéreux, grisâtre et vaguement coupable. Il regarde en face, en direction du gérant de la station-service qu'il salue d'un signe de la main. L'homme lui rend son salut. Bien qu'Andrew ne le connaisse pas, ne connaisse plus personne à la vieille station-service, ce geste amical est si rassurant qu'il se surprend à agiter la main de nouveau.

Il a l'impression qu'en dehors de cela, rien ne bouge dans la rue.

La maison n'est plus qu'un labyrinthe de cartons, dont certains sont à moitié pleins, d'autres fermés avec du scotch, d'autres encore vides, en attendant qu'Andrew décide de leur contenu. Fatigué comme il ne l'a jamais été depuis son arrivée, presque hagard d'épuisement, il se fraye un passage entre les cartons et monte dans son ancienne chambre. Il est plus de deux heures du matin. Il a travaillé toute la soirée à trier les objets familiers : quelques précieuses reliques sont rangées dans les cartons qu'il emportera avec lui ; le plus gros sera vendu aux enchères avec le mobilier ; et le reste, les rogatons, ira à l'Armée du salut. L'Armée du salut et l'adjudicateur viendront chercher le tout dans quelques jours, lui a-t-on promis par téléphone. Il n'aura plus qu'à transporter les affaires qu'il désire garder pour lui-même et Billy.

Il allume la lumière dans sa chambre et l'éteint aussitôt. Il s'approche du lit et s'assied devant la fenêtre ouverte, penche la tête vers la moustiquaire et regarde dehors. Il fait noir comme dans un four. Pas d'étoiles. Pas de lune. Il entend les grillons dans l'herbe. Les grillons vivent-ils dans l'herbe ? En face, il y a l'autre maison, avec un hortensia sous la fenêtre. Dans l'obscurité impénétrable, il ne distingue ni l'un ni l'autre.

Dans l'obscurité, songe-t-il, il est aussi aveugle qu'elle.

Le disc jockey à la radio, un disc jockey trop bruyant, trop rauque, trop dynamique pour sept heures du matin, annonce à Andrew, qui est en train de manger ses céréales, que la chaleur est de retour... information éminemment superflue. Déjà l'humidité intérieure a repris possession des terres et est entrée dans la maison comme un visiteur importun se préparant à une nouvelle sieste langoureuse. En août, se dit Andrew, la chaleur n'est jamais bien loin ; elle se profile à l'horizon en attendant la dissipation des brèves bouffées de fraîcheur.

La perspective d'un après-midi de fournaise réordonne ses priorités. Les deux besognes qu'il a programmées – nettoyer les parterres de fleurs et d'herbes aromatiques et commencer à peindre le

185

mur sud – doivent être accomplies en début de matinée. Plus tard, après sa visite à Eden (pivot central de sa journée, qui lui confère une impression d'urgence mal définie), il partira à la recherche d'un magasin d'alcools afin d'acheter une bouteille de vin pour la soirée chez T. J. Il regrette de n'avoir pas trouvé d'excuse plausible pour échapper à ce dîner... même s'il brûle d'envie de voir à quoi ressemblent les enfants de T. J. ; en outre, à la réflexion, il est curieux de savoir, comme toujours, comment a évolué la vie d'un autre, une vie qu'il connaissait jadis presque aussi bien que la sienne.

Il termine ses céréales et va au garage, où il trouve une antique paire de gants de jardin crasseux et une petite binette. Fourrageant dans les tiroirs, il se rend compte avec consternation qu'il va falloir empaqueter tout cela également.

Il s'accroupit devant le parterre d'herbes et tente de le décrypter. C'est un enchevêtrement de diverses nuances de vert virant au brun : certaines plantes, comme la sauge et le romarin, sont reconnaissables d'emblée ; d'autres ressemblent à de l'origan, de la sarriette d'hiver ou d'été, ou du thym. Il décide qu'indépendamment de l'espèce, chacune a besoin des mêmes soins : désherbage, taille et arrosage. Il s'y attelle donc, rapidement, espérant en finir au plus vite pour passer aux fleurs et à la peinture.

Il est en train d'émonder une petite plante qui pourrait fort bien être une mauvaise herbe, quoiqu'il en doute, quand il reçoit une légère tape entre les omoplates. Surpris, il tressaille et pivote, toujours accroupi, la binette à la main.

« Elle affirme qu'elle les a lavés toute seule, ce dont elle est parfaitement capable, mais je sais que c'est vous. »

Edith Close se dresse au-dessus de lui. Lourdement, faisant craquer son genou gauche, il se relève pour lui faire face. Elle porte une robe d'été à bretelles et un cardigan beige jeté sur les épaules.

Il ne trouve pas de réponse. Ce fut bel et bien un acte présomptueux, et il ne voit pas, pour le moment, comment le justifier.

« Et derrière mon dos, ajoute-t-elle.

— Je ne l'ai pas fait derrière votre dos, proteste-t-il.

— Vous y êtes allé quand je n'étais pas là.

— Oui, d'accord, mais...

— Alors ?

— Je l'ai trouvée en forme », dit-il, essayant de changer de conversation.

Son sac à main est accroché à son bras. Elle a replié ses mains sur sa taille. Geste courant chez les femmes âgées et qu'il n'a jamais vu chez une femme plus jeune, disons, de la génération de Martha. Il se demande, incongrûment, si les femmes l'acquièrent en vieillissant.

« Je pensais que votre mère vous en avait dit plus, remarque-t-elle.

— À propos de quoi ?

— Vous savez qu'Eden a été absente ?

— Oui. Elle a été à l'hôpital, puis dans une clinique pour aveugles. »

Elle secoue la tête. « Eden a été gravement affectée par cet... incident. »

Elle baisse les yeux sur la lanière de son sac, comme pour méditer dessus. « Au début, nous avons cru que c'était organique. Elle a subi de nombreuses opérations. Elle refusait de parler... à moi, à tout le monde. Nous pensions que c'était lié à ses blessures. Mais ses blessures étaient... bien plus profondes que ça. »

Il la regarde toucher son sac, un talisman. « La blessure à la tête l'a rendue très malade. L'endroit où elle a séjourné n'était pas, à proprement parler, une clinique pour aveugles. » Elle lève vivement les yeux pour voir sa réaction. « C'était un hôpital psychiatrique. »

Il se souvient d'Eden disant hors de propos : *Jim est mort ici.* Il se rappelle, sur le moment, avoir trouvé cela bizarre.

« Elle a récupéré, continue Edith. Pas très vite, mais au bout de quelque temps. Elle est arrivée à un stade où j'ai senti qu'elle pouvait rentrer à la maison. Il a été décidé, *j'ai* décidé que je pouvais la soigner tout aussi bien ici. Mais elle a besoin de *tranquillité*, déclare Edith avec force, fronçant les sourcils. Elle a besoin qu'on ne la dérange pas, qu'on ne lui rappelle pas le passé. Nous n'en parlons jamais. Je préférerais que vous n'en parliez pas. Je préférerais que vous n'alliez pas la voir du tout. Vous lui rappelez le passé. Vous pouvez même faire naître chez elle une attente, un espoir, ajoute-t-elle, haussant le ton comme pour mieux souligner ses propos. Et. ensuite, vous partirez. Où sera-t-elle, alors ? »

Il sent de nouveau la chaleur lui affluer au visage. Il aimerait la trouver grotesque, ridicule, mais il n'y arrive pas. À vrai dire, son discours le touche et le gêne par son exactitude. Car il souhaitait précisément redonner espoir à Eden, même inconsciemment, et il ne peut pas nier le fait qu'il repartira. D'ailleurs, pourquoi aurait-il décidé qu'Edith n'a pas pu changer en dix-neuf ans ? Réduite à l'impuissance, Eden pourrait l'attendrir davantage. Ou peut-être le vide que la mort de Jim a laissé dans son existence lui a-t-il enfin permis de se consacrer à sa fille. Néanmoins, malgré toutes ces aubaines inattendues, il a envie de croire que ses visites font du bien à Eden.

« Ne croyez-vous pas que vous dramatisez ? » rétorque-t-il. Il est surpris, non seulement par sa propre grossièreté, mais par son vocabulaire même, qu'il associe au charabia psy, vocabulaire que Martha employait volontiers à son égard et que, normalement, il méprise. Mais il n'a jamais eu le don des formules incisives dans les disputes. Les mots qui lui viennent à l'esprit dans un moment de conflit ne sont pas assez justes, et il se retrouve souvent privé de parole, comme un enfant face à un adulte.

« C'est *ma* fille », dit Edith. Sa réponse cingle comme un coup de fouet.

Ce brusque accès de colère détonne dans la cour paisible.

Mais en un instant, tout est fini. Elle se reprend à travers une habile succession de mouvements subtils ; elle gagne deux centimètres en se redressant et se recompose un visage jusqu'à ce qu'il ressemble à celui qu'il a vu dans sa cuisine : calme, plus froid et, sinon méfiant, du moins plus réservé. Il l'observe, fasciné.

« Andy, dit-elle, comme lassée de devoir enseigner les bonnes manières au fils des voisins, il faut vous mettre à ma place. Eden et moi formons une *famille.* » Elle accentue le dernier mot. Il rend un son moelleux ; sa voix est empreinte d'une infinie patience. « Elle est tout ce que j'ai à présent, et je suis tout ce qu'elle a. Il y a certains aspects de la situation que vous n'êtes pas en mesure de comprendre. Vous avez été absent pendant près de *vingt* ans... »

Le bruit d'une voiture qui tourne sur le chemin lui ôte (ou lui épargne) la nécessité de répondre. Ils lèvent les yeux. Une petite Toyota blanche roule sur le gravier. DeSalvo s'extrait du siège bas. Certaines voitures, pense Andrew, sont beaucoup trop petites pour certains hommes.

DeSalvo agite la main et se dirige vers lui.

« C'est une réunion ? demande-t-il, à bout de souffle, avançant lentement dans la chaleur. Tu as oublié ton chéquier sur le comptoir.

— Mon Dieu. » Andrew se retourne. « Vous connaissez Mme Close. »

DeSalvo jette un œil circonspect sur Edith Close, acquiesce de la tête. « Comment ça va ? dit-il.

— Bien. Je vous remercie, répond-elle.

— En tout cas, ça a dû être une sacrée réunion téléphonique. » DeSalvo se tourne vers Andrew et lui tend son chéquier. « Tu as beaucoup d'argent sur ce compte.

— Oh, dit Andrew, gêné. Vous avez regardé.

— Ouais, pardi. Je regarde toujours. Je t'ai appelé tout de suite, mais ça ne répondait pas. Je te l'aurais rapporté hier, mais j'ai dû conduire ma femme à l'hôpital. Elle a des problèmes de hanche. J'ai été coincé là-bas toute la nuit. J'ai dit au snack de te prévenir que c'est moi qui l'avais, si jamais tu leur téléphonais.

— J'espère que votre femme va mieux. »

DeSalvo se gratte le torse. « On va lui mettre une broche, mais d'après le toubib, elle sera sur pied dans un mois et quelque.

— Il faut que je rentre », dit Edith Close, contournant les deux hommes à une distance respectueuse. Elle se dirige lentement vers sa porte d'entrée. Elle marche comme si elle savait qu'ils la suivent du regard.

« Quel travail », dit DeSalvo.

Andrew regarde la silhouette qui s'éloigne et hoche la tête.

À dix heures quarante-cinq, cela fait presque une heure qu'il arpente la cuisine. La bière à moitié vide dans sa main est tiède ; une autre canette vide est sur la table. Son T-shirt est trempé dans le dos et sous les bras. L'humidité a déjà pris de la consistance. La peau de son visage est rugueuse à cause du manque de sommeil. Il devrait prendre une douche, mais il n'a pas envie de quitter la cuisine, comme si le fait de rester là pouvait finir par lui apporter une réponse.

La liste des corvées pèse plus lourd qu'en début de matinée. Il n'arrive pas à se concentrer. Tout ce qui se trouve dans la cuisine, à l'exception du collage de photos qu'il va garder et du meuble de rangement qui sera vendu aux enchères, ira à l'Armée du salut. Dislocation finale d'une famille. Cela doit se produire tout le temps, pense-t-il, tous les jours, dans toutes les villes, tous les villages d'Amérique.

Qui va vivre dans cette maison ? Un couple qui, pour commencer, cherche un logement abordable, un couple qui lui verra plus de charme qu'elle n'en a en réalité, un couple qui la meublera de fausses antiquités rustiques ? Il se représente la femme aux cheveux châtains enluminés de reflets blonds, souple et athlétique, vêtue d'un short kaki et d'un T-shirt trop ample, en train de retapisser les murs... comme si ce geste allait faire prendre corps à ses rêves.

Je devrais retourner au travail, dit-il tout haut. Il se passe et se repasse cette phrase comme un vieil enregistrement qui ne l'intéresse plus vraiment, mais qu'il voudrait néanmoins réentendre, à tout hasard. Chaque jour loin du bureau rend l'idée du retour plus improbable. En ce moment même, il ne peut concevoir qu'il aura de nouveau le désir ou la résistance de survivre à une journée de dix heures dans une tour de trente étages, même s'il sait qu'il le faut. Il faut qu'il rentre, et très vite.

C'est la chaleur et la fatigue, se dit-il sans grande conviction. Ça passera.

Il s'adosse au frigo, termine sa bière et s'en écarte de nouveau. Il a besoin d'une douche, d'un rasage, d'un shampooing. Un shampooing. Ses ongles sont noirs de terre. Les genoux de son jean sont verts, tachés par l'herbe. Les taches d'herbe ne partent pas, disait Martha cent fois, brandissant une salopette de Billy.

Il y a le vin à acheter, se rappelle-t-il, tentant de se concentrer sur sa liste. Le mur sud à repeindre.

192

J'ai dit à Eden que je reviendrais, mais si jamais Edith avait raison ? se demande-t-il encore et encore.

Il ouvre la porte sans but précis.

Ça y est, il a trouvé. Il va prendre la voiture, aller faire un tour pendant une heure ou deux et revenir après deux heures. Il montera dans la voiture et partira, s'éloignera d'ici. Demain ou après-demain, il passera pour dire au revoir. Ne plus y penser, laisser les choses comme elles sont.

Soulagé à l'idée de bouger, il descend les marches en courant et se dirige d'un pas énergique vers la BMW. Il pose sa main sur la portière. Se redresse et fouille dans la poche avant de son jean à la recherche de ses clés. Elles ne sont pas là. Elles sont restées sur le plan de travail dans la cuisine.

J'en étais sûr, se dit-il.

« J'ai cru que tu ne viendrais pas.

— J'ai failli ne pas venir.

— Elle t'a dissuadé.

— Elle se fait du souci pour toi.

— C'est ce que tu penses.

— Oui.

— Alors pourquoi tu es venu ?

— Eh bien, je pense qu'elle se fait du souci, mais je ne suis pas convaincu qu'elle ait raison.

— Je lui ai dit que je les ai lavés toute seule, mais elle ne m'a pas crue. C'est la raie. Je n'arrive jamais à la faire correctement. »

Ses cheveux sont fraîchement brossés ; la raie qu'il a tracée hier est toujours droite.

« J'aimerais te poser une question.

— Laquelle ? répond-elle au bout d'un moment.

— Était-ce très dur ? Au début, j'entends. Je n'ai jamais su, jusqu'à aujourd'hui, ce qui s'est passé, où tu étais. »

Elle hésite. « Il y a des choses au début dont je ne me souviens pas. Et puis dur, ça veut dire quoi ? Pire qu'avant ? Pire que maintenant ?

— Tu devais beaucoup aimer Jim.

— C'était mon père.

— Je sais.

— Non, tu ne le sais pas. »

Il trouve qu'elle a soigné son apparence aujourd'hui. Elle porte une robe bleue à bretelles, avec des boutons blancs sur le devant, et une ceinture. Ses pieds, note-t-il, sont toujours nus. Quand il est entré dans la cuisine, elle était assise à table, face à la porte. Il y a des marques roses sur son nez, sur ses pommettes et sur son front. Le soleil d'hier. Ce n'est pas la raie qui l'a trahi. C'est le soleil.

« Tu as bu, dit-elle.

— Une ou deux bières.

— Je n'ai pas senti cette odeur depuis longtemps.

— Je n'ai pas eu le temps de faire ma toilette, ment-il. J'étais en train de travailler dans le jardin.

— Je sais. Je l'ai entendue te parler.

— Je m'excuse de...

— Sentir comme quelqu'un qui a travaillé dur ? Ça ne me dérange pas. Je trouve ça intéressant. »

Ne devrait-il pas lui proposer de préparer le

194

déjeuner ? Il se demande ce qu'elle mange. Hier, ni l'un ni l'autre n'ont mentionné la nourriture.

« Nous devrions aller faire un tour, dit-il.

— Non. » Elle lisse le tissu de sa robe sur ses cuisses.

« Ça te fera du bien. À travers les champs. Comme au bon vieux temps.

— Il n'y a pas de bon vieux temps.

— D'accord, juste aujourd'hui, alors.

— Je ne sors presque jamais.

— Tu l'as dit hier. Pourquoi ?

— Qu'irais-je faire dehors ?

— N'aie pas peur. Je te tiendrai, je te guiderai.

— Je ne veux pas.

— Elle ne t'emmène jamais dehors, n'est-ce pas ? »

Elle hausse les épaules. « Quand c'est nécessaire.

— Écoute-moi.

— Quoi ?

— Voici ce que nous allons faire. »

Une fois dehors, c'est comme si, pendant les quelques brèves minutes qu'il a passées dans la cuisine, une main invisible avait tourné le thermostat de plusieurs degrés, augmentant la température jusqu'à la limite du supportable. Ou peut-être que cette cuisine sombre, avec ses stores baissés et sa peinture verte, l'a fait bénéficier inopinément d'une thermorégulation naturelle. Quoi qu'il en soit, Andrew est assailli par la chaleur et la lumière aveuglante aussitôt qu'il ouvre la porte, double assaut qui le fait douter sérieusement de l'opportunité de cette sortie.

Presque instantanément, des gouttes de sueur perlent sur son front, sur sa lèvre supérieure et sur sa poitrine. C'est une vraie chaleur, une chaleur qui vous trempe un homme dès qu'il a enfilé un T-shirt propre, qui pousse les enfants à chercher refuge sous les arroseurs. Au snack, les hommes doivent transpirer sous le ventilateur industrieux. La piscine municipale doit grouiller de corps et de couleurs et, dans les jardins des maisons proches de la ville, les femmes âgées, renonçant à toute dignité, doivent s'étendre dans les chaises longues en plastique vert ou blanc, leurs jambes blanches, presque entièrement nues, blanches avec des veines violettes, offertes à l'occasionnel souffle de vent dans l'ombre.

La chaleur lui donne envie d'aller à l'étang – le corps a besoin d'étancher sa soif – et ce désir l'emporte sur la prudence. Il lui tient la porte et lui prend le coude pour la faire sortir sur le perron. Bien sûr, il s'aperçoit tout de suite que la clarté aveuglante n'a aucun effet sur elle. Ses yeux sont grands ouverts et fixent la blancheur incandescente, ce qui déconcerte Andrew qui plisse péniblement les paupières pour se protéger. Il regrette de n'avoir pas de lunettes de soleil pour cacher les yeux d'Eden. C'est comme si son regard, insensible à cette lumière, la dénudait, la rendait trop vulnérable ; il se sent poussé à la protéger.

« Je vais te prendre dans mes bras et te porter par-dessus cette marche. »

À côté d'elle, le bras gauche autour de sa taille,

il la soulève par-dessus le perron pourri. Lorsqu'il la repose, il lui prend la main.

« Te rappelles-tu le chemin de l'étang ? »

Elle secoue la tête.

« Resté à côté de moi. Nous irons doucement.

— Je ne veux pas y aller. »

Avec une autorité plus affectée que convaincante, il la conduit le long du gazon fraîchement tondu vers la lisière du champ. Par endroits, l'herbe commence déjà à brunir. Il l'a coupée trop court pour un mois d'août, trop court pour cette chaleur.

Elle avance à contrecœur, tirant légèrement sur sa main, résistant à chaque pas. Sa main est comme celle d'un enfant qui ne peut pas, ou qui ne veut pas suivre une grande personne. Il s'efforce de lui transmettre une impression d'assurance, serre sa main avec fermeté, ne cède pas à sa résistance. Il regarde son visage. La lumière trop vive en accentue les contours, fait ressortir la cicatrice, le bleu-vert éclatant et fixe de ses yeux. Il devine à présent combien cette sortie doit lui paraître étrange, cette nouvelle exploration d'un chemin parcouru dans son enfance avec l'aisance insouciante d'une fillette, un chemin qu'elle n'a pas refait depuis dix-neuf ans. Elle doit s'y sentir comme lui se sentirait, les yeux bandés, dans une ville étrangère, où un nouveau péril le guetterait à chaque pas, où il éprouverait une impression d'impuissance absolue, terrible, sans son guide.

Il ferme les yeux pour essayer de ressentir ce qu'elle ressent en marchant. Immédiatement, une chape de chaleur s'abat sur sa tête, et il n'entend plus que le silence morose du midi. Il est mal à l'aise, peu sûr de lui, et cette incertitude se transmet à travers sa main, car il sent sa résistance grandir. Et, quand il rouvre les yeux – il n'a fait que dix ou quinze pas maximum –, il constate qu'il s'est déjà écarté de son chemin.

À la bordure du champ, il distingue à peine le sentier qui mène à l'étang. Il disparaît sous une profusion de mûriers sauvages et de douce-amère. Les gamins d'aujourd'hui l'empruntent rarement, suppose-t-il ; peut-être un garçon, explorant les sentiers autour de l'étang, découvre-t-il où ses pas l'ont mené en tombant sur les deux maisons de ferme désolées.

La chaleur lui donne un léger fond de migraine. « Il faut qu'on marche en file indienne, dit-il, s'épongeant le front avec le bord de son T-shirt. Je vais te tendre la main ; prends-la. J'irai très lentement pour que tu ne trébuches pas.

— Où sommes-nous ? demande-t-elle.

— Écarte les bras. »

Elle obéit, effleurant les feuilles de maïs desséchées.

« Tu t'en souviens ? »

Elle triture une gerbe de maïs et ne répond pas.

Lorsqu'ils reprennent leur marche, elle avance d'un pas plus hésitant encore qu'avant. Une fois, elle s'appuie sur le dos d'Andrew comme pour ne pas tomber. Leur progression est lente, maladroite. Il se demande s'il ne ferait pas mieux de marcher derrière elle, la main sur son épaule pour la guider.

Une mouche bourdonne au-dessus de sa tête : il a beau la chasser de sa main libre, elle ne le lâche pas. La chaleur dans les champs, sans aucune ombre alentour, est oppressante. Il sent son assurance s'évanouir. Un instant, il a peur de la regarder. Et si Edith avait raison... si cette expédition était beaucoup trop pénible pour elle ? Et le soleil, ne risque-t-il pas de lui nuire d'une manière qu'il n'aurait pas prévue ?

Elle répond à sa question muette par un cri. Sa main glisse hors de la sienne. Quand il se retourne, elle est accroupie sur le sol. À côté de son pied, il voit briller un objet. C'est l'anneau d'ouverture d'une canette de bière, le bout tranchant recourbé vers le haut.

« Mon Dieu, dit-il. Nous avons oublié tes chaussures. J'aurais dû y penser. Fais voir. »

Assise par terre, elle se masse la plante du pied. Il prend son pied dans la main pour l'examiner. Il ne voit pas de sang, pas d'écorchure.

« Je voudrais rentrer maintenant », dit-elle.

Il la remet debout. « Il faut qu'on te trouve des tennis. Tu n'as pas de tennis ?

— Ne m'achète pas de tennis.

— C'est bon, réplique-t-il, réfléchissant. Je peux les garder, à la maison. Tu les mettras quand nous sortirons. » Il en parle comme s'il était déjà convenu qu'ils iraient se promener ensemble. Il le mentionne en passant.

Mais elle a entendu. « Tu vas partir bientôt.

— Ben, pas... pas tout de suite.

— Si elle apprend que tu es revenu, elle n'ira pas travailler. »

Il soupèse cet argument.

« Si tu fais attention, je peux faire attention aussi. »

Elle ne répond pas.

« Ce soir, je dois aller chez T. J. Et je n'en ai pas envie.

— Tu n'aimes pas T. J. », dit-elle.

Cette assertion le surprend. « Je ne sais pas. Lui et moi sommes différents maintenant.

— Toi et moi aussi. » Elle tourne sur le sentier. Elle refuse sa main et étend les bras, se guidant avec les tiges de maïs.

Dans son autoradio, sur la route du centre commercial, Andrew entend que la vague de chaleur, prévue pour durer presque toute la semaine, va battre les records dans cette partie de l'État. Ce soir et toute la nuit, annonce le speaker, la température restera largement supérieure à trente degrés. Ensuite il passe à l'information du jour qu'Andrew a ratée. L'adolescente de treize ans, qui a été découverte violée, sodomisée et battue dans la grange de son père en début de matinée, a succombé à ses blessures à l'hôpital central du comté. Andrew fixe l'affichage digital de sa radio. La police, poursuit le speaker, n'a procédé à aucune arrestation, mais le petit ami de la jeune fille, lui-même âgé de seize ans et qui semble être la dernière personne à l'avoir vue avant le drame, a été placé en garde à vue.

D'une voix plus animée, voix commerciale qu'Andrew connaît bien, le speaker lit une publicité pour les soldes de fin de saison sur les accessoires de piscine et de jardin. Andrew appuie sur l'accélérateur ; il roule maintenant à cent dix à l'heure. Il n'aura pas le temps de s'en apercevoir que Billy aura treize ans. Eden en avait quatorze.

À peine. Mais elle n'a pas succombé à ses blessures. Une phrase lui revient à l'esprit, la phrase d'un livre qu'il a lu quand il était au collège. Il ne se rappelle pas les mots exacts. Il n'a jamais eu la mémoire des citations. C'était quelque chose à propos du peu de différence entre les habitants de la ferme et ceux du cimetière, et de la chance qu'avaient ceux du cimetière. Le livre s'intitulait *Ethan Frome* ; il l'a lu devant la fenêtre de sa chambre pour son cours d'anglais un dimanche après-midi de janvier. Il revoit clairement le paysage derrière la fenêtre : la neige morne sous la pâle lumière de janvier, décor en parfaite résonance avec sa lecture. Il imagine, avec une netteté malvenue, le visage de la mère ce matin, quand elle a appris le sort de sa fille. À New York, dans les journaux et à la radio, il s'est accoutumé, sinon aguerri, aux histoires d'enfants assassinés, kidnappés ou victimes de sévices sexuels. Ces histoires l'ont écœuré, l'ont rendu méfiant, l'ont incité à surveiller Billy plus qu'il n'avait été surveillé par ses propres parents. Mais celle-ci, entendue dans sa BMW sur la route du centre commercial, à dix kilomètres de la grange où l'on a retrouvé l'adolescente, dix-neuf ans après qu'Eden a été violée et blessée, est la plus difficile à digérer. Même s'il conçoit l'existence de déviations sexuelles et tolère des goûts qu'il ne partage pas, il ne comprend pas le désir qui pousse un homme à agresser sexuellement une enfant, puis à la tuer. Pas plus qu'il ne se figure, bien qu'un acte similaire ait manifestement hanté ses rêves et ses visions d'adulte, comment un crime pareil a pu être commis ici. Ce doit être le décor, pense-t-il, un décor trompeusement inoffensif, qui rend cette information si invraisemblable. Il augmente le volume de la radio, de sorte que la chanson rock – un morceau qu'il n'a jamais entendu, fort et atonal, avec des paroles qu'il n'arrive pas à déchiffrer – lui emplit les oreilles.

Toutes les femmes du comté qui n'ont ni piscine ni air conditionné semblent s'être donné rendez-vous au centre commercial. La température intérieure y est réglée, si bien qu'en quelques minutes, on oublie le temps qu'il fait dehors. Des adolescentes chargées de paquets flânent par trois ou quatre d'une boutique à l'autre, effleurent la marchandise, plaisantent et transforment le centre commercial en passe-temps d'après-midi. Les bébés dans les poussettes surveillent leurs mères qui, assises sur des bancs en béton, mangent des cornets de glace, fument et, de temps à autre, impriment une secousse indolente à la poussette en réfléchissant à ce qu'il faudrait rapporter pour le dîner, afin d'éviter de cuisiner par cette chaleur. Les hommes sont rares, note Andrew. Ceux qu'il voit sont en cravate et chemise à manches courtes, probablement les gérants des boutiques ou des vigiles en civil. Lui-même a toujours son T-shirt maculé de sueur et son jean taché d'herbe ; son allure semble trancher sur ces femmes, ces jeunes filles et ces bébés tout propres.

Le centre commercial est un long rectangle avec des arbres qui bordent l'allée centrale. De part et d'autre, il y a des boutiques. Il le parcourt dans un sens, puis dans l'autre. Il y a quatre magasins de chaussures, sans compter Sears à un bout et Caldor's à l'autre. Il y a aussi une boutique qui vend des cartes de vœux, une librairie, une boutique de jeux vidéo et une boutique de fausses antiquités rustiques. La plupart des autres commerces vendent du prêt-à-porter féminin, mais pas de chaussures.

Il commence par le magasin le plus prometteur, celui qui vend des chaussures de sport, pour s'apercevoir aussitôt qu'il ne connaît pas la pointure d'Eden. Il prend une basket qui semble avoir été conçue pour ou par un astronaute et regarde la pointure à l'intérieur : 37. Elle lui paraît correcte. Il est attiré par un présentoir de simples chaussures en toile blanche, rose et bleue, mais la vendeuse aux cheveux drus, tirée de sa torpeur par la vue d'un mâle raisonnablement jeune, pilote Andrew vers l'étalage de chaussures de sport high-tech le long du mur gauche.

« Pour faire du jogging ? Non, je ne le crois pas », dit-il. Il se représente mal sur Eden ces chaussures de course aux dégradés subtils de bleu et de gris, à la semelle épaisse et aux rebords rembourrés. Martha, ça oui, ils lui iraient à merveille. Il risque un coup d'œil vers les simples tennis de toile, mais la vendeuse, agacée par ce moment d'inattention, se lance dans l'éloge de la technologie derrière (ou plutôt dans) une paire de « chaussures de marche » blanches et argentées. Craignant d'offenser la jeune femme, qui s'est justement placée entre lui et le présentoir de tennis en toile, il marmonne qu'il ne fait que regarder et bat en retraite.

Andrew visite toutes les boutiques et les rayons

chaussures de chez Sears et Caldor's. Dans certains magasins, il entre deux fois. Il s'attarde
devant les étalages, incapable de se décider, de
choisir ce qu'il considère comme la chaussure
idéale. Car il veut des chaussures qui convien-
nent, et il consacre à cette quête l'attention jusque-là réservée aux incursions dans les magasins
de jouets pour acheter un cadeau d'anniversaire à
Billy. Il palpe les chaussures en toile qui n'ont pas
d'attaches, se demandant si ce n'est pas la solution
la plus raisonnable. Mais des chaussures de bateau
seraient peut-être plus pratiques. Incrédule devant
sa propre bêtise, il se rend compte, chez Caldor's,
que la couleur n'a aucune importance. Un instant,
il est séduit, malgré son aversion naturelle, par les
interminables étagères de chaussures de sport à
soixante dollars, et il se laisse initier aux arcanes
du soutien de la voûte plantaire. Plusieurs fois, il
passe devant la première boutique, dans l'espoir
que la vendeuse soit partie prendre un peu de
repos. Finalement, au bout d'un laps de temps
indéterminé, et après avoir consommé un hambur-
ger et un milk-shake vanille au Burger King, il
entre résolument dans la première boutique et se
dirige vers le présentoir de simples tennis en toile.
Sans laisser à l'ambitieuse vendeuse l'occasion de
l'intercepter, il choisit une paire de tennis bleues
et dit : « La pointure trente-sept, s'il vous plaît »,
d'une voix normalement réservée aux chauffeurs
de taxi. Il la soupçonne de vouloir le bluffer en
sortant de la réserve avec un sourire pour lui
annoncer qu'ils sont en rupture de stock, mais sans
doute l'intéresse-t-il moins qu'il ne le croyait, car
elle revient une minute plus tard avec une boîte.

Il vérifie qu'elles sont bien bleues et que c'est bien du 37. Puis il paie et sort avec la boîte sous le bras.

Après quoi, il s'attaque aux lunettes de soleil.

La chasse aux lunettes lui prend moins de temps, mais tandis qu'il fait la queue à la caisse, écoutant une adolescente confier à une autre, de manière énigmatique, qu'elle a brûlé son chemisier de soie bleue, il consulte sa montre et constate qu'il est déjà sept heures moins le quart. Il doit être chez T. J. à sept heures. Et il n'a même pas acheté le vin. Il faudra foncer, trouver une bonne bouteille, passer à la maison pour enfiler une chemise propre. Il n'a guère le temps de prendre une douche ni de se raser. De toute façon, il sera en retard.

Il paie pour les lunettes et se dirige vers la sortie. Sitôt qu'il pousse la porte, la chaleur s'abat sur lui comme une lourde chape. Presque sept heures, et on dirait qu'il fait toujours trente-cinq degrés.

Il s'approche sans hâte de sa voiture, fredonne un air entendu dans une boutique. Il a les tennis et les lunettes. Il les lui donnera demain.

Il sonne à la porte de T. J. et, se retournant, jette un coup d'œil dans la rue. Chaque maison est, dans sa conception, identique à la maison voisine. Les touches individuelles, si elles existent, proviennent de la peinture, des finitions extérieures ou de faux carreaux dans telle ou telle fenêtre. Même les allées, les pelouses et les terrasses en bois de séquoia à l'arrière des maisons se ressemblent comme des clones. Qu'est-ce qui empêche-rait un homme, spécule-t-il paresseusement, de rentrer chez lui ivre tard le soir, de se garer dans la mauvaise allée et de chercher ses clés devant la mauvaise porte ? Ou de pousser une porte qui n'est pas fermée à clé et de se glisser dans le mauvais lit à côté d'une femme qui n'est pas la sienne ?

« Andy, mon pote, dit T. J., ouvrant la porte dans une bouffée d'air réfrigéré. Entre vite, pour que la chaleur ne rentre pas. »

T. J. est vêtu d'un pull en coton blanc aux manches retroussées et d'un pantalon kaki avec une multitude de poches. On dirait un pantalon de safari. Andrew lui tend la bouteille de vin enve-loppée dans un sac en papier. Il a mis une chemise propre sur son dos taché de sueur. Ses ongles sont toujours noirs, et il ne s'est pas rasé. T. J. hausse un sourcil, mais ne fait aucun commentaire. La morsure glacée de l'air conditionné, qui donne l'impression d'être au mois de novembre, fait cou-rir un grand frisson le long de l'échine d'Andrew.

Il est trop dérouté, cependant, pour ressentir le froid tout de suite. Les deux murs latéraux de l'entrée où T. J. l'a introduit sont formés de miroirs. Andrew a le sentiment de flotter, de ne plus toucher la terre ferme. Deux escaliers noirs (ou est-ce un seul qui se reflète dans un miroir ?) semblent jaillir de nulle part vers l'étage supérieur. Un lustre noir et or se répète des centaines de fois, jusqu'au vertige, dans le jeu de miroirs reflétant des miroirs. Le seul meuble de l'entrée est une chaise noire et brillante, et bien qu'elle aussi soit reproduite en un grand nombre d'exemplaires, Andrew se dirige vers elle.

« Andy, mon pote, dit T. J.

— T. J., dit Andrew.

— Que désires-tu boire ? demande T. J. alors qu'ils sont toujours dans l'entrée.

— Boire ? »

T. J. fronce les sourcils. « Ouais, tu sais, un cocktail, une bière. T'es sûr que ça va, vieux ? Tu as l'air un peu crado sur les bords.

— Ça va très bien, répond Andrew, tendant la main vers le dossier de la chaise. J'ai été bousculé, même pas eu le temps de prendre une douche. Je ne voulais pas être plus en retard que je ne le suis... ne l'étais. » Sa phrase reste en suspens tandis qu'il les aperçoit, lui et T. J., dans le mur d'en face. Il a l'air hébété, comme un prisonnier qu'on aurait conduit d'une cellule sombre dans une pièce trop violemment éclairée.

T. J. le contemple avec circonspection. « Un daiquiri fraise, ça te va, Andy, mon pote ? Didi en a préparé pour un régiment.

— C'est parfait, dit Andrew.

— OK. Bon, viens, je vais te faire visiter, puis nous irons à la cuisine. »

T. J. appuie sur une poignée noire dans le verre et passe à travers le miroir dans ce qui semble être le salon. Andrew le suit et constate, soulagé, qu'il n'y a qu'un seul mur-miroir dans cette pièce. Le répit est de courte durée : il découvre que le sol est en marbre noir, ou un matériau qui rappelle le marbre, et que la plupart des meubles sont noirs également. À cause de tout ce noir sur noir, il heurte une petite desserte et se cogne le tibia.

Les autres murs sont recouverts d'un papier aux reflets mordorés. Sur une table basse bien noire trônent un gigantesque cendrier et un vase dorés. En face, il y a une massive console avec un énorme écran de télévision semblable à celui qu'ils ont dans la salle de projection, au bureau, et en dessous, comme dans le cockpit obscurci d'un L-1011, un dispositif d'instruments et de commandes digitales.

« Le nec plus ultra, dit T. J. qui a suivi le regard d'Andrew. Nous avons deux magnétoscopes rien que dans cette pièce. Les gosses en ont un dans leur chambre, et nous, pareil dans la nôtre. Il faut bien ça, avec tous les bons films qui passent. L'image est fantastique. Tu veux voir ? »

T. J. s'empare de l'une des trois télécommandes sur la table basse et appuie sur un bouton. Sans résultat.

« Attends une minute. Ce doit être l'autre. »

Il prend la deuxième télécommande et appuie sur un bouton. Toujours sans résultat.

« Les gosses ont dû jouer avec », déclare T. J., passablement énervé. Il prend la troisième télécommande. Appuie sur un bouton. L'image grandeur nature de l'animateur d'un show télévisé apparaît sur l'écran.

« C'est géant, non ?

— Géant », opine Andrew. Dans un éclair de lucidité, il s'interroge sur l'effort, la technologie et les frais qu'il a fallu engager pour amener l'image grandeur nature de l'animateur d'un show télévisé dans le salon de T. J.

T. J. franchit l'ouverture pratiquée dans l'un des murs mordorés. Andrew le suit et se retrouve dans la salle à manger, suppose-t-il en touchant la longue table laquée noire au milieu. Il ne peut s'empê-

208

cher de voir son reflet dans un autre mur-miroir en face. Un lustre noir et or, comme celui de l'entrée, pend du plafond.

« Nous sommes noir et or », dit T. J.

Cette déclaration semble nécessiter une réplique. « Et miroirs, dit Andrew.

— Ah oui, les miroirs, c'est génial. Ils agrandissent énormément les pièces.

— Absolument. »

T. J. ouvre une nouvelle porte cachée. « Il est là ! » annonce-t-il.

Andrew entend la voix féminine avant même de voir sa propriétaire.

« Andy ! »

Il pénètre dans une pièce tout en noir et acier inoxydable, d'où il conclut, à en juger surtout par la quantité d'acier inoxydable, que ce doit être la cuisine. Didi Hanson, maintenant Jackson, le serre dans ses bras. Il a vaguement conscience d'un pull en coton blanc identique à celui de T. J. et d'une forte fragrance de parfum qui l'enveloppe. Elle recule pour le tenir à bout de bras.

« Regardez-moi ça ! »

Andrew ne trouve pas ses mots. « C'est formidable de te revoir, bredouille-t-il. Votre maison est... Je trouve votre maison...

— N'est-ce pas ? » Elle attrape une boisson rose et mousseuse sur le plan de travail en acier inoxydable et la lui tend. Il regarde le réfrigérateur en acier inoxydable derrière Didi. Lui aussi a eu jadis un réfrigérateur comme celui-ci.

Les cheveux blonds de Didi sont toujours relevés en choucroute, coiffure qu'il n'a pas vue sur une femme depuis des années. D'énormes anneaux d'or se balancent à ses oreilles. Elle aussi porte un pantalon de safari. Un bracelet en or tinte quand elle approche sa main du plan de travail. Il avale une gorgée de mousse à la fraise. Le grelottement qui a commencé dans l'entrée envahit son corps tout entier lorsque la boisson glacée lui descend dans l'estomac.

Trop vite, sans qu'il ait le temps de se ressaisir, Didi l'étreint à nouveau, lovant sa tête sous son menton. Son geste fait trembler le bras d'Andrew ; il essaie de redresser son verre derrière le dos de Didi, et une goutte de mousse rose tombe sur son pull blanc.

« Je suis vraiment désolée pour ta mère », marmonne-t-elle dans sa chemise. Ils restent immobiles pendant un long et inconfortable moment. Elle resserre brièvement son étreinte puis le relâche.

Andrew ne sait quoi répondre. Connaissait-elle seulement sa mère ?

« Alors, vieux, dit T. J., le tapant sur l'épaule. Allons discuter de ta maison pendant que Didi nous prépare un festin.

— Ce n'est qu'un barbecue », dit Didi avec un sourire contrit à l'adresse d'Andrew. Son sourire n'a pas changé, toujours aussi éblouissant, comme si elle mettait trop d'ardeur à jouer son personnage.

« Viens voir mes appartements. » T. J. pilote Andrew par l'épaule vers une nouvelle porte.

Si étonnantes qu'aient été les pièces noires tout en miroirs, rien ne surprend plus Andrew que le lieu où T. J. l'a introduit. C'est comme si, en franchissant la porte, ils avaient pénétré dans un autre âge, une autre esthétique, une autre maison tout court. Il s'agit de ce que la mère d'Andrew aurait appelé une pièce à vivre, avec des murs lambrissés de pin et un canapé en bois d'érable recouvert de tissu à carreaux. Le canapé est flanqué de deux fauteuils assortis, à dossier réglable. Par terre, il y a un tapis hirsute couleur rouille, et dans un coin, un petit téléviseur sur un socle en treillis métallique. Dans un autre coin, une vitrine avec des armes à feu.

« C'est le séjour, dit T. J. La famille se retrouve ici. »

Par une vitre coulissante, Andrew aperçoit la terrasse en bois de séquoia avec un gril à gaz qui ressemble à celui que Martha et lui avaient à Saddle River. Il se demande quand est-ce qu'on utilise les autres pièces, si tant est qu'on les utilise.

T. J. se carre dans un fauteuil dont il incline le dossier. Il avale une grande gorgée de son cocktail.

« On va dire cent trente mille. Les meubles sont partis ? »

Andrew dévisage T. J. Après une seconde de flottement, il se rend compte que T. J. parle de sa propre maison.

« Presque, répond-il, prenant place dans l'autre fauteuil. Tout est arrangé.

— Pourrais-tu trouver quelqu'un pour la nettoyer un bon coup ? J'ai des adresses, si tu veux.

— Bien sûr. Je ferai tout ce que tu me diras.

— J'aimerais m'y attaquer vers le milieu de la semaine prochaine. Tu seras déjà parti, non ?

— Peut-être, élude Andrew. Je l'espère.

— Je voudrais démarrer l'affaire. Contacter des gens. À mon avis, on peut vendre rapidement. On devrait pouvoir signer début septembre. Passe au bureau lundi, nous réglerons tous les détails.

— Parfait.

— Tu es en train de bricoler là-bas, hein ?

— Quelques petites réparations. Cette chaleur me freine. » Andrew, qui rêve de chaleur, risque un coup d'œil en direction de la terrasse. « Où sont tes fils ? demande-t-il.

— Chez des amis qui ont une piscine. Tu les verras peut-être avant de t'en aller.

— Tu chasses ? » interroge Andrew. Derrière la tête de T. J., il y a la vitrine avec les fusils. « Je ne savais pas que tu possédais autant d'armes. »

T. J. se tord le cou pour regarder la vitrine. « Je les ai toujours eues. Rappelle-toi. Nous allions à la chasse quand nous étions mômes.

— Je me souviens de la carabine. Je ne t'ai jamais vu avec un gros calibre.

— Ils étaient à mon père. Il les gardait dans une vitrine au sous-sol. Sous clé. J'emmène le petit Tom chasser de temps à autre, mais ce n'est pas son truc. Ce n'était pas vraiment le tien non plus, maintenant que j'y pense.

— Non, en effet. J'aimais bien le sport en lui-même, mais récupérer les animaux après, ça non.

— Ouais, mon gosse, c'est pareil. Un peu chochotte sur les bords... sans vouloir te vexer. »

Andrew n'est pas vexé. Le fils de T. J. lui inspire de la sympathie.

« Tu t'es bien débrouillé, dit Andrew, rompant le silence, pour changer de sujet.

— Je ne me plains pas. Bien sûr, je suis hypothéqué jusqu'à la garde, mais qui ne l'est pas ? J'ai fait une affaire en achetant cette maison. Je connaissais le promoteur et j'ai été premier sur les rangs, pour ainsi dire. Mais c'est surtout Didi qui a l'œil. Elle a transformé cette maison en palace. Elle a un goût fabuleux, tu ne trouves pas ?

— Remarquable, dit Andrew.

— Elle aurait pu être décoratrice d'intérieur, sans problème, mais nous avons décidé qu'elle resterait à la maison avec les gosses. Ta femme travaille ?

— Martha ? Pas vraiment. Mais elle va s'y mettre. Elle a un poste à la rentrée, dans une école privée du New jersey.

— Il a quel âge, ton fils ?

— Sept ans. »

T. J. hoche la tête. « Super. Le meilleur âge. Il doit te manquer.

— C'est vrai. »

Andrew et T. J. boivent simultanément dans leurs verres. T. J. vide le sien. Se penche en avant comme pour se lever.

« T'en veux un autre ? »

Andrew serre son verre entre ses paumes, en scrute le fond.

« Quand nous étions gamins... »

Il y a quelque chose qu'il aimerait demander à T. J., une question qu'il doit lui poser tant que Didi n'est pas là. Cette question l'obsède depuis la veille, mais ici, dans la pièce à vivre (ou séjour) de T. J., elle lui semble trop osée, trop indiscrète.

« Quand nous étions gamins quoi ? demande T. J.

— Quand Eden était... dans sa période avant Sean... Elle et toi... ? Je veux dire, avez-vous jamais, elle et toi... ? »

T. J. prend un air aussi ahuri qu'Andrew quelques minutes auparavant. Puis il secoue la tête.

« Holà... » T. J. fait traîner ce mot en longueur. « Comme tout le monde, ajoute-t-il en souriant.

— Tu ne l'as jamais dit.

— Tu ne l'as jamais demandé.

— Ce n'est pas une réponse.

— Dis donc, c'est un interrogatoire ou quoi ?

— Pardon, dit Andrew. Au fond, ça ne me regarde pas.

— C'est rien, répond T. J., gesticulant avec son verre. Tu ne t'en souviens peut-être pas, mais tu étais drôlement chatouilleux à l'époque dès qu'il était question d'Eden. Comme un frère aîné. Or on ne raconte pas au frère aîné d'une fille qu'on s'envoie en l'air avec sa sœur, même si c'est votre meilleur copain. Non pas qu'on se soit jamais envoyés en l'air, elle et moi.

— Non ?

— Eh bien, pas au sens strict du terme. Je vais te dire une chose. Je ne voudrais pas percer ta bulle, mais je n'étais pas le seul. Loin de là... »

T. J. se renverse en arrière, presse son verre contre son front. « Vu la tournure des événements, je crois que c'est aussi bien qu'elle ait eu ça à ce moment-là. Seulement il y a une chose. Je ne l'ai pas compris à l'époque parce que j'étais trop inexpérimenté et trop – comment dirais-je ? – *occupé* pour m'interroger sur ses états d'âme, mais maintenant que j'y repense, elle n'a jamais aimé ça. Elle ne le faisait pas parce que ça l'excitait, me suis-tu ? C'était plus une sorte de comédie. Ou plutôt quelque chose qui la poussait. C'est le sentiment que j'avais... elle y était poussée, comme si elle voulait brûler la chandelle par les deux bouts. Bien sûr, quand on a seize, dix-sept ans, on se fiche de savoir ce qu'une minette a derrière la tête, du moment qu'elle est d'accord, hein ? Mais, comme je l'ai dit, en y repensant maintenant... »

Andrew regarde T. J. Didi, sur la terrasse, frappe à la vitre. Elle porte un plat de petits steaks jusqu'au gril à gaz. « Surveille les steaks », mime-t-elle à l'adresse de T. J. Elle les pose sur le gril et disparaît dans la cuisine.

« Tu te souviens comment elle était alors, dit T. J. en se levant. Tu l'as revue ?

— Non », ment Andrew.

L'image d'Eden telle qu'elle est aujourd'hui, dans sa robe bleue aux boutons blancs, les cheveux propres et soigneusement coiffés, s'interpose entre T. J. et lui. Il sent qu'on lui retire son verre.

« Je vais les rincer », dit T. J. posément, sans quitter Andrew des yeux.

Ils dînent sur des plateaux dans le séjour. Quel genre d'hôte de marque faut-il être, se demande Andrew, pour avoir les honneurs de la salle à manger tapissée de miroirs ? Il est tout aussi content de manger là ; d'ici, au moins, il peut voir et imaginer la chaleur du dehors. Il est tellement frigorifié que les couverts s'entrechoquent entre ses doigts.

Didi sert une bouteille de rosé doux et pétillant pour accompagner les steaks. Andrew se demande ce qu'est devenue la respectable bouteille de rouge qu'il a apportée. Didi, découvre-t-il, se révèle douée pour entretenir une conversation à bâtons rompus, don qu'il commence à apprécier à mesure que la soirée s'étire en longueur et qu'il se trouve lui-même à court de sujets. Elle devise agréablement, en réponse aux questions polies d'Andrew, sur ses deux fils, la colonie de vacances dont ils viennent de rentrer, sur le boom immobilier en ville. À son tour, elle le questionne poliment. Quel genre d'appartement occupe-t-il maintenant ? Comment est la vie à New York ? Que fait-il exactement ? Au grand embarras d'Andrew, T. J. décline son titre à Didi, s'arrangeant pour le rendre plus sonore qu'il ne l'est. Il laisse entendre également qu'Andrew gagne beaucoup d'argent. Didi en est tout émoustillée. Elle pose sur lui un regard chargé d'un respect nouveau. Elle l'interroge sur sa maison, sur ce qu'il a l'intention d'en faire, lui demande s'il a revu Eden. Il ment avec facilité.

Non, dit-il de nouveau. Il ne l'a pas vue.

« Nous l'appelions – mon Dieu, c'est affreux – nous l'appelions Marilym.

— Comment ?

— Enfin, tu sais. Marie lime. » Didi rougit.

« Ah.

— Paraît qu'elle est complètement déformée », lâche Didi avec une expression qu'Andrew suppose être du dédain.

T. J. foudroie sa femme du regard. Andrew ouvre la bouche pour parler. La referme. Pose son assiette. Boit une gorgée de rosé et repose son verre par terre.

« Je sors une minute sur la terrasse, dit-il. Pour ne rien vous cacher, je suis gelé. »

T. J. et Didi le dévisagent comme s'il avait

216

suggéré de sortir par une fenêtre ouverte sur un précipice. T. J. finit par se ressaisir. « Bien sûr. Comme tu voudras. »

Andrew entrouvre la porte et se faufile dehors pour ne pas laisser entrer l'air chaud. Il s'approche de la balustrade. La chaleur l'enveloppe comme un bain tiède. Il enfonce ses mains dans ses poches et promène son regard sur la rangée de terrasses derrière les maisons. Ce qui le frappe, c'est le silence. Ici, l'herbe ne vibre pas de la symphonie qu'il entend autour de sa propre maison. Il n'y a pas un bruit de voix... seulement le bourdonnement des climatiseurs. La porte derrière lui coulisse et se referme avec un déclic. T. J. le rejoint. Il a troqué son pull de coton blanc contre un T-shirt à manches courtes.

« Désolé pour cette gaffe. Elle a parlé sans réfléchir ; elle était dans ses souvenirs.

— Ce n'est rien, répond Andrew.

— Tu l'as toujours dans la peau, hein ?

— Qui ça ?

— Tu le sais très bien.

— Eden ? Non. Tout ça, c'est du passé. »

À côté, quelqu'un laisse sortir un chien. Le chien se retourne immédiatement et pleure pour qu'on lui ouvre la porte.

« Fait chaud ici, dit T. J.

— Oui. Désolé de t'avoir fait sortir.

— Tu rentres chez toi bientôt.

— Oui. » Andrew se tourne, s'assied sur la rambarde. Il regarde T. J. « Quelquefois, j'ai bien envie de découvrir ce qui s'est réellement passé cette nuit-là, avant de partir.

— Quelle nuit ?

— La nuit où Eden a reçu le coup de feu, la nuit où son père a été tué. »

T. J. croise les bras sur sa poitrine, contemple ses pieds.

« Par exemple, poursuit Andrew, je me suis toujours demandé pourquoi Sean, si ce n'était pas lui – admettons un instant que ce ne soit pas lui – pourquoi il a quitté la ville si vite. »

T. J. scrute le ciel brûlant, sans étoiles. Il met ses mains dans ses poches. Et regarde Andrew. « Peut-être parce qu'il pensait qu'on allait l'accuser. Il a toujours été très impulsif, et pas toujours futé avec ça.

— Mais comment l'a-t-il su ?

— Tout le monde l'a su.

— Aussi vite ? As-tu parlé à Sean ce matin-là ?

— Où veux-tu en venir ? »

Andrew regarde par la baie vitrée, aperçoit au coin la vitrine avec les armes à feu.

T. J. avait accès à des fusils de chasse, pense-t-il.

Je suis en train de perdre la boule, pense-t-il.

Il secoue la tête. « Laisse tomber. Cette ville commence à me porter sur les nerfs. Il est temps que je rentre.

— Pas de problème, dit T. J. C'est le stress, après la mort de ta mère et tout. »

Andrew pose un pied sur la rambarde. « Où est l'eau ? demande-t-il.

— Quelle eau ?

— Le Bord d'eau.

— Ah ça ! C'est juste un nom. Tu sais comment c'est, dans les lotissements. Tudor Hills,

218

Fox Run, Waverly Manor. On veut nous donner l'impression d'habiter dans un domaine anglais. »

Dans le silence, tous deux entendent le vrombissement d'un petit avion.

« Il ne te manque pas, le grand silo blanc ? demande Andrew.

— Tu l'as revue, n'est-ce pas ? »

Andrew hésite, hausse les épaules, puis acquiesce de la tête.

« Fais attention, dit T. J.

— Comment as-tu su ?

— Chaque fois que tu mens, tu te lisses les cheveux au-dessus de l'oreille. Ça ne rate jamais. Tu l'as toujours fait.

— Merci pour le tuyau.

— Comment est-elle ? »

Andrew lève les yeux sur son vieil ami. « Difficile à dire. En un sens, parfaitement ordinaire. Mais pas tout à fait.

— Et physiquement ?

— Bien. Elle est très bien. Il y a une cicatrice, mais le reste... ça va. Elle n'est pas déformée.

— Je n'ai jamais pensé ça. Je t'ai dit que je l'ai vue plusieurs fois dans la voiture... entraperçue, plus exactement. Elle avait l'air bien, mais on aurait dit qu'elle dormait. »

Andrew pose son pied par terre, se redresse. « Il faut que je rentre. Je tombe de fatigue. Dis à Didi...

— Déjà ? Elle a dû préparer un dessert », proteste T. J. Mais quelque chose dans le visage d'Andrew le fait changer d'avis. « OK. Je lui dirai. »

Andrew lui serre la main. Les deux hommes,

les mains toujours entrelacées, se regardent en face.

« Tâche de ne pas... » T. J. ne termine pas sa phrase.

« De ne pas quoi ?

— Fais attention à toi. Vas-y doucement. On ne sait jamais.

— On ne sait jamais quoi ? »

T. J. lâche la main d'Andrew. « J'sais pas, moi. Ça fait un sacré bout de temps. Tu n'es pas dans ton élément ici. Ça se voit. Tu ferais mieux de retourner à ton boulot, auprès de ton môme... »

Andrew hoche la tête. « À lundi, alors. »

Il agite la main en descendant les marches en bois. Il contourne la maison et se dirige vers sa voiture. Une fois à l'intérieur, il glisse une cassette de Miles Davis dans l'autoradio et monte le son. Tandis qu'il recule dans la rue, une autre voiture s'engage dans l'allée de T. J. Deux petits garçons en descendent. Tous deux ont le cheveu en bataille, un T-shirt et une serviette mouillée roulée sous le bras. Il se frayent le passage vers l'arrière de la maison. Personne n'entre par la porte principale.

De retour chez lui, Andrew traverse délibérément toutes les pièces et ouvre les fenêtres. L'air nocturne – voluptueusement lourd – pénètre dans la maison. En quelques secondes, il est trempé. Il va dans la salle de bains, se déshabille et ouvre le robinet d'eau chaude dans la douche. Il entre dans la cabine remplie de vapeur. Plus tard, propre comme un sou neuf et nu, il allume la lumière dans la cuisine. La pièce a été vidée ; elle paraît trop dépouillée en ce soir d'été. Andrew enlève un carton d'une chaise, s'assied. Il se baisse pour ouvrir le carton. Un à un, il sort les objets et les pose sur la table de cuisine. Quand le carton est vide, il va chercher une bière au frigo. Il boit lentement, avec délectation, tripotant occasionnellement les objets disposés sur la table.

La chaleur d'étuve est supportable à ce moment précis, à cinq heures du matin. Andrew prend sa tasse de café et va s'asseoir sur le perron, dans l'espoir de capter un souffle d'air matinal. Le ciel est nacré, avec une traînée rose à l'horizon. Une fois au lit, il s'est endormi profondément, mais il s'est réveillé trop tôt, trop alerte pour se rendormir. Le paysage est paisible, silencieux à l'exception des premiers oiseaux. Mais Andrew sait qu'en l'espace d'une heure, la chaleur humide deviendra insupportable. Il songe brièvement aux corvées qu'il pourrait expédier dans la matinée pour tuer le temps, avant que la Plymouth ne quitte le chemin.

À distance, il entend un bourdonnement – un petit avion de si bonne heure ? s'étonne-t-il –, mais quand le bourdonnement se rapproche, il se rend compte qu'il s'agit d'un véhicule. Il l'aperçoit de l'autre côté de la route, un tracteur rouge qui capte les premiers rayons du soleil, un vieux tracteur rouge conduit par MacKenzie, baigné de lueur corail, qui débouche d'un chemin de terre entre les champs. Andrew se dirige vers la route, sa tasse de café à la main. Il y parvient juste au moment où le tracteur s'apprête à tourner dans un sillon latéral. MacKenzie qui, dans le souvenir d'Andrew, a toujours labouré cette terre, met le tracteur au point mort, le salue et lui fait signe de traverser.

De près, le ronflement du moteur rend toute conversation impossible. Andrew grimpe à côté du fermier.

« Je t'ai pas réveillé, au moins ? s'enquiert Mac-Kenzie.

— Non, non. Pas du tout.

— Faut sortir tôt par cette chaleur. » MacKenzie pivote sur son siège et lui tend la main. Andrew change sa tasse de main et la lui serre. Il regarde MacKenzie. Malgré la soixantaine bien sonnée, le fermier est toujours grand et mince ; son long visage est tanné par le soleil. Ses yeux, d'un bleu larmoyant, sont cernés de pâles croissants formés de stries minuscules. Il porte une chemise d'été à carreaux et une casquette avec l'inscription Budweiser.

« Désolé pour ta mère.

— Merci.

— Paraît que ça a été rapide.

— Plutôt, oui.

— Tant mieux. C'est ce qu'il faut. » MacKenzie tire un paquet de Carlton de la poche de sa chemise, allume une cigarette et inhale profondément. « Justement, j'ai pensé à ta famille hier. Tu as entendu, à propos de la fille ?

— La fille ?

— Qu'on a trouvée hier. Treize...

— Oui, opine Andrew. J'ai entendu.

— Ça m'a fait. penser...

— Oui. Moi aussi. Quelle horrible histoire !

— Ouais. Et on croit que c'est le petit ami. Comme l'autre fois. » Le fermier aspire une bouffée rapide. Il tient sa cigarette comme une flé-chette, entre le pouce et l'index. « Ça les a pas empêchés de retourner mes champs, d'ailleurs.

— Comment cela ? demande Andrew, avalant une gorgée de café tiédasse.

— Ils sont venus un matin, d'abord six gars, puis deux tracteurs, et z'ont remué la moitié de mes champs avant d'abandonner. Sans la moindre contrepartie. Tu devais être déjà parti.

— Certainement car je ne m'en souviens pas.

— Tu travailles à New York ?

— Oui.

— Ça te plaît ?

— Pas mal. Comment va Sam ? » demande Andrew, orientant la conversation sur le fils Mac-Kenzie.

MacKenzie pose ses coudes sur ses genoux, porte ses mains jointes à son front. La fumée de sa cigarette monte en spirale jusque sous la visière de sa casquette Budweiser.

« Il est parti. »

Andrew croit comprendre que son fils est mort.

« Désolé, dit-il. Je ne savais pas. Quand est-ce arrivé ? » Il essaie de se rappeler si sa mère a jamais mentionné le fils MacKenzie. Est-il allé au Vietnam ? A-t-il été tué là-bas ?

« Il est pas mort, dit MacKenzie. Simplement parti. »

Andrew attend qu'il lui fournisse ou non des explications.

« Ma femme et moi, on s'est réveillés un matin. Le jour de ses vingt ans. Il avait pris l'argent dans le tiroir du bureau. Cadeau d'anniversaire. Pas une lettre, rien. »

Andrew tente d'imaginer le garçon qu'il connaissait, le garçon qu'il a toujours plaint parce qu'il n'avait pas le droit de faire du sport. Son père l'obligeait à travailler à la ferme ; il avait besoin de lui à la maison.

« Savez-vous où... ?

— Pas un mot. Pas un seul mot en seize ans. » MacKenzie jette le mégot toujours allumé sur le sol. « Je m'occupe de ces champs, mais on se demande pourquoi. J'ai plus personne à qui les laisser maintenant. »

Andrew regarde les champs, sent la chaleur qui monte déjà de la terre, se demande s'il y a toujours un fusil enterré quelque part par ici, juste sous les dents fureteuses des machines agricoles. Tous ces pères et leurs fils, pense-t-il. DeSalvo avec son fils drogué et maintenant divorcé. O'Brien qui a perdu le sien à dix-sept ans. MacKenzie dont le fils a pris la clé des champs. Avec un pincement au cœur, il songe à Billy.

« Bon, dit MacKenzie, faut que j'y aille tant que le soleil est encore bas. À mon âge, on attrape facilement un coup de chaud.

— À mon avis, on peut attraper un coup de chaud à n'importe quel âge ici, réplique Andrew, sautant du tracteur. Mes amitiés à votre femme.

— Tu restes ou tu pars ?

— Je pars, crie Andrew. Bientôt.

— Ben, bonne chance alors. » Le fermier enclenche la vitesse, et le tracteur s'ébranle pesamment.

Andrew laisse passer un camion et retraverse la route. Il n'y a encore aucun signe de vie dans la maison des Close. Il regarde sa propre maison et pense à son père. Était-il satisfait des succès de son fils ou bien considérait-il l'avoir perdu comme le père de Sam MacKenzie ?

Mais il ne reste plus personne à qui poser la question.

Elle est assise sur la même chaise, vêtue de la même robe bleue avec des boutons blancs. Il note que sa raie est de guingois aujourd'hui ; néanmoins ses cheveux sont brossés avec soin. Il a apporté la paire de tennis neuves et les lunettes de soleil.

Il est soulagé de la, trouver dans la cuisine. Il craignait qu'elle soit dans sa chambre, qu'elle ne veuille pas descendre pour être avec lui.

« A-t-elle dit quelque chose ? »

Eden secoue la tête.

« J'ai des choses pour toi. »

Il pose les lunettes sur la table et se baisse avec les tennis. Il lui prend un pied. Il a oublié les chaussettes, constate-t-il. Tant pis. « Ce sont des tennis », dit-il, glissant son pied dans la chaussure aux lacets défaits.

La taille semble convenable, sinon parfaite. Il noue les lacets, puis lui enfile l'autre chaussure. Il se relève et regarde ses pieds. Les tennis bleues paraissent se dissocier de ses longues jambes blanches.

« Tu n'aurais pas dû faire ça », dit-elle.

Mais il est fier de son acquisition. Quand ils étaient plus jeunes, pense-t-il, souvent les filles portaient des tennis sans chaussettes. C'était la mode, à l'époque.

« Je t'ai aussi apporté ceci. » Il prend les lunettes sur la table et les pose sur son nez. Il repousse ses cheveux derrière ses oreilles pour mieux fixer les branches.

« C'est pour quoi faire ? demande-t-elle.

— Ce sont des lunettes noires. Pour protéger tes yeux du soleil. J'avais peur que la lumière du soleil ne les abîme.

— Rien ne peut les abîmer.

— Comment te sens-tu là-dedans ?

— Dans quoi ?

— Dans les tennis.

— Ça va.

— On y va, alors. »

Elle se raidit. « Où ?

— Je t'emmène à l'étang.

— Pourquoi ?

— Il fait chaud. J'ai envie de me baigner. Et je voudrais le voir. Ça fait des lustres que je ne l'ai pas vu.

— L'étang, dit-elle.

— Tu t'en souviens ?

— Je m'en souviens. »

Elle tourne la tête. Une cascade de cheveux lui cache la moitié du visage. Avec sa peau blanche et ses lunettes noires, avec ses longs cheveux pâles et sa simple robe bleue, elle a l'air d'une star de cinéma faisant sa première apparition en public après un séjour prolongé dans un centre de rééducation.

« C'est trop dangereux, dit-elle.

— Dangereux ? Ne sois pas bête. » Tout en le disant, il se rend compte de la légèreté désinvolte de sa réponse.

Il lui prend la main ; ses doigts sont froids. Il sent une substance rugueuse sur ses doigts. Il regarde. « Qu'est-ce que c'est ? demande-t-il, frottant une tache grise.

Elle hésite. « C'est de l'argile. Je... je fais des choses avec. Je l'ai appris là-bas.

— Quelles choses ?

— Oh, rien de spécial. Des formes. »

Il tire doucement sur sa main pour l'obliger à se lever.

« Nous ferons comme hier. Nous marcherons côte à côte jusqu'au sentier, puis je passerai devant et tu me suivras. »

Elle retire sa main, mais se laisse prendre le coude. Elle ressemble, pense-t-il, à une star de cinéma qu'on aurait relâchée trop tôt.

Le soleil étincelle dans un ciel blanc de zinc. Dans la lumière crue, l'herbe n'est plus verte du tout. Près du perron, les feuilles d'un vieux lilas pendent, rabougries, mangées par la rouille. Ce matin, à la radio, il a entendu que la vague de chaleur a déjà provoqué plusieurs coupures de courant dans le comté. Hier, la piscine municipale a enregistré un nombre d'entrées record. Le tournoi de tennis dans un camp de garçons a été reporté. La chaleur a fait au moins une victime : une femme âgée.

Il regarde Eden à côté de lui. De minuscules gouttelettes de sueur perlent sur son front blanc. Il fixe les petits pieds bleus qui foulent l'herbe flasque. Le temps a gommé l'écart entre eux. Il n'a presque pas grandi depuis l'âge de dix-sept ans, tandis qu'elle a gagné une bonne dizaine de centimètres. Malgré cela, la tête d'Eden lui arrive à peine à l'épaule.

De sa main libre, il tire ses propres lunettes de soleil de la poche de sa chemise. Il déboutonne sa chemise, en retire les pans de son pantalon. Il regrette de n'être pas en short. Il a improvisé en disant qu'il l'emmenait à l'étang parce qu'il avait envie de se baigner ; à vrai dire, jusque-là cette idée ne l'avait pas effleuré. Il n'a même pas de maillot de bain. Mais maintenant, la perspective de plonger dans l'eau lui paraît alléchante. Il se demande s'il y aura des petits garçons cherchant à fuir la chaleur au bord de l'étang, ou si les petits garçons d'aujourd'hui préfèrent rester dans leur maison climatisée à regarder des films en vidéo. Il pense au hall d'entrée de T. J., tout en miroirs, et à son propre bureau new-yorkais, au vingt-septième étage.

Au début du sentier, elle esquisse un mouvement pour libérer son coude. Elle touche les tiges de maïs sur sa gauche.

« Je peux marcher comme ça. C'est plus facile pour moi. » Il avance lentement devant elle. Au-delà de l'endroit qu'ils ont atteint hier, le sentier est envahi par les ronces, les tiges de maïs cassées, les broussailles. Avec les mains et les pieds, il lui dégage le passage. Il enlève sa chemise pour s'en servir comme éventail, puis comme serviette pour s'éponger le front. Lorsqu'il se retourne vers elle, et il le fait souvent, il la voit marcher avec précaution, mais d'un pas égal, sans crainte ni hésitation apparente. En observant subrepticement son visage, il essaie de deviner ce qu'elle pense, mais l'expression de sa bouche sous les lunettes noires ne laisse rien transparaître. Elle semble absorbée par la carte que ses doigts sont en train de lire et par le mouvement de ses pieds.

Au cœur des champs – à mi-chemin de l'étang, estime Andrew – il s'arrête un instant pour permettre à Eden de le rattraper, et c'est alors qu'il perçoit le bruit, l'hymne intense, vibrant, des insectes et les petits frôlements fugaces, ponctués par des soupirs de feuilles sèches et des battements d'ailes précipités.

Le sentier, plus court que dans son souvenir, débouche sur un talus herbeux. Au-delà, l'eau brille comme du cuivre poli. Le lierre a pris possession des arbres, et la berge lui semble plus ombragée que du temps de son adolescence. Elle foisonne de lis rouges : l'eau aux reflets dorés scintille entre les pétales, et il s'immobilise, frappé à la fois par leur beauté et par un sentiment de culpabilité à l'idée qu'Eden ne peut pas les voir. Doit-il lui en parler, ou ce sera encore pire ?

Seule, elle ne peut pas aller plus loin que les champs. Il la prend par la main et l'entraîne vers un carré d'herbe humide sous le plus grand arbre, celui qui a le plus de lierre et qui est donc le plus ombreux. Elle s'assied, le dos à l'arbre, allonge les jambes. S'emparant du bord de sa robe, elle le relève pour s'essuyer le front, la lèvre supérieure, le haut du buste. Ses cuisses nues sont blanches, avec un fin duvet doré. Elle recouvre ses jambes, lisse sa robe.

« Tu peux me dire.

— Te dire quoi ? demande-t-il.

— Comment c'est, ici. Est-ce comme autrefois ? »

Il balaye le paysage du regard. « Oui, en plus verdoyant. Les arbres sont couverts de lierre. L'eau est sensiblement la même. Tu te rappelles sa couleur ? »

Elle secoue la tête.

« Dorée, à cause des minéraux.

— Dorée, répète-t-elle.

— Et là... » Il se lève et se dirige vers la profusion de lis. Il en cueille un sur sa tige et le lui met dans la main.

« Tu te souviens de ça ? Ce sont des lis. Rouges. Il y en a une multitude au bord de l'eau. Il est difficile de dire si quelqu'un est venu ici récemment. Il n'y a pas de traces, l'herbe n'est pas froissée. »

L'hymne qu'il a entendu précédemment est plus feutré ici. Elle triture les longs pétales écarlates sur ses genoux.

« Tu vas te baigner, dit-elle.

— Oh, je n'en sais rien. » Il ramasse un caillou. Regarde l'eau. Il aurait bien envie de piquer une tête dans l'étang. La surface est unie comme un miroir, troublée seulement par les arabesques des punaises d'eau.

« Tu pourrais venir aussi, suggère-t-il. Tu te baignerais avec ta robe. Elle sécherait au soleil sur le chemin du retour, et tu te changerais avant son arrivée. »

Elle secoue la tête. « Je n'ai pas besoin de me baigner. Je suis tout aussi bien ici. »

Il fait passer le caillou d'une main à l'autre. Elle appuie la tête sur l'écorce de l'arbre, et il est incapable de dire si ses yeux sont ouverts ou fermés derrière les lunettes noires. Ses mains reposent sur ses genoux, avec la fleur qui commence à se ratatiner dans la chaleur. Même à l'ombre, la chaleur est débilitante.

Il lance le caillou dans l'eau. Il se relève et déboucle sa ceinture. Le déclic métallique résonne trop fort dans le silence. Il se débarrasse de ses vêtements et de sa montre, les laisse choir en tas sur la berge et s'approche du bord.

L'eau à ses chevilles est fraîche, mais pas froide. Il entre jusqu'à la taille et se laisse aller lentement jusqu'à flotter. Il lève le bras pour traverser l'étang d'un crawl indolent. La distance lui paraît plus longue que quand il était petit : il l'attribue au manque d'exercice.

Il plonge la tête sous l'eau, sent la fraîcheur évacuer la chaleur de son cerveau. Au retour, il essaie la brasse ; il aperçoit Eden à travers l'eau qui ruisselle de son front chaque fois qu'il émerge pour remplir d'air ses poumons.

Il tourne et se dirige de nouveau vers l'autre rive, savourant les mouvements rythmiques de ses bras. Mais au bout de quatre allers et retours, ses bras commencent à fatiguer. Il atteint la berge la plus proche d'Eden, tourne pour effectuer une nouvelle longueur, puis s'arrête avec de l'eau jusqu'à la poitrine. Il regarde l'autre berge, barbote paresseusement, tâte les cailloux sous ses pieds, le sol argileux du fond. Soulevant les pieds, il laisse son poids l'entraîner lentement sous l'eau. Il souffle des bulles. L'eau se referme au-dessus de sa tête, puis s'écarte quand il refait surface pour respirer.

Il s'allonge sur le dos. L'eau clapote par-dessus son ventre. Avec un minimum d'effort, il peut sortir ses orteils. Il rame doucement avec les poignets. Plissant les yeux, il distingue tout juste un halo dans la partie la plus blanche, la plus aveuglante, du ciel. Cela lui rappelle quelque chose, mais sa mémoire se dérobe. Il ferme les yeux, laisse retomber sa tête. Son front et ses yeux disparaissent sous l'eau ; il ne reste que le nez et la bouche pour respirer. C'est une sensation délicieuse : le soleil brûlant sur les parties exposées de son corps, la fraîcheur en dessous.

Devant ses yeux, les images scintillent, miroitent, s'évanouissent. Une feuille frissonne, translucide à contre-jour... Eden tourne la tête et sourit... Le soleil joue sur les lunettes noires de T. J. ... Un reflet étincelant sur le pare-chocs de sa voiture... Billy avec des pièces de monnaie dans sa paume... Une fenêtre quelque part qui renvoie l'éclat d'un coucher de soleil rouillé...

Un poisson se faufile sous son épaule gauche. Pris au dépourvu, il tente de se redresser, perd l'équilibre, aveuglé par l'eau dans ses yeux. Ses orteils raclent un rocher au fond. Ce n'est pas un poisson ; c'est la main d'Eden. Elle est debout dans l'eau devant lui. Avec sa robe. Elle a étendu les bras pour se diriger, mais il a l'impression que c'est à lui qu'elle les tend.

Il l'attrape par la main, la tire pour la faire flotter. Sa robe se déploie autour de sa taille comme un parachute. Il la guide comme dans une danse de salon jusqu'à ce que ses pieds quittent le fond. Alors il nage. Il nage sur le côté, la maintenant par le coude, pendant qu'elle barbote, soutenue par lui. Il ignore ce qui l'a poussée dans l'eau – la chaleur, le désir de ne pas rester seule –, mais il est content d'être auprès d'elle, d'observer son visage concentré tandis qu'elle cherche à se repérer dans ce décor inhabituel. Il se demande si elle s'est baignée une seule fois au cours de ces dix-neuf années.

À un tiers de distance de l'autre rive, elle se dégage, lève les épaules et fend l'eau d'un crawl acéré. Elle plonge le visage dans l'eau, tourne la tête pour inspirer, dans une synchronisation parfaite de tous les mouvements. Resté derrière, il nage maladroitement pour la rattraper. Autrefois, elle fut excellente nageuse, infatigable, compensant par la vitesse son manque de puissance.

« Tourne maintenant », dit-il quand ils atteignent l'autre rive.

Elle fait demi-tour et entreprend de nager le dos crawlé. Il regarde les bras blancs sortir de l'eau cuivrée avec une précision mathématique. Ses cheveux flottent autour d'elle ; les battements de ses pieds la maintiennent sans difficulté à la surface.

« Tu peux te relever », dit-il près de la berge.

Mais elle effectue un tour sur elle-même et repart pour une autre traversée. Il l'observe un moment, pensant rester à côté d'elle au cas où elle se fatiguerait, paniquerait ; mais ses gestes sont empreints d'une telle aisance qu'hypnotisé, il demeure cloué sur place. Il la laisse faire.

Elle effectue ainsi une douzaine de longueurs. Il éprouve du plaisir simplement à la regarder. Quand elle a terminé, elle se redresse et repousse les cheveux de son visage. Elle est à bout de souffle. Elle se frotte les yeux pour les sécher.

« Tu es toujours la meilleure », dit-il.

Elle sourit, d'un vrai sourire.

Elle s'est arrêtée à six mètres de lui. Il veut la

rejoindre, mais l'eau ralentit sa marche. Elle pivote et se dirige sans hâte vers la berge. Il la regarde tordre ses cheveux, puis tâter l'herbe au bord de l'eau pour trouver un endroit ensoleillé. Elle s'y allonge tout habillée.

Il sort de l'étang et s'arrête à ses pieds. Il baisse les yeux sur elle.

« Je ne crois pas que ce soit une bonne idée. »

Il parle de sa robe. Elle est mouillée ; elle va la salir. Mais il parle aussi d'autre chose. Le visage d'Eden est lisse, reposé. Les points de tension qu'il y a observés plus tôt ont disparu.

Elle ne répond pas. Il l'examine. Il est en train de contempler une toile de musée, toile qui représente une femme à la peau d'albâtre, vêtue d'une robe bleue, étendue sur l'herbe jaunie... un chef-d'œuvre que nul autre que lui ne verra jamais. Ses cheveux torsadés comme une corde reposent sur le côté. Il voit les petites bosses arrondies de ses clavicules, les pointes de ses seins sous l'étoffe mouillée. Il voit le creux sous sa robe qui doit marquer la naissance de ses seins.

Il s'accroupit à côté d'elle. Sait-elle seulement qu'il est là ? Peut-elle « voir » sa pose maladroite, maladroite à cause de sa nudité ?

Il effleure la torsade de ses cheveux humides, son front. Elle ne cille pas, ne s'écarte pas ; il en conclut qu'elle attend. Il touche la protubérance de sa clavicule au-dessus du premier bouton de sa robe. Quelque chose comme un léger soupir semble lui échapper ; elle se cambre imperceptiblement.

Il retire sa main. Une voix l'exhorte à la prudence. S'il fait cela, il n'y aura plus de retour en arrière possible. Ce n'est pas un acte banal ; elle est encore pratiquement une enfant. Il la voit comme une enfant, ressent de nouveau cette appréhension secrète, comme s'il allait commettre un sacrilège. Les images de son enfance resurgissent dans son esprit : Eden qui se dirige en chaloupant vers le car, qui le taquine au bord de l'étang ; Eden plaquée contre le mur de brique.

Il défait le premier bouton, embrasse la peau en dessous. Il a l'impression qu'elle resserre les jambes sous sa robe. Elle lève une main, la laisse retomber. Le tissu humide lui moule la poitrine. Il défait le deuxième bouton et, sachant qu'il ne s'arrêtera plus, rabat l'étoffe en arrière. Il s'agenouille, se penche pour l'embrasser et sent tout à coup sa main au creux de ses reins.

Elle se dégage, roule sur le flanc. Elle se met à genoux, se relève, fait tomber sa robe et ses dessous. Elle est lisse, sculpturale, mais guère musclée. Ses seins sont plus lourds que dans les rêves d'Andrew, et cela le rassure. Ses épaules sont maigres ; il y a un creux à l'endroit où le bras s'attache au tronc. Ses os pelviens sont clairement dessinés. Autour de lui, le soleil brille sur l'eau et à travers le feuillage, l'étourdissant momentanément. Sa bouche est à quelques centimètres du ventre plat d'Eden. Il l'embrasse à cet endroit. Il laisse glisser ses lèvres sur sa peau tandis qu'elle tombe à genoux devant lui.

Il la prend dans ses bras, attire son visage dans son cou. Il répète son prénom, fiévreusement, comme s'il l'appelait de l'autre rive ou bien à travers les ans. Prononcé de la sorte, son prénom la fait frissonner, et son calme l'abandonne. Il la sent s'effondrer. Un mouvement subtil d'épaules, et elle lâche prise, si bien qu'il doit supporter son poids. Elle se met à pleurer. Il resserre son étreinte. Il est content qu'elle pleure. Elle a trop de raisons pour pleurer, mais il est content, et il ne peut s'empêcher de prononcer son nom. Il l'embrasse. La force à ouvrir la bouche. Glisse une cuisse entre ses jambes. Elle s'écarte une fois, pour respirer. Il ne sent plus aucune hésitation, aucune méfiance. Voilà où ses rêves l'ont mené.

Elle l'a su avant moi, pense-t-il. *Elle l'a su il y a des années, alors que j'étais encore gamin.*

Elle semble ne plus avoir peur à présent, même si elle a dit que la promenade à l'étang risquait d'être dangereuse, et il n'a pas compris. Il perd l'équilibre et l'entraîne avec lui sur l'herbe. La cuisse d'Eden glisse comme de la soie sur la sienne ; ses cheveux les enveloppent comme une tente de fraîcheur. Tout autour d'eux, il y a la chaleur, l'humidité de l'herbe et une corneille qui croasse, agacée, du haut d'un arbre. Elle se cramponne à lui, et il capte la triste frénésie de ses dix-neuf années perdues. Mais elle est trop timide pour le guider, ou alors elle ne sait pas s'y prendre, et il se débrouille tout seul, s'efforçant d'être doux, de ne pas penser à elle comme à une enfant.

Plus tard, il se rappellera le frisson monté de son ventre jusqu'aux poings qu'elle serre dans son dos. Il se rappellera aussi sa délicatesse inattendue. Elle n'a pas proféré un son, et ce silence enchante Andrew.

Après, elle repose au creux de ses bras. Il caresse le duvet sur son avant-bras. Tous deux sentent l'étang. Peut-être dort-elle ; il ne saurait le dire. Il n'a pas envie de parler. Mentalement, il lui emprunte une phrase, une phrase qui lui a plu. *Je suis tout aussi bien ici*, se dit-il.

Il est fatigué, et il risque fort de s'endormir avec elle... chose à laquelle il doit faire attention. Il ignore l'heure, mais devine qu'au mieux, il leur reste une heure, pas plus. Il se demande si elle peut dire l'heure ici, où elle n'a pas mis les pieds depuis des années, où les bruits sont différents de ceux de son cadre familier.

Il entend un bruissement dans les buissons. Un petit animal, suppose-t-il, avant d'apercevoir le gamin. Un gamin de onze, douze ans. Il s'approche du bord de la clairière et, voyant Andrew et Eden, s'arrête net. Il a les cheveux châtains, des lunettes et des taches de rousseur sous son bronzage d'été. Il est torse nu. Il dévisage Andrew. Andrew lui retourne son regard sans bouger. Le gamin pivote sur lui-même et détale dans les fourrés d'où il est venu.

Andrew sourit. Il souhaite que ce gamin se rappelle cette scène jusqu'à la fin de sa vie.

Après quelque temps, il pose la tête d'Eden sur l'herbe et se dégage de son étreinte. Sa montre est sur la pile de ses vêtements ; il la consulte et découvre, alarmé, qu'il leur reste quarante minutes à peine.

« Eden, dit-il en la secouant. Il faut partir maintenant. Vite. »

Elle se soulève sur un coude. Elle a l'air hébétée, désorientée. Il l'aide à se relever et ramasse

237

par terre sa robe encore mouillée. La robe est sale et froissée. Elle l'enfile pardessus sa tête, et c'est alors qu'il commence à douter. La robe pend sur elle, la rendant tout à coup très vulnérable. Elle met sa culotte. Ses cheveux sont humides et emmêlés, pleins de brins d'herbe et de terre. Son visage est chiffonné de sommeil. L'espace d'une minute, elle a l'air de quelqu'un qu'il n'avait pas le droit de toucher, pas le droit de mettre à nu.

« Je ne sais pas où est l'arbre, ni où sont mes chaussures », dit-elle.

Il retrouve les tennis et les lunettes de soleil à l'endroit où ils se sont installés en arrivant, mais plutôt que de les lui mettre, il les lui tend. Son assurance désinvolte – fabriquée de toutes pièces – et qui, par moments, frisait la condescendance, l'a déserté. Eden est redevenue lointaine.

« En rentrant, déclare-t-il, s'efforçant de reprendre un ton autoritaire, j'emporterai ta robe, je la laverai et te la rendrai demain. Tes cheveux devraient sécher en chemin. Tu n'auras qu'à les brosser un bon coup et mettre autre chose, mais il faut faire vite.

Elle hoche la tête et lui abandonne sa main. Il l'étreint avec force pour reconquérir leur intimité perdue. Dans les champs, elle marche devant lui, se frayant le passage avec plus d'aisance et de rapidité. Il observe ses bras tendus, ses doigts qui frôlent les tiges de maïs. À l'autre bout des champs, il lui prend la main de nouveau et l'entraîne, en courant presque, vers le perron. D'après ses estimations, il ne leur reste plus que cinq minutes. Ici, en terrain familier, elle peut dire l'heure également : cela se voit sur son visage.

Une fois dans la cuisine, elle commence à déboutonner sa robe. Elle roule le haut jusqu'à sa taille et, d'un seul geste, se débarrasse de sa robe et de sa culotte. Elle tend le ballot à Andrew comme un enfant qui donne ses vêtements à un parent avant d'entrer dans son bain. Il le prend, ému par son naturel, par le fait qu'elle n'ait pas cherché à cacher sa nudité. Il est aussi ému, bien que différemment, plus profondément, par sa beauté, si incongrue dans cette cuisine morne, sa beauté fermement campée dans ses tennis bleues sur le lino usé. Il brûle d'envie de s'attarder, de la toucher de nouveau. Il l'embrasse sur l'épaule, glisse une main dans son dos. Il ne sait quoi lui dire.

« Jim était mon père », dit-elle doucement.

Il recule, sans lâcher son épaule. « Je sais.

— Non. Tu ne comprends pas. Je te donne quelque chose. »

Il garde le silence. « Qu'essaies-tu de me dire ? demande-t-il au bout d'une minute.

— J'étais à lui.

— Il était ton vrai père ?

— C'est pourquoi elle me hait. »

Le sens de ses paroles est clair, mais le cerveau d'Andrew renâcle, se refuse à l'accepter.

« Comment est-ce possible ? Je me rappelle cette journée. J'étais là quand elle t'a apportée dans le jardin...

— La fille qui m'a laissée était quelqu'un... qu'il a fréquenté.

— La fille ?

— Elle avait seize ans.

239

— Comment le sais-tu ? Tu le savais depuis toutes ces années ? »

Elle penche la tête sur le côté, écoute. « C'est tout », répond-elle. Elle se dégage, et il la regarde disparaître dans la partie sombre de la maison. Galvanisé, il franchit la porte, descend les marches et traverse la cour. À peine est-il rentré avec son ballot qu'il voit la Plymouth s'engager dans l'allée de gravier.

Il jette la robe dans la machine à laver. La cave est plus fraîche que le reste de la maison. Elle se rendra compte à temps, espère-t-il, qu'elle a toujours les tennis aux pieds. Il regarde la machine, réfléchissant au choix de la température et du cycle de lavage. Il a du mal à se décider. Il presse les boutons. La machine s'anime dans un soubresaut et se met à vibrer rythmiquement sous sa main.

En haut, dans la cuisine, l'air est confiné, irrespirable. Deux heures vingt. Le moment le plus chaud de la journée. Il s'assied à table, pose une main sur son front, regarde la maison d'en face. Il voit Jim assis sur les marches, qui attend le retour d'Eden. Le visage de Jim, avec ses longues courbes aplaties, apparaît brièvement devant ses yeux avant de s'évanouir. Andrew aurait dit – les gens le disaient, d'ailleurs – qu'Eden ressemblait à Edith, pas à Jim. Maintenant, il aimerait revoir son visage pour y chercher une trace de ressemblance. Mais tout ce qui lui revient, c'est une impression de haute taille, d'errance et de charme facile quand il n'avait pas bu. Toutes ces années, et personne n'était au courant. Ou alors si ? Sa mère a-t-elle deviné ? Edith lui a-t-elle dit ? Il voit sa mère devant l'évier, le dos légèrement voûté, les mains sous le flot d'eau du robinet. Une douleur qui ne lui est guère familière lui noue l'estomac. Il s'approche du frigo, se disant qu'il devrait manger, et choisit une bière, la première chose qui lui tombe sous la main. Debout à côté du frigo, il vide la canette comme si c'était du Coca et en reprend immédiatement une autre.

Déjà ses souvenirs de Jim se décalent, muent, pour s'adapter à cette nouvelle donne. Il songe à la scène qu'il a retenue de son enfance – Jim rentrant d'un déplacement avec des cadeaux pour Eden, qui joue sur une balançoire –, mais elle a pris une tout autre signification. En fait, toute sa vision de Jim est différente maintenant, changée, remplacée par autre chose.

La chaleur, l'estomac vide et la bière absorbée trop vite lui tournent la tête. Il se met à arpenter la cuisine, de la table au plan de travail, lentement à cause de la chaleur. Il ôte sa chemise, la laisse tomber sur une chaise. Il sent encore l'odeur de l'étang sur sa peau. Il s'imagine sentir également l'odeur d'Eden. Il la laisse pénétrer son esprit ; les images d'elle l'étourdissent. Il goûte à sa peau, se rappelle ses épaules au moment où elle s'est effondrée. Ses cheveux l'ont enveloppé d'un voile épais. Eden couchée sur le dos, s'arc-boutant comme s'ils allaient fusionner. Elle s'est révélée simple, tellement simple, et tellement silencieuse. Le frémissement seul a trahi ce qu'elle ressentait.

Il s'adosse à l'évier, se prend la tête dans les mains. Une violente douleur lui taraude la nuque, irradiant vers les tempes.

Vous lui rappelez le passé, a dit Edith. Vous allez faire naître chez elle une attente, un espoir.

Il pense à Billy qui l'attend, qui a besoin de lui. Il pense à Jayne au bureau, à son travail qu'il doit reprendre. Il voit sa mère qui se retourne pour le regarder, pour lui demander ce qu'il fait encore là. Il entend, dans la cave, la machine qui entame le cycle de rinçage.

Il pense, il sait qu'il a eu tort de faire l'amour avec elle. Il se sent vide et sec. Il a fait ce qu'Edith redoutait, ce qu'elle avait raison de redouter. Il lève les yeux. Pour la première fois, la pièce lui apparaît telle qu'elle est : non plus un reliquaire, mais une vieille cuisine miteuse et sans vie.

Il ne supporte pas le silence. Il allume la radio, monte le son presque à fond et grimpe l'escalier quatre à quatre. Dans sa chambre, il enfile une chemise de ville et un pantalon kaki. Il vide les tiroirs, fourre son linge et ses chaussettes dans son cartable en cuir. Dérapant sur le tapis du couloir, il s'empare du carton de souvenirs posé sur le lit de sa mère. Les bras chargés, il descend et sort par la porte de derrière qu'il laisse claquer. Il met la valise et le carton dans le coffre de la BMW. De retour dans la cuisine, il fait de nouveau claquer la porte. Il y a un autre carton dans la chambre de sa mère, et un troisième au salon. Il les porte jusqu'à la voiture. Impatiemment, il les entasse dans le coffre. Il transpire abondamment. Le long de son échine, le tissu est mouillé. Il retourne dans la cuisine et ouvre le frigo, pensant jeter toutes les denrées périssables. Au lieu de quoi, il reprend une autre bière et referme précipitamment la porte. Il décroche le combiné du téléphone, compose le numéro de T. J. et raccroche. Il l'appellera de New York demain.

Il récupère son costume anthracite dans le placard de sa chambre, va chercher un autre carton dans la chambre de sa mère. Tirant sur la porte de la cuisine, il la laisse claquer une dernière fois. Il jette son costume et le carton – dont le contenu se répand – sur la banquette arrière.

Il met la clé de contact, mais elle se bloque. Il tire, essaie une nouvelle fois. Une douleur lancinante lui transperce la tempe droite. Il passe la marche arrière. Pivote sur son siège pour reculer, lâche l'embrayage trop vite et cale.

Il assène un coup sur le volant.

Il voit sa mère qui s'approche de lui ; il a quelque chose d'important à lui dire. Mais l'image s'efface avant qu'il ne puisse l'atteindre. Il voit Billy sur le pas de la porte à Saddle River, le jour où Andrew a fait ses bagages pour de bon. Il voit Eden s'effondrer, pleurant sur des choses qui dépassent son entendement. Sa tête s'enfonce sous la surface ; il sait qu'il est en train de se noyer. Billy l'appelle, mais l'eau l'empêche d'entendre ses paroles. Il ne peut pas la laisser, plus maintenant qu'elle est la cause de sa noyade. L'eau se referme au-dessus de sa tête. Il sent le poids de son propre corps. Il se laisse aller à l'impression de sombrer, de lâcher prise.

Il pose la tête sur l'appuie-tête et rouvre les yeux. Il s'aperçoit qu'il pleure.

Il voit qu'il a laissé la tondeuse dehors à côté du garage. Une guêpe entre par la vitre ouverte et se met à escalader le pare-brise. Il inspire profondément, frissonne dans l'ultime convulsion. Tout près, il y a les champs de maïs noyés dans la brume de chaleur.

Tu penses que mon monde est noir. Mais ce n'est pas vrai. Quand j'ai les yeux ouverts, il y a un brouillard épais. Un brouillard sombre qui devient blanc quand je m'approche de la fenêtre et qu'il y a du soleil dehors. Je peux l'éclaircir ou l'assombrir. Le brouillard s'obscurcit, comme avant la pluie.

Toi, c'est quelque chose de chaud au-dessus de moi.

Tu as prononcé mon nom, et jusqu'à ce moment-là, j'avais oublié quel son il avait. Tu étais affamé aussi, plus que tu ne saurais le dire. Tu n'es pas comme les autres, pas comme mes souvenirs, mais ça, je l'ai toujours su.

J'ai peur maintenant de rêver de toi.

J'ai entendu ta porte claquer. Encore et encore. Et j'ai cru que tu allais me quitter.

Dans l'eau, j'étais libre.

J'étais à lui, ce que je savais sans le savoir. Elle me l'a jeté au visage au moment qu'elle a jugé opportun.

Il y a de la lumière qui entre dans mon monde, mais il y a l'obscurité aussi.

5

Elle est couchée sur le côté, à quelque distance de lui, un genou replié, l'autre jambe étendue, tandis que, du bout des doigts, il trace des figures sur son dos. En six jours de promenades à l'étang, c'est ce qu'il a appris sur elle, et qu'elle a sans doute appris sur elle-même : elle aime qu'on lui caresse légèrement le dos après l'amour.

En dessous d'eux, il y a une couverture de coton qu'il emporte tous les jours avec lui ; ils ont fini par trouver le coin le plus ombragé de la clairière. Parfois, il s'émerveille qu'ils n'aient pas été surpris ou découverts, à l'exception du gamin à lunettes qui les a vus le premier jour. Il laisse glisser sa main le long du flanc d'Eden, sur la courbe de sa hanche. Sa peau est lisse comme du verre, malgré la chaleur et l'humidité. Il voudrait rester couché là toute sa vie, à répéter toujours le même geste.

Elle hausse une épaule. Elle aimerait qu'il continue à lui caresser le dos. Elle lui exprime ses préférences non pas en paroles, mais par petits gestes ; sensible à cette forme de communication, il s'empresse d'obéir à ce qu'il pense être ses envies. Ce langage, nouveau pour lui, l'exalte, multiplie son plaisir. Pendant toutes ses années avec Martha, jamais elle n'a dit ce qui lui plaisait, comme s'il était censé deviner aveuglément ses désirs, espérant les déchiffrer correctement. D'ailleurs, ses efforts semblaient le plus souvent la laisser sur sa faim.

Durant ces journées de canicule qu'il a passées avec Eden, ni l'un ni l'autre n'ont caché leur ardeur. De même qu'elle ne sait plus parler pour ne rien dire, elle a oublié ce qu'est la coquetterie. Dimanche, le lendemain de leur escapade à l'étang, elle l'attendait dans la cuisine. Il avait apporté la couverture, ce dont il l'informa. Ils firent le chemin en silence et, une fois dans la clairière, ivre de désir, il l'aida aussitôt à se débarrasser de son chemisier, de son short et de ses tennis. Il avait faim d'elle, une faim dévorante – il avait l'impression d'avoir passé de trop longues heures loin d'elle –, et elle y répondit à la fois avec retenue et générosité. Et, bien qu'il y ait toujours au fond d'elle une réticence qu'il ne peut percer – un amas de choses qu'elle voit, mais qui demeurent obscures pour lui –, leur intimité est profonde ; il n'a jamais rien connu de tel. Ce fut seulement beaucoup plus tard, ce midi-là, qu'il se souvint de la couverture abandonnée au bord de la clairière. Il la secoua et la déplia pour qu'ils pussent s'y étendre ; ce fut ainsi que naquit l'habitude de se reposer après, puis de se baigner.

Lorsqu'elle se baigna ce dimanche, il s'obligea

à rester auprès d'elle. Il ne voulait pas se séparer d'elle, ne serait-ce qu'à cette occasion. À deux reprises, durant la baignade, elle cria quelque chose qu'il ne comprit pas, et quand elle s'arrêta, haletant si fort qu'il voyait sa cage thoracique se soulever, elle riait presque. Ce fut, pense-t-il, un extraordinaire coup de chance d'avoir retrouvé l'étang, de redécouvrir ensemble une si grande source de plaisir.

Il leur est arrivé de parler, même si, loin d'elle, il s'étonne de la longueur de leurs silences, comme s'ils avaient tout leur temps pour dévoiler l'un à l'autre les secrets de leur existence. Par moments, il éprouve le besoin urgent de l'interroger pour pouvoir la percer à jour, pour qu'ils parviennent à un autre stade d'intimité, mais il a appris, durant le peu de temps qu'ils ont passé ensemble, que les questions la perturbaient, la poussaient à se replier sur elle-même. Ce qu'elle donne, elle le donne quand elle l'a décidé, bribe par bribe.

« Elle me l'a dit au printemps, ce dernier printemps », déclara-t-elle tandis qu'ils rentraient chez eux dimanche.

Il commençait déjà à apprendre à marquer un temps d'arrêt pour déterminer de quoi elle parlait.

« À propos de Jim, tu veux dire ? demanda-t-il.

— Nous nous sommes disputées, et elle me l'a jeté à la figure. J'ai pris un verre et je l'ai lancé dans sa direction. Je ne voulais pas lui faire mal : il s'est cassé dans l'évier. »

Il crut vaguement se souvenir de ce jour-là, un jour où il vidangeait la voiture lorsqu'il avait entendu un bruit de verre brisé.

« Pourquoi à ce moment-là ? Pourquoi a-t-elle

attendu si longtemps pour te l'annoncer précisément ce jour-là ?

— Ils avaient décidé de ne jamais m'en parler,
à cause de ce qu'il avait fait. Mais elle n'en
pouvait plus. Elle voulait que je sache comment il
était. Que je le voie différemment. »

Il lui a également donné des petits paquets,
tous de nature différente. Un jour, il improvisa un
pique-nique avec sandwiches au thon, raisin, eau
fraîche en thermos, et, comme dessert, des petits
gâteaux achetés à la pâtisserie. Mardi, il lui offrit
un collier en or qu'elle mit pour se baigner. Un
autre jour, après avoir fouillé tout le comté, il lui
apporta un livre en braille emprunté dans une
bibliothèque située à plus de trente kilomètres de
là. Il s'agissait de *Mon Antonia*. Elle lui avait dit
qu'elle avait appris le braille lors de son premier
séjour à l'hôpital, mais qu'elle n'avait pas eu un
livre en braille depuis des années, depuis qu'Edith
avait cessé d'en rapporter à la maison peu après
le retour d'Eden. Il la regarda palper les caractères
en relief en s'efforçant de se rappeler les lettres.
Tous les jours, il apportait le livre et la regardait
lire. Il lui proposa qu'elle le garde et le cache dans
un tiroir, mais elle refusa : elle ne voulait pas
courir le risque qu'Edith découvre leur relation.

« Elle doit se douter de quelque chose, dit-il.

— Elle n'en parle jamais. Je suis très prudente.

— Pourquoi ne pas la mettre au courant une
bonne fois pour toutes ?

— La mettre au courant de quoi ?

— Que nous avons l'intention de nous voir quand bon nous semble.

— Elle ne sortira plus alors. Elle n'ira pas travailler.

— Mais pourquoi ?

— Elle a peur de toi.

— Peur de moi ? C'est ridicule.

— Ce n'est pas aussi simple », répondit-elle.

La vie d'Andrew se résume à une simplicité qu'il n'aurait pas crue possible. Il vit pour les minutes comprises entre dix et quatorze heures. Il s'éveille tôt, avec l'aube, et bricole dans la maison. Dans les heures les plus fraîches de la journée, il a réparé la moustiquaire déchirée, terminé la gouttière, repeint le perron et décapé les boiseries de la cheminée du salon. Parfois, il se rend vaguement compte qu'il effectue tous ces travaux pour pouvoir mettre la maison en vente, mais depuis son départ manqué d'il y a six jours, il refuse de songer à l'avenir. Il ne s'imagine plus monter dans la BMW pour partir définitivement, mais il n'envisage pas non plus les conséquences s'il ne le fait pas. Résultat, il est fermement décidé à ne pas y penser, à vivre au jour le jour, à ne pas échafauder de projets. Il a remarqué, toutefois, que les objets rangés dans les cartons, ont commencé à émerger, à se propager peu à peu dans toute la maison. Lundi, comme prévu, il s'est rendu au bureau de T. J., mais contrairement à ce que pensait T. J., pas pour lui laisser ses clés. Il annonça à T. J., qui pivotait sur un siège gris, observant Andrew avec méfiance, qu'il avait besoin de quelques jours de plus pour finir les travaux de restauration entrepris dans la maison. Il devait à ses parents, expliqua-t-il plutôt maladroitement, de laisser la maison en bon état. T. J. laissa son siège se redresser d'un coup sec et se leva, rajustant sa ceinture. « Ce n'est pas un problème pour moi, vieux, répliqua-t-il sans regarder Andrew. Du moment que tu sais ce que tu fais. »

Ses après-midi sont aussi rythmés que ses matinées. Après avoir quitté Eden, il se rend au centre commercial à la recherche de cadeaux qu'elle ne peut pas garder. Il est devenu un habitué du centre commercial. Il lui a acheté une robe d'été couleur pêche et un exemplaire d'*Ethan Frome* qu'il compte lui lire. Il a acheté une boîte de chocolats qu'ils ont liquidée un jour après la baignade. Il lui a acheté un écran solaire pour le visage et un chapeau de paille à large bord. Aujourd'hui, il a acheté quelque chose de spécial, la plus ingénieuse de ses acquisitions.

« Je vais me baigner. » Elle s'étire et s'assoit.

« Je viens avec toi.

— Non. Je peux y aller seule maintenant. »

Sur le point de protester, il se ravise. Il n'y a aucune raison pour qu'elle ne se baigne pas toute seule. Son sens de l'orientation est déconcertant. Il a remarqué que chaque jour, elle entrait dans l'eau et en ressortait exactement au même endroit. Il se demande comment elle fait : tâte-t-elle le chemin du pied ou bien se dirige-t-elle à l'ouïe ?

Appuyé sur un coude, il la regarde marcher vers l'étang, entrer jusqu'à la taille puis plonger pour entamer la traversée. Il aime à la regarder nager. Ses mouvements sont nets, précis, et il s'enorgueillit de la voir reprendre des forces de jour en jour. Elle en est déjà à vingt longueurs ; s'ils avaient plus de temps, elle pourrait aller jusqu'à trente.

Il s'allonge, les mains derrière la tête. Il croit entendre, très vaguement, un lointain grondement de tonnerre. La chaleur étouffante, qui dure maintenant depuis huit jours, a battu tous les records. C'est comme si la ville tout entière et ses environs attendaient, à bout de souffle, la levée du siège. Il espère que c'est vraiment le tonnerre qu'il a entendu, qu'il viendra bientôt, cet après-midi, chargé de pluie torrentielle. Il imagine la pluie qui rebondit sur le sol craquelé, goutte des feuilles mouillées, ruisselle sur son visage et ses épaules tandis qu'il ferme les yeux et, reconnaissant, offre son visage à l'ondée...

Il se réveille en sursaut, ennuyé de constater qu'il s'est assoupi. Il ignore totalement combien de temps a duré cette absence : plusieurs secondes ? minutes ? Il se relève gauchement et trop vite. Il se sent le ventre creux. Il scrute l'étang. Pas de trace d'Eden. Il jette un regard autour de lui. Elle n'est pas non plus dans la clairière. Il l'appelle, avec hésitation d'abord, puis plus brutalement, tandis qu'il se précipite vers l'eau.

« Eden ! » hurle-t-il, comme s'il était en colère contre elle.

La surface de l'étang est mystérieusement lisse.

« Nom de Dieu ! » tonne-t-il, agitant les bras dans l'eau. Son cœur cogne frénétiquement dans sa poitrine. Ses poumons sont deux énormes ballons qui poussent sur sa cage thoracique. L'eau est comme de la mélasse. Cela lui rappelle les cauchemars de son enfance, où il n'arrivait pas à courir assez vite. « Bon Dieu de bon Dieu ! » crie-t-il, ne sachant dans quelle direction nager.

Il aperçoit, sur sa droite, une vaguelette, puis une main. Elle jaillit de l'eau à quelques mètres de lui, hors d'haleine. Elle sourit. Elle écoute pour savoir où il est. Elle agite la main dans sa direction.

« Mais qu'est-ce que tu fabriques, bon sang ? aboie-t-il, s'efforçant de reprendre son souffle.

— Je nage, répond-elle, surprise par le ton de sa voix. Que se passe-t-il ?

— J'ai cru que tu t'étais... »

Il tourne et se dirige vers la berge. Il se tient la poitrine à l'endroit où son cœur palpite, et fait le tour de la clairière, l'autre main sur la hanche. Elle reste dans l'eau, ne le suit pas. Quand il se rapproche du bord de l'étang, il la voit faire des vagues avec ses doigts, caresser distraitement la surface de l'eau. Il se jette dans l'étang, relevant les pieds jusqu'à ce que l'eau lui monte aux genoux. Il plonge dans sa direction. Il émerge devant elle, l'attrape à bras-le-corps, la soulève, la fait tournoyer et la laisse retomber à plat ventre. Elle refait surface, haletante, crachant de l'eau. Elle balaye l'eau de son avant-bras pour l'écla-bousser. Il plonge, la saisit par la cheville et la tire vers le fond. Il l'y maintient, l'embrasse, mais elle pousse sur ses épaules, se propulsant à l'air libre. Lorsqu'il resurgit pour respirer, elle rit. Il l'empoi-gne par la taille, la renverse, l'attire sur lui. Elle pivote abruptement, enfonce la tête d'Andrew sous l'eau et bondit par-dessus son corps. Quand il se redresse en titubant, elle est déjà presque sur la berge. Elle court, ruisselante, sur l'herbe, cherche la couverture du pied et s'assied, enroulant ses bras autour d'elle. Enfin rendue.

« Ce que tu peux être con par moments, Andy ! »

Ce mot est comme une mélodie qu'il pensait ne plus jamais réentendre. Il le transporte, le rend léger comme un jouet gonflable dans une piscine. Il barbote joyeusement tout en la regardant, puis se glisse hors de l'eau et se dirige vers la couverture. Il s'assied à côté d'elle.

« Je me suis endormi, et quand je me suis réveillé, j'étais perdu. J'ai cru que tu t'étais...

— Noyée ?

— Oui. »

Elle lui touche l'épaule, lui caresse le bras. « Pardonne-moi, dit-elle.

— Il se trouve que je me sens...

— Je suis responsable de moi-même.

— C'est plus que ça.

— C'est difficile à croire maintenant, mais il m'est arrivé de souhaiter une fois que *toi* tu te noies. »

Il contemple la surface de l'étang, redevenue vitreuse et dorée. « Je t'aime », dit-il.

Elle lui serre l'avant-bras. « Tu crois me connaître, mais tu ne me connais pas.

— Ça me suffit.

— Je pourrais dire que je t'aime aussi, mais je ne sais pas ce que c'est.

— Moi, je sais.

— J'aimerais pouvoir voir ton visage quand nous faisons l'amour », dit-elle après un long silence.

Il tourne la tête pour la regarder. Pousse un cri sauvage et passe un bras autour de ses épaules.

« Tant mieux, si tu ne le vois pas. Je dois avoir l'air ridicule.

Quelque temps plus tard, il consulte sa montre. « J'ai quelque chose pour toi. Autant te le donner maintenant. »

Elle ne proteste plus quand il lui offre des présents, et il s'en réjouit. Il attrape le sac en plastique qu'il a emporté avec lui.

« C'est un magnétophone qui fonctionne sur piles. » Il lui prend la main pour lui faire toucher le petit objet rectangulaire. « Il est facile à manipuler, et je t'ai apporté des livres-cassettes que tu pourras écouter. » Il sort les coffrets du sac en plastique. « Les nouvelles de Tchekhov, lit-il, et *Les Gens de Smiley* de John Le Carré. »

Elle tâte les boutons de l'appareil.

« Et voici le meilleur. » Il tire de son sac un casque. Lui rabat les cheveux derrière les oreilles, lui met les écouteurs et branche la prise. « Écoute ça. »

Il introduit la cassette de Tchekhov dans le magnétophone. « Hoche la tête quand le son sera au bon niveau. » Il tourne lentement le bouton du volume, et elle hoche la tête. Il l'observe pendant qu'elle écoute. Il appuie sur le bouton d'arrêt et lui retire le casque.

« Quand tu mets les écouteurs, personne ne peut entendre la cassette. Tu peux l'écouter dans ta chambre ; elle ne t'entendra pas. Et, comme il est petit, on peut le cacher facilement.

— Je ne sais pas, dit-elle, prudente.

— Fais-moi confiance. Là, donne-moi la main.

254

Je vais t'apprendre à t'en servir. » Il s'empare de ses doigts et lui montre les boutons. *Play. Stop. Eject. Record. Play.* Elle prend la boîte noire, écoute le texte lu. S'il trouve les bonnes cassettes, il sera en mesure de lui offrir tout un monde dont elle a été privée depuis tant d'années.

Elle appuie sur « Stop », enlève le casque.

« Quand pars-tu ? » demande-t-elle.

C'est la question qu'il a scrupuleusement évité de se poser ces six derniers jours. « Je n'en sais rien.

— Tu seras obligé de partir. Tu as ta vie que tu dois reprendre. Tu as un travail et un fils. »

Il s'affale sur la couverture et se frotte les yeux. « Je n'ai pas envie d'en parler maintenant.

— Ah, c'est toi maintenant qui n'as pas envie de parler.

— Ce n'est pas pareil. »

Elle repose le magnétophone et, s'appuyant sur une main, croise les jambes.

« Au début, dit-elle, j'ai dormi. Ensuite j'ai pleuré pendant très longtemps. Puis je me suis sentie coupable et j'ai compris que j'ai été punie.

— Punie pour quoi ?

— Pour ce que j'ai été.. »

Il garde le silence.

« Tu t'en souviens », ajoute-t-elle.

Il examine cet aveu. C'est un fragment de plus, une petite pièce du puzzle. Elle a dû le lui donner pour qu'il lui parle, pour qu'il lui fournisse en retour quelque indication sur l'orientation générale de son avenir. Le résultat, cependant, est à l'opposé. Il s'irrite ; il veut subitement en savoir plus, comme si elle n'avait fait que l'appâter.

« Ce n'est pas assez, rétorque-t-il impulsivement, sans la regarder. Il faut m'en dire plus.

— Il n'y a...

— Dis-moi tout.

— Il n'y a rien d'autre.

— Je ne te crois pas. Était-ce Sean ?

— Je ne m'en souviens pas.

— Tu sais que tu l'as dit, pourtant. On a dû t'en informer.

— Je sais que je l'ai dit une fois, mais je ne m'en souviens pas. Je n'ai aucun souvenir de cette période. S'il te plaît, ne fais pas ça. » Sa voix monte à la dernière phrase.

Même les yeux fermés, le soleil brille si fort qu'il doit plisser les paupières. Il regrette de n'avoir pas mis ses lunettes. Il s'assied vivement, sachant qu'il est allé trop loin. Du dos de la main, il lui effleure la cuisse. Elle a, s'aperçoit-il, les mains qui tremblent.

« Pardon », dit-il.

Elle se tient parfaitement immobile... malgré le tumulte, à l'intérieur, qu'il peut seulement pressentir. C'est un art où elle excelle, pense-t-il, ce calme apparent pour faire face à trop de ténèbres, trop de silence, trop de mauvais souvenirs.

« Est-ce le tonnerre ? » demande-t-elle.

Il tend l'oreille, mais n'entend rien. « Je ne sais pas. Tout à l'heure, j'ai entendu quelque chose qui ressemblait au tonnerre. J'espère bien que c'est le cas. Cette chaleur épouvantable finira peut-être par retomber.

— Je ne veux pas qu'elle retombe.

— Pourquoi ?

— Parce que ce sera autre chose, et nous serons différents. »

Il glisse la main dans son dos, l'attire à lui, si bien qu'elle se retrouve allongée sur lui.

« Nous n'avons pas le temps, dit-elle. Je le sens. »

Il étend le bras et regarde sa montre derrière la tête d'Eden. « Il est exactement une heure sept. » Il l'embrasse, maintenant sa tête avec ses avant-bras. Elle remue légèrement, s'installe pour faire de la place à ses seins, à ses hanches.

« Je crois que ce lieu nous aime bien, dit-elle. Je crois qu'il a envie qu'on reste. »

Levant les yeux sur les arbres au-dessus de leurs têtes, il pense qu'elle a raison : de l'étang et de la clairière émane une indéniable impression de bien-veillance. Jadis ils ont abrité leurs jeux d'enfants. Aujourd'hui, des années plus tard, laissés à l'abandon et envahis par la végétation, ils accueillent leurs amours.

Lorsqu'il entre dans la cuisine, les bras chargés de paquets du supermarché, un sac en plastique du centre commercial se balançant entre ses doigts, il entend la sonnerie du téléphone. Il laisse tomber ses emplettes sur la table de cuisine et décroche.

« Andrew ?

— Jayne.

— Vous avez l'air essoufflé.

— Oh, un peu. Comment allez-vous ?

— Je vais bien, Andrew. À mon avis, la vraie question est : comment allez-vous, vous ? »

— Ça va mieux. Ça va mieux, répond-il vaguement.

— On m'a demandé d'appeler...

— Je sais. J'aurais dû téléphoner.

— Vous allez rentrer, n'est-ce pas ?

— Oui. Bientôt. Est-ce vraiment catastrophique, là-bas ?

— Tout ce qui peut aller de travers...

— Et Geoffrey ?

— Comme d'habitude. Au dernier stade de la crise de nerfs. »

Par la fenêtre de la cuisine, Andrew aperçoit une longue traîne de nuages d'argent terni qui s'assemblent sur l'horizon à l'ouest.

« Jayne, avant que vous ne prononciez un mot de plus, sachez que j'ai décidé de prendre quelques vacances. J'en ai beaucoup à rattraper, mais il ne s'agirait en fait que de huit ou dix jours. »

Le téléphone se tait.

« Jayne ? »

Il croit que la communication est coupée, mais juste au moment où il s'apprête à raccrocher, une voix masculine résonne dans l'écouteur.

« Andrew. »

Un seul mot, et Geoffrey, avec son mètre quatre-vingt-dix, apparaît clairement devant ses yeux. Debout à côté du bureau de Jayne, il tripote son nœud de cravate. Andrew voit la monture d'aviateur noire avec des verres teintés, la moustache brune soigneusement taillée avec quelques poils gris, les luxueuses chaussures pointues, noires et luisantes.

« Geoffrey.

— Désolé pour ta mère.

— Merci.

— Mais ce n'est pas pour cela que j'appelle.

— Je m'en doute.

— Le moment est mal choisi pour prendre des vacances. À l'heure où je te parle, l'agence croule sous le poids du projet. Il se pourrait même que nous l'éjections pour repartir à zéro avec quelqu'un d'autre. Nous avons besoin de toi, Andrew, pour resserrer les rênes, pour reprendre les choses en main. Le produit est prêt depuis six semaines.

— Je sais.

— Tu rentres, donc. Demain ?

— Non.

— Alors quand ?

— Je ne rentre pas.

— Du tout ?

— Je ne peux pas. Pas tout de suite. Désolé, Geoffrey. »

Un long silence accueille cette déclaration.

« Je pense que tu devrais y réfléchir sérieusement, Andrew. Songe à ce que j'ai dit.

— Promis.

— Je veux que tu rappelles demain. Après avoir réfléchi. Tu pourras prendre un mois de vacances quand ce sera terminé.

— Il ne s'agit pas de vacances à proprement parler, Geoffrey. Simplement, je ne peux pas partir dans l'immédiat.

— Je ne voudrais pas être obligé de dire que ton poste est en jeu.

— Oui.

— Je ne voudrais pas que ce genre de considération entre en ligne de compte.

— Oui.

— Alors ne m'y accule pas, OK, mon petit vieux ?

— Oui.

— C'est tout ce que tu as à dire ?

— Je pense. Cela n'a rien à voir avec toi, Geoffrey. Je ne cherche pas à te mettre dans le pétrin.

— Alors agis en conséquence.

— Je te téléphonerai.

— Je compte sur toi. »

Andrew presse l'écouteur contre son oreille longtemps après qu'il a entendu le déclic à l'autre bout du fil. Il repose le combiné et s'approche de la fenêtre, sur la gauche, pour mieux voir la couverture nuageuse sur l'horizon. Il distingue, nettement cette fois, un long roulement de tonnerre au loin. Comme si la ville attendait l'arrivée d'une armée de libération.

La situation au bureau doit être pire qu'il ne l'imaginait, pour que Geoffrey le menace... même si, Andrew le sait, ce ne sont que des mots. Il faudrait qu'il s'absente bien plus longtemps sans autorisation pour que Geoffrey se sépare de lui. Cette certitude, curieusement, le déçoit. En ce moment, un licenciement le soulagerait, le dispenserait de la responsabilité pour le futur.

Le téléphone sonne à nouveau.

« Andrew ? »

La réaction chimique dans son larynx lui fait baisser la voix d'une demi-octave.

« Martha.

— Où es-tu ?

— Ici, me semble-t-il.

260

« — Je veux dire, pourquoi n'es-tu pas rentré ? Tu ne devais rester qu'une semaine.

— J'ai décidé de prolonger un peu, de prendre quelques vacances.

— Quelques vacances ? Et Billy, as-tu pensé à lui ? Il t'attend. »

Andrew grimace. Ce fait, qu'il a occulté pendant six jours, tout absorbé par l'attention qu'il porte à Eden et par les menus travaux dans la maison, jaillit de sa boîte et submerge sa conscience tout entière.

« C'est l'affaire d'une semaine seulement », dit-il, d'une voix qui vient de monter d'un cran. Il se racle la gorge. « J'ai une ou deux questions à régler.

— Andrew ?

— Quoi ?

— Tu as l'air bizarre. Tout va bien ?

— Non. Pas vraiment.

— Que se passe-t-il ?

— Je ne peux pas en parler maintenant. Désolé. Dis-moi comment va Billy.

— Il est en pleine forme. Tout bronzé. Il se porte comme un charme. Mais je crois que tu vas être obligé de lui parler.

— Je sais. Passe-le-moi. »

Il attend, le cœur serré, la voix son fils.

« Papa ?

— Salut, Billy. Qu'est-ce que tu fais ?

— Maman et moi sommes en train de construire un navire de guerre avec mes Lego. Je ne peux pas sortir parce qu'il pleut. Tu viens me chercher maintenant ?

261

— Non, Billy. Pas aujourd'hui. Je suis toujours chez grand-mère. »

Andrew entend un long soupir, comme celui d'un vieillard. Ce soupir le pénètre jusqu'à l'os, dans un frisson.

« Billy ?

— Tu viens demain ?

— Demain, je ne peux pas. Bientôt. Je viendrai aussitôt que je pourrai. Je t'aime et tu me manques.

— Moi aussi je t'aime, papa.

— Aujourd'hui, je suis allé me baigner dans un étang. Devine de quelle couleur était l'eau.

— Verte ?

— Dorée.

— Est-ce qu'il y a des poissons dedans ?

— Des tas de poissons.

— Pourrions-nous y aller un jour ?

— Bien sûr. On verra.

— Pépé m'a emmené pêcher dans l'océan.

— As-tu attrapé quelque chose ?

— Non. Enfin, si. J'ai attrapé plein d'algues.

— Tu es sage, hein, Billy ?

— Oui.

— Et je viens bientôt.

— OK.

— Puis-je parler à maman maintenant ?

— OK. Au revoir, papa.

— Au revoir, Billy. Je t'aime. »

Andrew se laisse tomber sur une chaise près du téléphone, pose sa tête sur sa main.

« Tu ne sais donc pas quand tu seras là », dit Martha. Elle aspire et expire. Dans l'intervalle, elle a allumé une cigarette.

« Je te préviendrai.

— Tu sais, Jayne a téléphoné ici ce matin. Elle voulait savoir ce qui se passe.

— Il ne se passe rien. Je suis épuisé, c'est tout. Il me faut du temps.

— C'est ce que tu dis. J'essayerai de tenir Billy. Mais n'attends pas trop longtemps. Il ne t'est jamais arrivé de ne pas venir quand tu l'avais promis. Je ne suis pas sûre qu'il comprenne.

— Laisse-moi une semaine de plus. C'est tout. Je suis certain que tout sera réglé d'ici là.

— Tu n'as pas l'air bien.

— Je suis très bien. C'est ça, le plus drôle.

— Je n'aime pas beaucoup ça. Tu n'es pas très cohérent.

— Ne t'inquiète pas. Tout ira bien. Embrasse Billy pour moi.

— Andrew ?

— Oui ?

— Fais attention à toi. »

Il se lève et se dirige aussitôt vers le frigo. Il prend une bière, l'ouvre et, la tenant dans une main, sort ses achats des sacs en papier et les range au frigo et dans le placard. Le demi-litre de glace dont il a oublié l'existence a dégouliné dans le sac. Au beau milieu de cette occupation, il ouvre la porte de la cuisine et sort sur le perron. De là, il peut voir clairement la progression de l'armée sur la ligne d'horizon. L'orage avance lentement ; c'est à peine si les feuilles commencent à frémir dans les arbres. Bientôt, elles vont se retourner, briller de leur revers argenté, tandis que les nuages engloutiront le soleil. Au loin, il voit un éclair, entend de nouveau le grondement sourd du tonnerre.

Le téléphone se remet à sonner. Andrew ne bronche pas. Au bout de sept sonneries, ça s'arrête. Quand il est sûr que son correspondant a renoncé, il rentre dans la cuisine et jette la canette vide dans la poubelle. Il sort de la cuisine pour monter dans sa chambre quand la sonnerie retentit encore une fois.

« Andy, mon pote.

— T. J.

— Ça va, vieux ? Je te croyais parti depuis belle lurette.

— Je suis toujours là.

— Enfin, quoi qu'il en soit, j'ai une bonne nouvelle pour toi.

— Quoi donc ?

— Je viens juste de recevoir un coup de fil de ta voisine, Edith Close. Elle vend, elle aussi. Elle veut déménager. C'est génial, non ? Maintenant que les deux maisons sont à vendre, nous pouvons en tirer un bien meilleur prix. »

Toute la nuit, les orages bombardent la ville ; vague après vague, ils assaillent ses portes, s'arrêtent puis recommencent. Les échauffourées – exhibitions impudiques de lumière derrière la moustiquaire, ponctuées de coups de tonnerre assourdissants – troublent les rêves d'Andrew, le réveillent en sursaut une bonne douzaine de fois avant l'aube. Le matin, rien n'a changé, si ce n'est un rideau de lumière grise qui se lève sur les arbres ployés et la pelouse jonchée de débris : branches, brindilles, feuilles et fleurs fanées d'hortensia. Il se réveille une dernière fois, la bouche sèche,

264

trempé par l'humidité tenace qui refuse de capituler. Les draps de son lit en sont devenus rêches. Il roule du lit, enfile le jean, la chemise et les tennis qui gisent sur le plancher. Il entre en titubant dans la salle de bains sombre, presse le bouton de l'interrupteur et reste un instant perplexe car le plafonnier ne s'allume pas. Pour s'assurer qu'il ne s'agit pas simplement d'une ampoule grillée, il tend la main vers l'interrupteur du couloir et constate que, là aussi, le courant est coupé. Il descend pesamment l'escalier, traverse le salon et la cuisine, s'arrêtant juste le temps de boire un verre d'eau.

L'air du dehors est chargé : il croit sentir une faible odeur d'ozone. Il ne pleut pas, mais en observant le ciel au-dessus de la ville, sans la moindre brèche dans la masse nuageuse, il sait cette accalmie trompeuse. Il longe le chemin, passe devant un volet vert délavé qui a dû tomber d'une fenêtre des Close pendant la nuit. Au bord de la route, il fait une halte. Il n'a pas de but précis ; il voudrait seulement s'éloigner quelque temps des deux maisons pour réfléchir. À sa droite, il y a la ville avec ses lotissements qui grignotent de plus en plus de terrain le long de la route en direction de sa maison. À sa gauche, il y a un grand espace vide où la route coupe à travers champs de maïs et labours jusqu'à la ville suivante. Il tourne à gauche.

Il marche sur l'asphalte, les mains dans les poches, s'écartant de temps à autre vers le fossé quand il entend venir un camion ou une voiture. Il s'étonne de la quantité de débris sur la route et se demande où les câbles électriques ont bien pu céder pour provoquer la panne de courant. Il se demande aussi si le snack a ouvert ses portes pour le petit déjeuner, si T. J. et sa femme se sont rendu compte, dans leur capsule isolée, qu'il y a eu des orages sur le comté. Il tente d'imaginer comment ils vont survivre sans l'air conditionné si eux aussi ont eu une coupure d'électricité. Il se demande si les femmes et leurs bébés s'apprêtent à se rendre au centre commercial, ou si les gens resteront chez eux aujourd'hui.

Il parcourt peut-être cinq ou six kilomètres avant de prendre conscience de la distance qu'il vient de franchir. Il a réussi à ne pas trop ruminer, ce qui était, découvre-t-il, le but recherché. De part et d'autre, la route n'est bordée que de champs. Une déflagration brutale le prend au dépourvu : il n'a pas vu d'éclair précédant le coup de tonnerre, mais il a l'impression que le tonnerre est tout proche, juste au-dessus de son épaule gauche. Le ciel est en train de s'assombrir, comme pressé de retourner à la nuit. Il pense qu'il devrait faire demi-tour, que dans son état de torpeur, il est allé beaucoup trop loin. C'est une folie, il le sait, de marcher sur une route découverte, si loin de tout abri, à l'approche de l'orage.

Au moment de tourner, il remarque, au milieu de la chaussée, à une quinzaine de mètres de lui, une petite forme qui ne devrait pas être là, qui ne ressemble ni à une branche d'arbre ni à une tige de maïs. Il plisse les yeux pour mieux la distinguer, partagé entre l'envie d'aller voir de plus près et celle de rentrer à la maison. Il avance de quelques pas afin de mieux voir, pensant reconnaître la silhouette d'un animal. Celui-ci remue légèrement, lève la tête. Le zigzag acéré d'un éclair dans les champs, sur sa gauche, illumine le paysage : la route mouillée, les vagues de maïs ondulant, la forme recroquevillée. Il sent des gouttes d'eau sur ses cheveux et sur ses épaules – annonciatrices d'un nouvel orage –, immédiatement suivies d'une averse. Il s'approche en courant de la forme, s'accroupit à côté. Une tête de beagle se tourne vers lui, les yeux calmes et tristes. Le chien regarde Andrew comme s'il cherchait une explication à cette calamité, puis repose la tête sans cesser de l'observer. La foudre semble frapper la chaussée à moins de trente mètres d'Andrew, le faisant sursauter. Le coup de tonnerre est si soudain, si violent, que le chien relève la tête. Andrew s'aperçoit que les pattes arrière de la bête ont été broyées, et qu'il y a une tache de sang, longue environ d'un mètre, sur l'asphalte – que la pluie est en train de noyer – là où l'animal a essayé de se traîner. Andrew scrute la route dans les deux sens. Au loin, venant de la ville, il voit les phares d'un véhicule. Un autre éclair, puis encore un autre, deux zébrures inégales, transpercent l'espace où il se trouve avec le chien, le faisant frissonner involontairement. Depuis son enfance, il a toujours eu peur des éclairs. Il se baisse et tente de soulever le chien. Celui-ci gémit faiblement. Les phares de la voiture sont plus distincts ; ils se rapprochent rapidement. Andrew prend l'animal dans les bras, sentant le poids mort de son arrière-train. Le chien lève la truffe, s'efforce de renifler le visage d'Andrew. Il l'emporte vers un carré d'herbe au bord de la route et l'y dépose aussi doucement que possible. La voiture passe en trombe devant eux, projetant une fine gerbe d'éclaboussures dans leur direction. L'orage se déchaîne maintenant juste au-dessus de leurs têtes, crachant ses éclairs sans la moindre retenue. Andrew se plaque au sol pour ne pas servir de cible, puis s'allonge à plat ventre sur l'herbe, à côté du chien. Le tonnerre est si fort – ou sa peur subite des éclairs qui l'accompagnent si paralysante – qu'il est incapable de bouger, sauf pour se cacher la tête. Il préfère ne pas regarder, mais il sait, le souffle court, que tout autour d'eux les éclairs dansent sauvagement dans les champs de maïs. Il a des fourmillements dans la colonne en pensant à son dos exposé, champ magnétique qui ne cherche qu'à attirer la charge mortelle. Il étend les bras devant lui, palpe la terre. Le vacarme du tonnerre va crescendo comme un orchestre pris de folie. Il presse son front contre le sol herbeux et attend.

Lorsqu'il entend le tonnerre faiblir, il se relève et s'assoit. Il essaie de se sécher le visage avec sa manche. Les yeux du chien sont fermés. Il pose la main sur la tête de l'animal, flatte le corps inerte. Le chien a cessé de haleter ; il ne respire plus du tout.

« Tout va bien », dit-il, caressant ses poils trempés. La pluie les mouille tous les deux, indifférente aux vivants et aux morts. Il songe au silence du chien à l'approche de la mort. Ses pattes arrière ne le faisaient-elles pas souffrir ?

Puis, tellement trempé qu'il se met à grelotter, il pense aux blessures et aux dégâts. Des pensées chaleureuses, familières, lui viennent à l'esprit ; c'est de cela qu'il a essayé de rêver, toute la nuit, grossièrement interrompu dans son exploration par le tumulte de l'orage nocturne.

Peut-on effacer, réparer les dégâts ? interroge-t-il silencieusement.

« Et qui d'entre nous n'a pas subi de dégâts ? » interroge-t-il tout haut.

Il pense à T. J., cloîtré dans sa foi en la moralité des choses matérielles.

Il pense à Martha, déformée dès son plus tendre âge par une colère qui a refusé de s'expliquer ou de l'abandonner.

Il pense à Geoffrey qui, avec ses chaussures pointues et ses coûteux complets sombres, consacre dix heures par jour à la représentation qui se déroule en haut d'une tour de verre et d'acier.

Et il pense à lui-même, engagé depuis si longtemps dans la même aventure, au détriment de ce qui lui était le plus cher au monde : sa paternité au quotidien.

Eden est-elle plus atteinte que lui ? Que n'importe lequel d'entre eux ? Était-ce insensé de croire qu'il pouvait, par son amour, guérir les plaies de son passé ? Ou elle, les siennes ?

Un camion vert rouillé passe devant Andrew, pile, manquant déraper sur la chaussée mouillée, et recule jusqu'à lui. Un homme entre deux âges, vêtu d'un T-shirt jadis blanc et d'un feutre marron, se penche par-dessus le siège avant et baisse la vitre. Il a une barbe de plusieurs jours et un trou à la place d'une canine.

« C'est à vous, ce chien ? » demande-t-il.

Andrew secoue la tête.

« Et vous voulez en faire quoi ?

— L'enterrer.

— Bon, alors jetez-le à l'arrière. Vous habitez dans le coin ? »

Andrew acquiesce, lui explique où il habite.

« Allez, montez », dit l'homme.

Il enterre le chien au pied de l'hortensia. La pluie rend sa tâche pénible car le trou qu'il creuse se remplit d'eau au fur et à mesure, tout en s'effritant sur les bords. Il faut que ce soit un trou assez grand et suffisamment profond pour contenir le chien et empêcher les animaux errants de le déterrer. Au premier éclair, il bat en retraite dans la cuisine pour boire une tasse de café. Il regarde par la fenêtre le chien et le trou à moitié creusé. Lorsqu'il n'y a plus d'éclairs, il ressort et se remet au travail. Par moments, il regrette de s'être lancé dans cette entreprise ; il sait qu'il doit réfléchir, planifier, dresser des listes en prévision de l'avenir immédiat. Il a peur d'avoir une idée et de ne plus s'en souvenir par la suite. Mais une fois le trou creusé, le chien placé au fond et le sol ratissé par-dessus, il est content de l'avoir fait.

Quand il entre dans la cuisine, elle n'est pas assise sur la chaise. Elle est debout devant l'évier et se retourne aussitôt qu'il ouvre la porte. Son expression semble agitée, indéchiffrable. Elle porte un long peignoir de bain bleu ; elle se frotte les bras comme si elle avait froid. Il s'est fait du souci toute la matinée à l'idée qu'Edith n'irait pas travailler ; aussi, quand il a entendu la Plymouth démarrer, il a levé les yeux au plafond en guise de remerciement.

« Que se passe-t-il ? » demande-t-il instantanément. Il ne s'approche pas d'elle. Ce n'est pas le moment : il le sent.

« Elle a découvert le magnéto.

— Comment ?

— Je la croyais en train de faire la sieste. Elle m'avait dit qu'elle allait s'allonger. J'avais mis le casque et j'écoutais les histoires quand elle est entrée dans la chambre. Normalement, j'aurais dû l'entendre arriver de loin, mais avec le casque, ce n'était pas possible.

— Je suis désolé.

— Elle l'a pris.

— Qu'a-t-elle dit ?

— Elle n'a rien dit. Elle est partie, c'est tout.

— Tu es au courant qu'elle vend la maison ? » Elle hoche la tête. « Je l'ai entendue téléphoner. Mais toi, comment le sais-tu ?

— C'est l'agence de T. J. qu'elle a appelée.

— Ah.

— Viens t'asseoir un peu. Il faut qu'on parle.

— De quoi veux-tu qu'on parle maintenant ?

— Allons dans ta chambre. J'ai envie de m'étendre à côté de toi pour te parler.

— Non, répond-elle précipitamment. Pas dans ma chambre. Je viens m'asseoir. »

Elle se dirige vers la chaise et s'y perche de mauvaise grâce, comme pour entendre un sermon auquel elle s'apprête à objecter. Elle croise les mains sur les genoux. Son visage, note-t-il, a repris son expression impassible pour tenter de dissimuler l'autre visage en dessous.

Il se penche pour lui prendre la main. Elle la lui abandonne à contrecœur.

« Ce soir, dit-il, je vais ranger la maison une bonne fois pour toutes. Quand je viendrai demain, je t'aiderai à faire tes bagages. Ensuite nous prendrons la voiture et irons chez moi, à New York. Nous laisserons un mot pour Edith. En arrivant, je demanderai quelques jours de congé à mon travail. Nous t'inscrirons dans un bon établissement pour aveugles, mais nous serons ensemble, nous vivrons ensemble. »

Il improvise à présent. Jusque-là, il a été incapable de voir plus loin que le voyage vers le sud, l'exultation de rouler sur l'autoroute.

Elle commence à secouer la tête.

« Quoi ? » demande-t-il.

Elle ne répond pas, mais il la sent se rétracter de plus en plus, centimètre par centimètre.

« Qu'y a-t-il ? interroge-t-il avec plus de véhémence.

— Je ne peux pas, dit-elle. Je ne peux pas partir.

— Mais pourquoi ?

— Je ne saurais pas comment faire.

— Je te suivrai pas à pas. On n'est pas obligé de rester à New York ; on peut aller n'importe où.

— Tu as un fils. Et moi, j'ai Edith.

— Tu as Edith ? demande-t-il, incrédule.

— Je ne peux pas la laisser. Il y a des choses entre nous que tu ne comprends pas, des choses que tu n'apprécierais pas me concernant, si jamais tu les apprenais.

— Rien de ce qui te concerne ne pourrait me gêner. Je t'aime. Je te l'ai dit. C'est simple.

272

« — Non, justement. Ce n'est pas simple du tout. »

Elle retire sa main, se lève et se fraye le passage vers l'évier.

« Je ne partirai pas d'ici sans toi, déclare-t-il. Je n'ai aucune autre priorité dans ma vie. »

Elle courbe les épaules et s'appuie sur le bord de l'évier. Il distingue le contour de son dos, sa taille sous le peignoir. Ses cheveux sont emmêlés ; elle ne les a pas brossés. Il y a des assiettes dans l'évier qu'elle n'a pas encore lavées. Elle passe ses paumes sur le rebord de porcelaine. Elle s'empare du robinet, le frotte avec la main.

Son silence inquiète Andrew. Il sent qu'il est en train de perdre du terrain. « Je ne partirai pas sans toi, répète-t-il. Et je ne laisserai pas... »

Elle l'interrompt. Elle pivote rapidement sur elle-même. « J'ai changé d'avis. Je veux monter dans ma chambre. »

Il devine qu'elle cherche à l'arrêter, à le détourner de son entreprise. Mais il suppose que, couchée à côté de lui, elle ne manquera pas de lui prêter l'oreille.

Il la suit à travers la salle à manger, le salon, dans l'escalier, puis, une fois sur le palier, dans la pièce obscure.

Par l'unique fenêtre, un éclair illumine des centaines de roses défraîchies sur les murs. Le papier peint se décolle, révélant une autre tapisserie, plus grise, en dessous. Quelqu'un autrefois, peut-être quand Eden était bébé, a décidé de recouvrir le papier sombre d'un autre, qui convenait mieux à une petite fille, mais n'ayant aucune expérience en matière de tapisserie, comme c'était le cas de Jim et Edith, il ou elle a simplement collé un papier sur l'autre. Curieusement, cette personne a également tapissé le plafond mansardé, mais le papier s'est décollé par endroits, mettant à nu le plâtre effrité. Le lit est poussé contre le mur, là où le plafond rejoint le plancher, avec seulement une trentaine de centimètres entre les deux. Il est pourvu d'un seul montant métallique, au pied, mais la peinture écaillée le rend plus moucheté que blanc. Un couvre-lit élimé en velours rose est soigneusement drapé jusque sous l'unique oreiller. Le plancher aux lattes larges est peint en brun chocolat. En face, il y a un petit bureau en bois d'érable recouvert d'un buvard vert taché. Sur le buvard, un poste de radio et une brosse à cheveux. À côté de la brosse, un sac en plastique fermé avec ce qui semble être une grosse motte d'argile humide à l'intérieur. Sur la chaise devant le bureau, il y a la robe d'été bleue.

Un nouvel éclair est presque aussitôt suivi d'un coup de tonnerre assourdissant. Andrew jette un coup d'œil par la fenêtre sur la pluie et les arbres qui vacillent. Le store roulé au-dessus de la fenêtre est déchiré en bas ; les carreaux n'ont pas été lavés depuis longtemps.

Presque midi, et il fait aussi sombre qu'au crépuscule.

C'est la première fois qu'il pénètre dans sa chambre en adulte ; adolescent, il lui arrivait de venir ici pendant qu'Eden allait chercher son gant de base-ball ou ses moufles. La pièce n'était pas nue alors, du moins pas dans son souvenir. À l'époque, son bureau était encombré d'un tourne-disque, de disques et de son attirail de sport. La coiffeuse croulait sous les habits. Dans le coin, se rappelle-t-il, elle gardait sa crosse de hockey et ses patins. Il croit également se souvenir d'être déjà venu ici par un jour d'orage comme celui-ci, mais il ne parvient pas à se rappeler tout de suite ce qu'ils ont fait à cette occasion. Il se souvient vaguement d'interminables parties de Monopoly, se prolongeant bien au-delà du stade où il aurait été heureux de lui concéder la victoire, à condition de s'y résoudre... ou était-ce chez lui qu'ils se retrouvaient les jours de pluie ?

Revenu à l'instant présent, il inspecte de nouveau la chambre. L'atmosphère qui y règne l'oppresse brusquement. Il imagine Eden, assise là quand tombe le soir. Il se demande s'il le supporterait, ou s'il chercherait un éclairage. Il y en a un, une applique murale à côté de la porte. Ce doit être pour Edith, quand elle vient ici le soir.

Il regarde Eden s'asseoir au bord du lit, comme en proie à un débat intérieur, puis s'allonger contre le mur. Elle soulève un genou, et son peignoir s'ouvre. Elle tend le bras pour l'inviter à la rejoindre.

Sa posture a quelque chose d'inconfortable. Il s'efforce de lire son visage. Déjà, elle est à des années-lumière de lui.

Il s'assoit sur la chaise du bureau. Il aimerait savoir ce qu'il y a dans ses tiroirs, si les « choses » qu'elle confectionne sont là-dedans. Son poste de radio est un vieux modèle, rond, en plastique marron. Il préférerait qu'ils retournent dans la cuisine, qu'ils recommencent à zéro.

« Je me sens seule ici », dit-elle.

Cette voix-là, il ne l'a pas entendue depuis des

années. Il se rappelle cet après-midi aussi clairement que s'il se trouvait en ce moment même au
bord de l'étang. *Tu peux toucher mon chemisier*,
avait-elle dit. La voix était la même. Mais il était
jeune alors, et il a résisté.

Il se baisse pour dénouer les lacets de ses tennis.
Elles sont toujours trempées depuis sa promenade.
Il repense au chien sous l'hortensia. Il aimerait
bien lui parler du chien. Il enlève sa chemise,
déboucle sa ceinture. Il pose ses vêtements sur la
chaise, par-dessus la robe bleue.

Il s'approche du lit, se couche à côté d'elle. Il
veut seulement la prendre dans ses bras, la ramener à lui. Mais sous son poids, le lit grince
brusquement dans le silence... les vieux ressorts
métalliques protestent contre cette charge supplémentaire. Hier, pense-t-il, ils en auraient ri ensemble, mais maintenant elle se fige, comme si elle
s'était complètement trompée dans ses prévisions,
comme si elle n'avait pas prévu cet écho. Vite, il
pose une main au creux de ses reins, l'attire contre
lui, mais elle se raidit entre ses bras.

« Eden. » Elle ne répond pas.

Il sent sa peur, ou quelque chose qui ressemble
à de la peur, dans les tendons et les muscles de
son dos. La peur, contagieuse, remonte le long de
son bras jusque dans sa propre poitrine. Alarmé,
croyant y couper court par un geste audacieux, ou
bien en resserrant son étreinte, il emprisonne brutalement les hanches d'Eden sous les siennes. Le
lit grince une nouvelle fois. Il l'embrasse, mais sa
bouche est vide.

« Qu'y a-t-il ? » La peur s'étend dans sa poitrine
comme un nuage.

Il lève les bras d'Eden, lui coince les mains sous l'oreiller.

« Qu'y a-t-il ? » insiste-t-il, lui secouant les poignets.

Elle plie un genou comme pour le repousser, mais il lui écrase la jambe et la plaque au lit. Il scrute ses yeux clos, son œil en amande. Elle détourne la tête.

« Qui était là avant moi ? » lui murmure-t-il avec force à l'oreille.

Elle pousse un cri et essaie de se tourner vers le mur. Il la lâche, mais l'enlace par la taille et la presse contre lui. Une main sur sa nuque, il la ploie en avant. Il soulève son peignoir jusqu'à ce qu'il forme un tapon au-dessus de la ceinture. Une sensation fulgurante lui transperce la poitrine quand il la voit ainsi mise à nue, trop blanche, trop vulnérable. Mais il est sourd à la raison ; seule la peur est son guide. L'empoignant par la hanche, il se glisse en elle par-derrière. Elle crie de nouveau comme s'il lui avait fait mal, mais il ne croit pas lui avoir fait mal. C'est autre chose qu'elle combat. Il voit ses vertèbres qui partent du bas du dos pour disparaître sous le peignoir. Sa main descend jusqu'au pli de l'aine et y reste.

« Dis-moi qui c'est », répète-t-il en haussant la voix.

Elle se cramponne au bord du lit pour résister à ses assauts. Il voit son épaule trembler sous l'effort. Au-delà de son épaule, il y a le papier avec les roses, passé, fissuré. Il se sent désorienté tout à coup car il n'est plus dans son lit, mais dans l'étang, cherchant à saisir sa main parce qu'elle est en train de couler.

« J'étais à lui », crie-t-elle dans le mur. Sa voix vibre, tendue, suraiguë.

« À qui ? » dit-il d'une voix rauque dans son dos. Il l'étreint avec force, plongeant sous l'eau pour l'atteindre ; il y est presque.

« *À Jim.*

C'est un gémissement qui lui parvient par-dessus l'étang. Il émerge à l'air libre. Le cri le rattrape, le cingle comme un brusque coup de vent. Il prend le nom, l'examine, se souvient.

Il s'interrompt, stoppé au milieu d'une phrase fébrile. Ses yeux se fixent sur les rayures bleues et blanches du peignoir. Son corps se détache d'elle de son propre chef.

Il émet un son comme un homme qui revient à la surface. Il roule sur le dos.

Dehors, un éclair étincelle de nouveau, mais il y prête à peine attention. Le tonnerre est plus assourdi qu'au moment où ils sont montés dans la chambre. L'orage doit s'éloigner. Les vitres tremblent dans leur châssis branlant comme secouées par une ultime rafale. Il balaye du regard le bureau, les vêtements sur la chaise, l'argile sur le buvard. Ses yeux reviennent se poser sur le plafond mansardé juste au-dessus de sa tête. Il examine le papier. Et remarque des trous minuscules autour du plâtre qui s'effrite. *La fusillade*, pense-t-il, *bien sûr*. Il doit y avoir d'autres trous minuscules dans la pièce.

Il se rassied avec effort. Se lève et s'approche de la fenêtre. Celle-ci résiste, puis cède. Sur la pelouse entre les deux maisons, il voit des petits tas de feuilles et de brindilles réunies par le vent.

Sous la masse des nuages, l'horizon est ourlé d'un rai de clarté.

Le peignoir d'Eden est toujours relevé jusqu'à la taille. Il revient vers le lit, se penche sur elle. Détache sa main du bord qu'elle agrippe toujours. Rabat le peignoir sur ses jambes. Puis il va à la chaise et s'assoit.

Il la regarde se retourner sur le dos. Avec la paume de la main, elle essuie un voile de sueur près de sa tempe. Déjà, par la fenêtre ouverte, s'engouffre un soupçon de fraîcheur.

De part et d'autre, le bureau est garni de tiroirs ; ceux du bas sont les plus profonds. Il ouvre. le tiroir de droite. Dedans il y a une forêt de figurines en argile grise. Il en prend une et la pose sur le buvard. Elle représente une femme nue, assise sur une chaise à dossier droit qui rappelle celle de la chambre. Sa tête est penchée ; son long dos, incurvé. L'une des jambes est étendue, l'autre pliée. La sculpture est haute d'une quarantaine de centimètres, mais il peut distinguer les fins sillons à côté d'un œil. La chevelure, épaisse et emmêlée, cascade sur le dossier de la chaise. La ressemblance est extraordinaire, mais il y a plus que la ressemblance. C'est la remarquable douceur du corps contrastant avec la forme carrée de la chaise.

Il jette un coup d'œil en direction d'Eden. Elle l'a sûrement entendu ouvrir le tiroir. Il sort une autre figurine. Encore un autoportrait, une femme avec une robe d'été boutonnée sur le devant, se baissant pour ramasser une chemise. Il fait courir ses doigts sur les plis de la robe, admire la manière dont elle s'ouvre sur la femme penchée.

« Elles sont magnifiques », dit-il.

Elle ne répond pas, se détourne légèrement de lui.

« C'était donc ça. »

Il pioche de nouveau dans le tiroir. Une femme en chemise de nuit, couchée sur le flanc.

« Elle m'apporte de l'argile, dit Eden. Mais au bout d'un moment, elles se dessèchent et cassent.

— Mais on pourrait les faire cuire dans un four, non ? Ou les couler dans du métal. Elles sont belles. » Il éprouve une sensation, comme de soulagement, à la pensée qu'elle a eu cela... et ensuite une autre sensation, l'admiration, parce qu'elle a su créer tant de beauté dans cette pièce nue.

Elle croise les bras comme si, de nouveau, elle avait froid. Elle se redresse, s'assoit. Une autre rafale de vent ébranle la fenêtre.

« Pardon, dit-il. Je n'aurais jamais dû te forcer ainsi.

— Ce n'est pas grave », répond-elle.

Il fait glisser ses doigts sur la chemise de nuit en argile.

« Ce matin, je suis allé faire un tour et j'ai trouvé un chien au milieu de la route. Il avait été renversé par une voiture et il ne pouvait plus bouger. Mais il était encore vivant. Je l'ai transporté sur le bas-côté. Je me suis étendu près de lui pour laisser passer l'orage, et quand je me suis relevé, il était mort. »

Elle resserre le peignoir autour de ses jambes.

« Un homme qui passait par là avec son camion m'a permis de ramener le chien à la maison. Je l'ai enterré ce matin, sous l'hortensia. »

Elle courbe les épaules et se frictionne les bras.

« Mais ce qui m'a frappé chez ce chien, c'est

qu'il ne s'est jamais plaint. Tu te souviens un peu de tout ça... le patinage, les rails, le base-ball ? »

Elle lève le menton comme pour réfléchir.

« Je me suis remémoré ce matin, après avoir trouvé le chien, le jour où tu as reçu le palet sur la pommette. Tu te rappelles ? C'est Sean qui l'a envoyé, et il t'a cognée sous l'œil. Tu es devenue toute blanche, mais tu n'as pas pleuré. Je ne l'oublierai jamais. Tu n'as pas proféré un son. »

Elle se lève et s'approche de la fenêtre, lui tournant le dos. Ses bras sont serrés sur sa poitrine.

« Je l'ai toujours eu dans mon lit, dit-elle, depuis le début. Il s'allongeait près de moi pour me border quand j'étais petite, et quelquefois nous nous endormions côte à côte.

— Tu n'es pas obligée de m'en parler. »

Elle frotte un carreau avec son doigt. « Elle n'aimait pas ça, qu'il soit avec moi. Mais elle ne pouvait rien faire. Elle-même ne voulait pas me toucher. »

Il l'observe de la chaise. Elle est en train de tracer des cercles parfaits sur la vitre.

« Quand j'ai grandi, elle lui a dit que j'étais trop âgée pour qu'il continue à faire ça. Elle pouvait le dire à ce moment-là, et il a arrêté. Puis elle a pris un travail de nuit, et il est venu quand elle n'était pas là. C'est là que ça a commencé, quand nous savions tous les deux que nous nous cachions d'elle. »

Comme nous, pense-t-il subitement. Mais il garde le silence.

Elle se tourne vers lui, s'adosse au rebord. « Je n'ai jamais dit non, ni la première fois, ni après.

C'était tout ce que j'avais à lui offrir. À offrir à quiconque. »

Il caresse la statuette qu'il tient dans la main. Il n'y a rien qu'il puisse répondre à cela. Il pourrait dire : *Ce n'était pas ta faute*, mais cette phrase n'a aucun sens, le mot *faute* ne correspond à rien. Ce genre d'intimité le dépasse un peu. Il sait qu'il doit y avoir des séquelles, des ramifications à cette existence anormale qu'elle a menée ; sans doute pourrait-il dire que cela explique sa conduite à l'époque, mais ce serait se livrer à des spéculations stériles, dénuées de fondement.

Son regard tombe sur les lattes chocolat sous ses pieds. Quelque part sur ce plancher, Jim est mort, et Edith l'a trouvé, puis son père les a découverts tous les trois. Le sol se dérobe lorsqu'il essaie de faire resurgir l'image de Jim. Bientôt, ses souvenirs de Jim devront être refondus, redessinés. Tout comme ses souvenirs d'Edith, pense-t-il, hagard.

« Elle le savait ? » demande-t-il.

Eden ne lui répond pas directement. Elle appuie la tête contre la vitre. « J'ai eu toutes ces années pour me demander *pourquoi*, et je ne connais toujours pas la réponse. Je la connaissais mieux alors ; je la sentais. Maintenant j'en suis incapable. Elle n'était pas froide avec lui. Ce n'était pas ça. Il aimait les très jeunes filles. Il fallait qu'il boive avant de venir me retrouver, mais il a toujours été doux, il ne m'a jamais fait mal. Ce n'était pas ce que tu penses. Je ne sais pas comment tu appellerais ça. Je ne me souviens même plus de son visage. »

Il pose la sculpture sur le buvard et s'approche

d'elle. Il la prend par les épaules, attire sa tête sur sa poitrine. Il redoute de formuler la question, sachant que sa réponse sera définitive, irrévocable. Mais il faut qu'il sache.

« Tu viendras avec moi. » Il essaie de le dire sur un ton léger, mais elle doit entendre les battements de son cœur dans sa voix.

Elle ne le fait pas attendre. Elle hoche la tête, d'un tout petit geste.

Le ballon au-dedans de sa poitrine enfle, explose. Il la soulève, les prenant tous deux au dépourvu, et l'emporte vers le lit. Elle ne pèse rien, ne lui résiste plus. Il la dépose avec douceur sur le couvre-lit rose. Il s'assied au bord du lit et baisse les yeux sur elle, lui tenant le poignet. Puis il se penche sur elle, l'embrasse tout en dénouant sa ceinture. Sa main trouve sa peau, et elle se pousse pour lui faire de la place à côté d'elle. Il essaie de dégager ses bras du peignoir, et elle l'aide. Son abdomen, sa poitrine s'embrasent... elle doit capter la chaleur qui irradie de ses pores. Il la recouvre de son corps. Elle palpe son visage, le déchiffre. Il sent le goût du sel au bord de l'œil en amande. Elle murmure quelque chose de pas très intelligible. Il pense qu'elle dit son prénom dans son oreille. Elle ouvre les cuisses, le guide, et il sent, tandis qu'elle le prend en elle, plus d'amour concentré là qu'il ne croyait en avoir. Elle remue lentement contre lui : aucune échelle de temps ne saurait mesurer cela. Elle a noué ses bras par en dessous autour de ses épaules. Il sent son pied s'enrouler autour de son mollet. Bientôt, ils prendront la route du sud, de la grande ville. Il lui achètera des vêtements, et elle les portera. Elle coulera ses portraits dans des métaux précieux. Il lui fera rattraper le temps perdu ; il lui donnera tout ce qu'on lui a pris. Le lit grince bruyamment, allégrement, sous leur double poids. Il se représente un couple de personnages lubriques d'une pièce qu'il a lue il y a des années, et il a envie de lui parler de cette image lascive. Il penche la tête pour lui embrasser les seins. Il veut lui parler du voyage, de tout ce qui les attend. Les images tourbillonnent comme les fragments colorés dans un kaléidoscope. Ils sont avec Billy, et Andrew leur fait des crêpes. Ils sont sous la courtepointe de sa mère dans son lit à New York, en train de boire du vin. Ils sont dans une salle de concert en train d'écouter un récital de piano. Sa bouche descend le long de son cou ; il glisse ses mains sous elle.

Mais elle pousse sur ses épaules. Il ne comprend pas. Il est désarçonné : la coupure a été trop brutale. Il sent les ongles d'Eden s'enfoncer dans sa peau.

Il se soulève pour voir son visage et y lit la terreur. Il entend alors, trop tard, ce qu'elle a entendu, sur les lattes du plancher. Il pivote pour faire face à la porte.

Edith se tient dans l'encadrement de la porte avec quelque chose de volumineux et d'étrange dans les bras... spectacle incompréhensible et dénué de sens dans l'univers qu'ils viennent de créer. Il cherche à raisonner, à s'éclaircir les idées. Derrière lui, Eden pousse un cri. Instinctivement, il lève le bras, la main, pour se protéger de l'apparition sur le pas de la porte, au moment même où elle approche cette chose étrange et volumineuse de son visage. Il veut crier *Attendez*, et peut-être le fait-il. L'adrénaline afflue dans ses cuisses, dans ses mollets. Il bondit.

C'est un bond d'athlète, d'ailier gauche qui frôle le ciel pour saisir le ballon en plein vol, de gardien de but catapulté de la glace pour empêcher l'adversaire de marquer. Il rattrapera le ballon, le palet. Il le sait. Il ne peut pas échouer.

Mais ce n'est pas Andrew qu'elle vise avec son fusil.

6

L'air est piquant, avec un goût d'eau froide.
Déjà, en ce deuxième samedi de septembre, il voit
son haleine, la vapeur qui monte au-dessus de la
tasse de café. Déjà les érables virent au rose translucide sous le soleil, et il sait que là-bas, à l'étang,
les feuilles des bouleaux sont couleur cuivre.

Andrew trouve T. J. dans la salle à manger des
Close. Les mains dans les poches, il contemple les
murs dénudés. Les stores et les rideaux ont été
enlevés ; le soleil fait briller les vitres récemment
lavées. Les derniers restes de l'ancien papier peint,
aux roses cent-feuilles sombres et moisies, s'entas-
sent dans un sac poubelle à côté de la porte.

« Je t'ai apporté ceci, dit Andrew, remettant à
T. J. un jean taché et une vieille chemise écossaise
en flanelle bleue. Je t'ai aussi apporté une tasse
de café.

— Merci. » T. J. prend la tasse dans ses mains.
« J'ai appelé Didi pour lui dire que j'allais passer
un moment avec toi. La cuisine est superbe, par

parenthèse. On dirait une pub pour *Vivre à la campagne.* »

Andrew rit. Mais il est content de la cuisine. Il a décapé les murs et les éléments peints en vert qu'il a repeints en blanc satiné. Il a arraché le lino déchiré, poncé et poli le plancher à grandes lattes en dessous. Il a jeté les stores et donné la table et les chaises à l'Armée du salut. La cuisine, désormais simple et immaculée, attend que ses nouveaux propriétaires viennent l'investir. Andrew aime bien boire son café matinal debout au milieu de cette cuisine. Son seul regret est qu'Eden ne puisse pas voir ce qu'il a fait. Elle a tâté de son pied nu les lattes lustrées du plancher, touché la peinture satinée des placards, senti l'odeur de la peinture fraîche dans la pièce. Mais il voyait bien, sur son visage, que pour elle cette pièce était toujours sombre et verte, chargée de trop de souvenirs. Depuis, il ne lui a plus demandé de venir « voir » son travail, et elle n'est plus retournée dans sa maison, même quand il a vidé et rangé sa propre chambre. Elle habite maintenant chez lui, dans l'autre maison, en face.

T. J. termine son café et pose la tasse sur le rebord de la fenêtre. Andrew le regarde ôter son blouson de cuir brun, son coûteux pantalon de safari et son pull en coton vert et bleu vif. Il enfile la chemise de flanelle, remonte la fermeture Éclair du jean.

« Tu es mieux comme ça », dit Andrew. T. J. accueille ce compliment douteux par une grimace désabusée.

À vrai dire, pense Andrew, T. J. n'a franchement pas bonne mine. Son visage a perdu ses couleurs, et de nouvelles rides verticales lui barrent le front. Bien qu'il s'habille toujours avec élégance, le cœur n'y est plus.

« Comment va-t-elle ? demande T. J.

— Bien. Elle dort.

— Je l'ai trouvée très bien quand je suis passé... tu sais, juste après. Je serais revenu plus tôt, mais j'ai eu l'impression que vous aviez besoin de vous retrouver, tous les deux.

— Merci. En effet. Mais ça va mieux maintenant. »

T. J. inspecte la salle à manger. « Par quoi je commence ?

— J'ai décollé le papier et poncé les boiseries, répond Andrew. Je vais peindre les murs en blanc cassé et faire les finitions de la même couleur, mais en satiné. Seulement, je n'ai qu'un rouleau. Tu préfères quoi, les murs ou les boiseries ?

— Je peux m'attaquer aux murs, dit T. J.

— O.K. Aide-moi à déplier la toile, alors. »

Les deux hommes étendent la toile de protection sur le plancher et l'alignent sur la plinthe. T. J. s'accroupit, ouvre une boîte de peinture et commence à la remuer avec une baguette en bois. Andrew fait la même chose de son côté.

« C'était un sacré saut, dit T. J. J'ai entendu l'histoire une vingtaine de fois, et chaque version est un peu différente. Ici, en ville, on te considère comme un héros, le sais-tu ? » Ceci est une invite. T. J. regarde Andrew.

Andrew hausse les épaules. Son geste dément le souvenir de cet instant... de tous les instants figés en un bond unique.

« J'ai heurté le canon de la main. Le coup a été dévié vers le plafond. Puis je lui ai pris le fusil.

En fait, quand j'ai fait ça, elle est tout simplement allée s'asseoir. »

Il se souvient comment elle s'est dirigée vers la chaise et comment elle a croisé les mains sur les genoux, refusant obstinément de regarder Eden qui, dans la mêlée, s'était levée et était en train de nouer la ceinture de son peignoir. Andrew, nu, qui tenait le fusil, le canon pointé vers le sol, dit à Eden d'une voix pas vraiment assurée d'aller au téléphone, d'appeler l'opératrice et de demander le numéro de DeSalvo, puis de téléphoner à DeSalvo pour le prier de venir immédiatement. S'il n'était pas chez lui, elle n'avait qu'à appeler au snack. Curieusement, sa nudité en présence d'Edith Close ne le gênait nullement. C'était, pense-t-il rétrospectivement, parce qu'ils étaient passés en un éclair sur un autre plan de honte et de culpabilité. Il s'approcha néanmoins de la chaise sur laquelle Edith était assise et s'empara de ses vêtements empilés sur le dossier. Il s'assit sur le lit, à côté du fusil, pour s'habiller ; ses mains tremblaient tellement qu'il n'arrivait pas à lacer ses tennis. Il ordonna à Edith – se sentant un peu poseur avec le fusil dans les mains, légèrement levé dans sa direction – de descendre dans la cuisine. Tandis qu'il la suivait, sans savoir exactement ce qui serait dit à l'arrivée de DeSalvo, il se mit à composer des bribes d'histoires pour voir si elles étaient plausibles. Jusqu'au moment où, descendu dans la cuisine, il vit Eden à table, dans son peignoir, et comprit à son corps et à son visage qu'elle se savait enfin libre. Elle dirait ce qu'elle dirait, ce qu'elle brûlait de dire.

« Tu as appelé la police ? demande T. J.

— J'ai appelé DeSalvo. À ce stade-là, j'avais surtout besoin d'un conseil. Plus tard, il a appelé la police qui est venue la chercher.

— Et elle a tout raconté ?

— Non. C'est Eden qui a tout raconté. Après qu'on a emmené Edith, DeSalvo et moi nous sommes installés dans la cuisine avec elle, et elle nous a tout dit. Elle était très calme, très claire dans ses explications. C'était une délivrance pour elle... »

T. J. secoue la baguette dont il s'est servi pour touiller la peinture, la pose sur un morceau de journal. Il verse une partie du liquide épais et crémeux dans le seau à peinture. « C'était donc Mme Close depuis le départ. »

Andrew hoche la tête, se lève et passe le pinceau aussi régulièrement que possible sur la moulure du côté du mur.

« Elle les a trouvés au lit ensemble ? » C'est une question rhétorique, ou une demande de confirmation. T. J. a entendu toute la ville répéter cette partie de l'histoire. La ville est émoustillée et extrêmement satisfaite par ces révélations, qui lui permettent de clore un chapitre irrésolu de son histoire.

« Il allait quitter Eden pour retourner dans sa chambre car il savait qu'Edith ne tarderait pas à rentrer, mais elle est arrivée plus tôt que prévu, et ils ne l'ont pas entendue.

— Nous pensions tous que M. Close était au cinéma et qu'il était rentré chez lui avec Mme Close.

— C'est ce qu'elle a dit.

— Et j'imagine que personne n'allait mettre en doute l'histoire de la veuve éplorée et de l'enfant grièvement blessée.

— Exactement. »

290

Comme une ampoule de flash explosant sous ses yeux, l'image d'Edith Close maîtrisée par les ambulanciers s'impose brièvement à lui. Il hésite, avant de répondre à T. J. : « Ils n'ont pas mis en doute l'histoire de la veuve éplorée parce qu'elle était réellement éplorée. Tu comprends bien que ce n'est pas sur Jim qu'elle tirait ? »

Andrew est surpris de confier tous ces détails à T. J. – après tout, ils n'ont plus grand-chose en commun –, mais cette confession est, pour lui aussi, une sorte de délivrance. Peut-être l'atmosphère d'un travail partagé est-elle propice aux confidences ; ou alors c'est le fait de voir T. J. vêtu de vieux habits.

T. J. repose le rouleau, se tourne vers Andrew. « Et il s'est interposé ? »

Andrew hoche la tête. « En quelque sorte. » Il se demande maintenant si Jim a bondi, lui aussi, pour détourner le fusil.

T. J. secoue la tête, siffle tout bas. « Elle a essayé de tuer sa propre fille ?

— La fille de Jim. »

T. J. dévisage Andrew, s'efforçant de digérer cette information. Il se retourne, trempe le rouleau dans le seau et le lève pour tracer une nouvelle bande. « Tu ne t'en es jamais douté ? demande-t-il. À propos de lui et d'Eden ? »

C'est une question à laquelle Andrew a réfléchi pendant trois semaines, depuis qu'Eden lui a parlé d'elle et de son père. La réponse est non ; jamais il n'aurait cru cela de Jim. Pourtant, les indices étaient là, songe-t-il. Il revoit sa mère qui regardait Jim caresser sa fille sur le perron. « Ecœurant », disait-elle. Il pensait alors qu'elle faisait allusion à l'indulgence de Jim. Mais peut-être sentait-elle autre chose, quelque chose qu'elle n'aurait su nommer ni même formuler clairement dans sa tête.

« Attention aux coulures », dit Andrew. Il ouvre l'une des fenêtres pour évacuer les relents de peinture. Aussitôt, ses poumons s'emplissent d'air pur. Quand il aura fini de peindre, il louera de nouveau le décapeur pour polir les fines lattes du parquet en chêne. L'Armée du salut a emporté le tapis et les meubles... en fait, elle a pris pratiquement tout le mobilier de la maison. Hormis le buffet en acajou de la salle à manger, rien ne pouvait être vendu aux enchères.

« T. J., dit Andrew. Il y a une chose qui me tracasse.

— Quoi donc ?

— À un moment donné, l'espace d'une demi-heure ou d'une journée – je ne me rappelle plus – j'ai cru que c'était peut-être toi. Tous ces fusils...

— N'en parlons plus. Tu étais complètement stressé. Tu n'y voyais plus clair.

— Ce n'est pas toi qui l'as dit à Sean ?

— Non, et je ne sais pas qui c'est, bien que la nouvelle se soit propagée rapidement ce matin-là. C'était peut-être son père. À mon avis, en l'apprenant, Sean a perdu la tête. Il ne savait plus ce qu'il faisait. »

Andrew regarde la peinture luisante recouvrir la surface opaque qu'il a poncée. Peindre, comme tondre la pelouse, pense-t-il, est un travail gratifiant. Il ne saurait expliquer à T. J. à quel point il est obsédé par cette maison, par l'idée de la transformer, de la décaper, de l'aérer minutieusement pour que le passé, comme les effluves de peinture, s'envole par la fenêtre et se dissipe dans l'air pur de septembre. La tâche ne lui a pas déplu, sauf le jour où il a été contraint de pénétrer dans la chambre d'Edith pour enlever toutes ses affaires. La pièce, avec ses stores baissés, ses meubles ternis et sa photo solitaire de Jim sur la coiffeuse, lui parut si déprimante qu'il s'assit sur le couvre-lit usé, incapable pendant de longues minutes de passer à l'acte. Le pire, ce fut quand il ouvrit le tiroir du haut de la coiffeuse, comme il l'avait fait dans la chambre de sa mère. Il fut tenté de vider simplement son contenu dans des sacs en papier, à donner à son avocat afin qu'il les remît à Edith à l'hôpital, avec des valises de vêtements, mais une sorte de curiosité concupiscente le poussa à s'attarder sur les objets, à les toucher, à chercher en eux un début de réponse à l'énigme de cette femme. Il y avait une carte postale de Buffalo, signée de Jim et datée de 1959 ; une chemise de nuit en nylon bleu clair qui semblait n'avoir pas été lavée depuis des années ; une carte de la Saint-Valentin où Jim faisait allusion à une soirée en tête à tête ; un papier certifiant qu'Edith Close était aide-soignante diplômée. Le plus incroyable, ou peut-être le moins surprenant, fut qu'il n'y avait, dans ce tiroir, contrairement au tiroir de sa mère, aucune trace de l'enfant que cette femme avait élevée, de la fille qui vécut sous son toit. Pas le moindre souvenir, bulletin scolaire ou cliché. Il mit le tout dans un sac de supermarché et laissa le tiroir ouvert. Il ne voulait plus, ne pouvait plus y toucher.

« Que va-t-il lui arriver, à ton avis ? demande T. J.

« — Tu parles d'Edith ?

— Ouais.

— Je pense qu'on va l'enfermer.

— À l'asile

— Sans doute. Même si on en vient au procès, ce dont je ne suis pas sûr. Eden ne le souhaite pas. Personne ne le souhaite vraiment.

— Elle y est déjà ?

— Elle est en observation. Pendant soixante jours. »

Il essaie de se représenter Edith Close en observation, se souvient d'elle dans la cuisine, tandis qu'ils attendaient l'arrivée de DeSalvo. Elle est restée debout pendant tout le temps, refusant de s'asseoir à table. Andrew avait gardé le fusil, tout en sachant que ce n'était pas nécessaire. Où pouvait-elle aller ?

Il n'avait pas encore eu l'occasion de se trouver en présence des deux femmes ; la tension entre elles était si palpable qu'un courant électrique semblait circuler entre la table et l'endroit où se tenait Edith, un courant si intense qu'il n'eut pas envie d'interférer. Ces minutes d'attente furent pourtant silencieuses. Aucune des deux femmes ne parla, ni ne se tourna vers l'autre. Andrew se sentait balourd, de trop. Même sans lui, devinait-il, elles eussent attendu passivement, l'une et l'autre, la suite des événements. En fait, le coup de feu lui apparaissait maintenant comme nul et non avenu, quelque chose qu'il aurait rêvé... tant et si bien qu'il fut passablement gêné lorsque DeSalvo, corpulent et essoufflé, jaillit de sa petite voiture et se précipita vers la porte, un revolver à la main. Ce geste, tout comme sa propre posture avec le fusil, semblait hyperbolique, sans rapport aucun avec la banale petite cuisine. DeSalvo s'en rendit compte également. Son regard égaré alla d'un visage à l'autre, et il abaissa lentement son arme. Il avait apporté des menottes, mais Andrew l'assura que ce n'était pas utile. Il pensait, toutefois, qu'il valait mieux emmener Edith, et ce fut alors que DeSalvo téléphona au poste de police. De nouveau ils attendirent dans la cuisine. DeSalvo eut le bon sens de ne pas demander tout de suite ce qui était arrivé. Andrew se dit qu'il devrait peut-être lui proposer une tasse de café. Il brûlait de lui montrer le plafond de la chambre, criblé de trous, pour rendre crédible leur veille dans la cuisine, mais il savait que pour cela, il faudrait attendre l'arrivée des policiers en uniforme.

Quelque temps après, ils entendirent les sirènes. Andrew souleva un store et vit deux voitures s'engager sur le chemin. Les hommes bondirent par les portières comme on les y avait entraînés et, tout à coup, il y eut trop de monde dans la cuisine. DeSalvo prit la tête des opérations, donna des ordres ; le ton de sa voix et les lumières clignotantes au-dehors rappelèrent à Andrew cette autre fois où les voitures de police avaient cerné leurs deux maisons. Un homme prit Edith par le coude, doucement, comme si c'était elle, la victime, elle qui avait subi un choc. Elle ne proféra pas un mot, n'eut pas un regard, pas un geste d'adieu à l'adresse de celle qui était censée être sa fille, et dont elle avait tenté de se débarrasser à deux reprises.

« Mais elle désire toujours vendre la maison ? » demande T. J.

295

Sa question ramène Andrew au présent. « C'est ce qu'elle a dit à son avocat. Quoi qu'il puisse arriver, je ne pense pas qu'elle serait capable de revenir ici. Plus maintenant.

— Oui. »

T. J. lève le rouleau, trace une nouvelle bande rectiligne sur toute la hauteur du mur. « Et alors, où elle l'a pris, ce fusil ? »

Andrew rattrape une coulure, recule pour examiner la teinte du bois. « Il a toujours été là, répond-il.

— Où ?

— Tu crois que le blanc cassé, ça ira ? »

T. J. regarde les boiseries. « Je trouve ça très bien. »

Andrew trempe le pinceau dans la peinture. « Sous une trappe dans le plancher du placard de la chambre d'Edith. Jim a acheté ce fusil il y a des années, avec son inconséquence habituelle. Il habitait une ferme loin de la ville, alors il s'est dit qu'il devrait avoir un fusil... exactement comme quand il achetait des semences qu'il ne plantait jamais. Il a appris à Edith à s'en servir, au cas où l'on viendrait les cambrioler en son absence, et il a demandé à mon père de fabriquer une boîte – une sorte de coffre-fort – sous le plancher. C'est drôle, je me souviens du jour où mon père a fait ça. Je ne crois pas m'être rendu compte que c'était pour un fusil, mais quand Eden nous en a parlé, je me suis souvenu du week-end où mon père l'a fabriqué. On en rigolait à la maison, que Jim ait vu les plans dans *Popular Mechanics*, mais que, comme d'habitude, mon père ait dû tout faire à sa place.

« — C'est donc là-dedans qu'Edith a planqué le fusil après avoir tiré sur Jim ? »

Andrew s'interrompt, jette un coup d'œil en direction de T. J. Il éprouve un vague sentiment de malaise. Cette partie-là de l'histoire, Eden ne l'a pas racontée, ne pouvait l'avoir racontée. Elle était inconsciente à ce moment-là. Le sentiment de malaise se transforme en chaleur qui lui envahit la nuque.

« Je n'en sais rien, réplique-t-il. Sûrement. »

T. J. pose le rouleau sur l'égouttoir et recule pour admirer son œuvre.

« Qu'en penses-tu ? »

Andrew inspecte le mur. « Comme un pro, dit-il.

— Ça fait du bien. Je n'avais pas touché à la peinture depuis des années. Tu sais quoi ? Je vais te peindre encore un mur, puis il faudra que je parte. Le petit Tom a un match de foot. » T. J. s'empare du rouleau et s'attaque au deuxième mur.

« Je t'envie, tu sais, déclare-t-il.

— Moi ? Pourquoi

— De repartir à zéro. Ta vie est comme cette pièce. »

Andrew s'apprête à répondre, mais T. J. lui coupe la parole :

« Pour ne rien te cacher, je repartirais bien à zéro, moi aussi.

— Pourquoi ? » demande Andrew. Il fait face à T. J. qui continue à lui tourner le dos.

« Le tiroir-caisse est vide, Andy, mon pote. Pire que vide, tu me suis ? J'ai fait quelques mauvais placements... » Il fait une pause. « Je risque de perdre la maison. »

Andrew le regarde lever le rouleau avec ostentation, feignant de lisser un endroit rugueux. La chemise de flanelle est déchirée à l'épaule, le long de la couture. Il sent qu'il en coûte à T. J. de lui faire cet aveu.

« Didi et moi, on tient grâce à ce que l'on a. Si nous perdons cela, je ne sais pas... Je ne sais pas où nous en serions sans tout ce bazar, mais j'ai. comme un mauvais pressentiment. Parfois, j'ai l'impression que le tiroir-caisse est vide là aussi. »

T. J. s'écarte pour contempler son travail, toujours sans regarder Andrew.

« Personne ne repart complètement à zéro », répond Andrew prudemment. T. J. ne dit rien. « Actuellement, je suis en congé exceptionnel, poursuit Andrew, mais bientôt, il va falloir que je retourne au bureau. Peut-être pas à temps plein. Probablement pas, d'ailleurs... plutôt comme consultant. J'ai besoin de gagner ma vie, et jusqu'à présent, je n'ai pas trouvé de moyen plus efficace pour y arriver. J'ai un fils à élever... que je *veux* élever... » Le cœur serré, il pense à Billy. Jamais encore il n'a été séparé de son fils aussi longtemps, mais bientôt, Eden et lui partiront pour New York, et Billy les rejoindra là-bas. Il sait que Billy aura du mal à comprendre la présence d'Eden, mais il ne peut lui épargner cela. Il y a des choses qui échappent à son contrôle, comme Martha, lui apprenant la semaine dernière qu'elle allait se remarier... avec un psychiatre. Elle avait l'intention d'attendre, a-t-elle dit, pour l'annoncer à Andrew de vive voix, mais elle a fini par se lasser de ses atermoiements. Au téléphone, Andrew a découvert qu'il était incapable de réagir à cette nouvelle. Il a aussitôt été submergé par les images d'un autre homme lançant la balle à Billy,

298

venant le border le soir dans son lit. Andrew espère que le personnage en question ne fait pas partie de ces psys qui incitent tous les membres de la famille à épancher leurs sentiments. « Il faut que je m'occupe d'Eden, dit-il, chassant l'insupportable vision d'un autre père pour Billy. Que je lui trouve des professeurs ou un bon programme pour aveugles. Je voudrais qu'elle... Attends une minute. »

Il repose son pinceau, disparaît dans le salon et revient avec un objet dans la main.

« Que penses-tu de ceci ? »

T. J. s'approche pour mieux voir. Il effleure la surface, caresse la courbe du dos, le dossier droit de la chaise.

« Très joli. Où l'as-tu trouvée ?

— C'est Eden qui l'a faite.

— Doux Jésus.

— Mais c'est de l'argile. Elle dit que ça casse au bout d'un certain temps. Elle en a fait des douzaines pendant ces années. Il n'en reste plus rien. Quand je pense...

— Ne peut-on pas les asperger de quelque chose pour les faire durer ?

— Je n'y connais pas grand-chose, mais à mon avis, il faudrait soit les faire cuire dans un four, auquel elle n'avait pas accès, soit les fabriquer avec de la cire et les couler dans du métal style bronze. Mon idée est de vendre mon appartement, de nous trouver quelque chose de plus grand au centre, pour qu'elle ait de la place pour travailler.

— Ouais. » T. J. lève les yeux sur Andrew. Son regard est bref, mais éloquent. Sur le visage de son vieil ami, Andrew lit un mélange d'envie et de regret. T. J. s'écarte le premier, se tourne vers le mur.

Andrew emballe la statuette dans du papier journal, la rapporte au salon pour la remettre dans le carton. T. J. et lui travaillent en silence. T. J. peint trois murs, laissant seulement celui avec la fenêtre qui donne sur le chemin de gravier. Ensuite il enfile ses propres vêtements, rend à Andrew la chemise et le jean comme si c'était la peau d'un personnage dont il répugne à se séparer.

« Écoute, lui dit-il. Plus tard, disons vers quatre heures, veux-tu aller courir avec moi ? »

Andrew lui prend les habits. Il regarde T. J. glisser les bras dans les manches de son blouson de cuir. De sa poche, T. J. tire une paire de lunettes noires. Il les met et, par ce geste, semble récupérer quelque chose.

« Pourquoi pas ? opine Andrew. Avec plaisir. »

T. J. pose la main sur son épaule. Il ouvre la bouche pour parler, puis change d'avis. Andrew le suit à travers la cuisine. Il tient la porte en regardant T. J. se diriger nonchalamment vers sa Prelude. Maintenant il marche d'un pas plus alerte. Il s'appuie contre la voiture, fait tournoyer ses clés. « Tu as fait énormément pour Eden. En fait, tu l'as sauvée.

— Non, rétorque Andrew rapidement. Je pense que c'est l'inverse. »

T. J. scrute le ciel comme à la recherche d'un nuage. « Pourquoi n'est-elle pas partie ? demande-t-il. Pourquoi n'a-t-elle pas quitté cette maison, tout simplement ? »

Andrew n'hésite qu'une fraction de seconde. « Où serait-elle allée ? Qu'aurait-elle fait ? »

T. J. réfléchit et hoche lentement la tête. « Je repasserai vers quatre heures », lance-t-il, s'installant soigneusement au volant. Andrew regarde la voiture rouge reculer dans le chemin et repartir en direction de la ville.

Il laisse claquer la porte et s'arrête sur le perron, les mains dans les poches de son jean. Le perron est solide maintenant : il l'a enfin réparé la semaine dernière. Adossé à la rambarde, il contemple les champs de maïs, ocre vif sur fond de ciel bleu limpide. La réponse est inexacte, il le sait. La vraie réponse, il la pressent, mais ne saurait la formuler. Pour s'en rendre compte, T. J. aurait dû voir Eden comme Andrew l'a vue le premier jour dans la cuisine. Il pourrait dire que c'était la culpabilité, la complicité, la peur d'Edith... mais Andrew sait qu'il y a autre chose. C'était, pense-t-il, une absolue renonciation, un sacrifice librement consenti pour survivre à sa perte.

Il traverse l'herbe qui à présent est vert sombre et aura bientôt besoin d'être coupée. La BMW garée sur le chemin commence à devenir poussiéreuse, comme l'étaient toutes les Ford de son père. En la regardant, il ne peut s'empêcher de penser à la première sortie d'Eden en voiture, il y a tout juste deux semaines. C'était une journée claire et transparente comme celle-ci, avec un véritable avant-goût d'automne. Était-ce la fraîcheur de l'air ; ou le sentiment que le moment était venu, mais il sut en s'éveillant ce matin-là qu'il l'emmènerait en promenade, qu'elle était prête pour sortir. Dans la semaine qui avait suivi le coup de feu, il

301

s'était rendu au centre commercial pour lui acheter quelques habits. Ce jour-là, elle portait un jean neuf et un pull bleu-vert qu'il avait choisi parce qu'il rappelait la couleur de ses yeux.

« On fait juste un tour en voiture, dit-elle pour se rassurer quand ils montèrent dans la BMW.

— On verra », répondit-il vaguement. Il recula et s'engagea sur la route droite qui filait à travers fermes et champs de maïs. Il avait remarqué, depuis le peu de temps qu'il était avec elle, qu'elle réagissait mieux aux nouvelles expériences s'il se contentait simplement de les lui annoncer. Car lui demander ce qu'elle voulait faire risquait de l'angoisser... bien que toutes les suggestions d'Andrew eussent jusque-là réussi à lui plaire.

Il y avait peu de circulation sur la route. Il accéléra jusqu'à atteindre cent, puis presque cent dix à l'heure. Dans l'air pur, les fermes et les champs paraissaient fraîchement lavés, et il regretta, comme il savait qu'il regretterait des centaines de milliers de fois dans les années à venir, qu'elle ne pût voir ce qu'il voyait. Il n'était pas encore pleinement convaincu de l'utilité des descriptions verbales. Il n'était même pas sûr qu'après dix-neuf ans, elle fût encore capable de « voir » les tableaux qu'il lui brossait. Le monde qu'ils allaient partager, il le comprenait mieux maintenant, ne serait pas visuel.

Il appuya sur un bouton pour abaisser la vitre de son côté, afin qu'elle pût sentir la vitesse, l'air, le jour. Le vent fouetta ses cheveux ; elle leva la main pour les repousser de son front. Lentement, il baissa la vitre de son côté à elle, lui disant de l'avertir si elle avait trop d'air. Ses cheveux, lumineux sous le soleil, voltigeaient autour de sa tête

comme de la soie sauvage. Elle essaya de se protéger le visage des deux mains, renonça et se laissa
aller contre l'appuie-tête. Il avait dépassé le cent
dix. Pour la toute première fois de sa vie d'adulte,
il regretta de ne pas avoir une décapotable.

Il roula pendant une heure, changeant de direction, changeant de type de route selon l'occasion ou
l'inspiration du moment. Il prit un petit chemin
vicinal avec quantité de virages, un brin trop vite
afin qu'elle pût les sentir. Elle riait quand la force
centrifuge la plaquait contre la portière ; une fois,
elle s'agrippa à ce qui lui tombait sous la main –
le levier de vitesses –, et il s'empara de ses doigts.
Il se sentait le cœur léger, presque comme un adolescent au volant de la voiture de son père... pensée
jouissive, lointaine image du jeune garçon jouant à
l'homme, avec sa petite amie à ses côtés. Mais au
plaisir succéda la tristesse : elle n'avait rien connu
de cette période de la vie, et il aurait beau multiplier
les sorties, appuyer sur le champignon, jamais il ne
lui rendrait tout ce qu'elle avait manqué.

Finalement, il reprit la grand-route, mais
lorsqu'ils atteignirent les maisons, il passa devant
sans rien dire. Il la regarda pour voir si elle s'en
était rendu compte, mais elle reposait toujours
contre l'appuie-tête, les yeux clos, visiblement
occupée à savourer la sensation du mouvement.
Ce fut seulement quand ils s'approchèrent de la
ville et dépassèrent une cour d'école, où un match
de foot battait son plein, qu'elle se pencha en
avant, l'oreille aux aguets.

« Où sommes-nous ?

— Tu verras. »

Elle resta penchée, à l'affût, écoutant les bruits

naguère familiers : hommes taillant leur haie, enfants à bicyclette s'interpellant d'une voix stridente, trafic légèrement plus dense à l'intérieur du village. Il gara la voiture devant le snack.

« Où sommes-nous ? répéta-t-elle.

— J'ai pensé qu'il était temps de casser la croûte.

— Non, répondit-elle sans équivoque, secouant la tête.

— Il n'y a rien à manger à la maison.

— Ce n'est qu'un prétexte.

— Écoute, ça doit arriver un jour ou l'autre.

— Peut-être, mais pas ici, pas maintenant. »

Il se renversa sur son siège, regarda la station-service en face, réfléchit une minute.

« Je vais déjeuner, déclara-t-il. Ou tu viens avec moi ou tu attends dans la voiture. »

Il suivit du doigt les bosses du volant, attendant sa réponse.

« D'accord », dit-elle après un temps.

Il ignorait si ce « D'accord » signifiait qu'elle acceptait de rester dans la voiture, ou si elle venait avec lui : dans le doute, il décida de l'interpréter en sa faveur. Il contourna la voiture pour lui ouvrir la portière. Elle hésita, finit par descendre. Il lui prit la main.

« Fais-moi confiance.

— Tu passes ton temps à me dire cela.

— Eh bien ? »

Le coup de feu remontait à une semaine à peine. Elle était devenue une célébrité, une source intarissable de commérages. Peu de gens l'avaient vue en dix-neuf ans, mais à l'exception de la Vietnamienne derrière le comptoir, qui ne pouvait la reconnaître, qui n'avait même pas dû comprendre toutes les histoires qui circulaient d'un tabouret, à l'autre cette semaine-là, tout le monde dans le snack leva les yeux pour dévisager Eden.

Indiscutablement, pensa Andrew, il y avait des moments où il était content qu'elle ne pût pas voir.

Mais elle le sut. Ils s'assirent à une table près de la fenêtre, légèrement en retrait du comptoir.

« Ils me regardent, n'est-ce pas ? fit-elle, la tête basse.

— Lève la tête. Regarde dans la direction de ma voix. »

Elle obéit.

« DeSalvo est là. » L'ex-chef de la police les avait salués d'un signe de la main. Andrew savait qu'il leur laisserait une minute, puis viendrait les voir, geste de solidarité autant que d'amitié.

« Il y a aussi d'autres hommes que je ne connais pas, et... euh...

— Qui ?

— Henry O'Brien, répliqua-t-il rapidement.

— Ah. »

O'Brien les considérait d'un œil torve, pétrifié, comme frappé de stupeur devant la résurgence intempestive d'une image du passé. Les autres hommes, poliment, étaient retournés à leurs sandwiches... même si, nota Andrew, en tendant la main vers le sel ou le distributeur de serviettes, ils s'arrangeaient pour jeter un coup d'œil furtif en direction d'Eden. Seul O'Brien continuait à les fixer ouvertement.

« Crois-tu qu'il va faire une scène ? demanda Eden.

— Cela m'étonnerait. » Mais à vrai dire,

Andrew n'en savait rien. O'Brien avait les yeux chassieux ; il avait déjà bu. Une lente vague de colère lui montait au front.

La Vietnamienne s'approcha de leur table. Andrew lut à Eden le menu affiché au tableau noir. « Je te recommande le club à la dinde, mais pas le Pepsi.

— Parfait », dit-elle. Andrew passa la commande.

« Lève la tête. Regarde ma voix », lui ordonna-t-il de nouveau.

Elle obtempéra, tournant légèrement la tête vers la fenêtre pour échapper aux regards.

« Tu es belle, déclara Andrew. Tu n'as pas à avoir honte de toi. »

Elle haussa les épaules.

« Tu es la plus jolie femme ici. »

Elle grimaça, puis sourit. « J'ai bien l'impression d'être la seule femme ici.

— Il y a de ça », opina-t-il, ravi de la voir sourire.

Du coin de l'œil, il vit O'Brien poser le pied par terre, prêt à se lever. Andrew se raidit, sans quitter Eden des yeux. Il ne pensait pas tomber sur O'Brien ; il aurait dû regarder d'abord, avant de la faire entrer.

O'Brien pivota, se pencha pour se lever, vacilla légèrement. Même s'il avait voulu faire sortir Eden, Andrew n'en avait plus le temps. L'espace d'une seconde, incrédule, il se demanda s'il allait devoir se battre avec O'Brien. Il tenta d'imaginer la scène ; il se voyait mal en train d'assommer cet homme-là.

DeSalvo aussi avait remarqué le mouvement d'O'Brien, peut-être même avant Andrew.

« Henry ! » En un éclair, il fut derrière le rouquin, lui tapa dans le dos, le fit retomber sur son tabouret. « Comment va ? Comment va ? »

Momentanément freiné par l'énorme main de DeSalvo, O'Brien marmonna quelque chose qu'Andrew n'entendit pas.

« Al, une tasse de café pour mon ami Henry, clama DeSalvo d'une voix forte, pour être entendu de toute la salle. J'arrive tout de suite, Henry. Faut que j'aille dire bonjour à mon ami Andy avant qu'il mette les bouts. »

DeSalvo s'approcha de leur table et, à la surprise d'Andrew, se baissa pour embrasser Eden sur la joue, comme un homme de son âge aurait salué au passage la femme d'un vieil ami.

« Merci, dit Andrew, faisant allusion à O'Brien, mais aussi au baiser.

— C'est qu'il est rancunier, cet enfant de pute, répondit DeSalvo entre ses dents. J'ai un conseil à vous donner. » Il se redressa de toute sa hauteur, remontant d'un coup sec son pantalon de jogging bleu marine. « Mangez tranquillement vos sandwiches. Prenez votre temps. Tout va bien. Seulement, Henry, c'est un baril de poudre même dans les meilleures conditions, vu ? »

Andrew hocha la tête. Il regarda DeSalvo rejoindre O'Brien et occuper le tabouret extérieur, de manière à faire obstacle, à l'empêcher de regarder Eden. Andrew ne vit plus que la tête d'O'Brien, ses cheveux indisciplinés bouclant par-dessus le col de sa veste, la peau rose de son crâne derrière son oreille. Personne ne pouvait rien pour O'Brien. Ce dommage-là était irréparable.

Après que DeSalvo les eut laissés, Eden mordit dans son sandwich.

« Je te l'avais dit, ce n'était pas une bonne idée. »

Il posa le regard sur elle. Ses cheveux étaient en désordre à cause du vent. N'importe quelle autre femme se serait recoiffée dans la voiture avant d'entrer dans le snack. Andrew se rendit compte qu'il devrait faire attention à ce genre de détails à sa place. Le pull bleu-vert, en coton ample, tombait harmonieusement de ses épaules, révélant un petit croissant de peau blanche à la base du cou. Elle avait roulé ses manches jusqu'au coude. Il s'empara de son poignet, lui frotta le dos de la main. Son cœur se gonfla à la pensée qu'elle était là, en face de lui, en train de porter le sandwich à ses lèvres, la chevelure encadrée par l'affiche Coca-Cola derrière elle... à la pensée d'eux deux se livrant à un acte aussi banal que de déjeuner dans un snack.

Andrew avala une bouchée de son propre sandwich.

« Pas si mauvaise que ça », riposta-t-il.

En rentrant chez lui, il tend l'oreille, mais rien ne bouge dans la maison. Il y a des assiettes à laver dans l'évier. Il traverse les pièces et monte, marchant à pas feutrés sur le plancher du couloir car il ne veut pas la réveiller. Pas tout de suite. Mais lorsqu'il entre dans la chambre de sa mère et la voit sous la courtepointe, la natte de ses cheveux en travers de l'oreiller, il ne résiste pas à l'impulsion de s'asseoir au bord du lit. Elle remue légèrement. Il dit : *C'est Andrew.* Elle sourit dans son sommeil, avant d'émerger complètement.

Il regarde sa montre. *Il faut* la réveiller à présent. Il a découvert, en dormant avec elle, qu'elle a perdu la notion du jour et de la nuit. Elle ne dort que trois ou quatre heures d'affilée, deux fois dans la journée, et se lève fréquemment pour se préparer à manger à trois heures du matin. Il aimerait la réhabituer au rythme qu'ils pourraient partager à deux.

« Où étais-tu ? » demande-t-elle, ensommeillée, tendant aussitôt la main vers lui. C'est sa manière à elle de le regarder, de renouer le contact. Elle passe la main sur le tissu de sa manche la plus proche.

« J'étais avec T. J. Il est venu me voir et il est resté pour m'aider dans la salle à manger. Tu devrais te lever maintenant. Il est presque midi. »

Elle sourit à nouveau. Parfois il pense qu'elle s'amuse de ses efforts pour la ramener à un mode de vie normal. Il se demande s'il ne cherche pas à créer par là un semblant d'ordre dans son petit univers. Il a vécu des journées exceptionnelles, des événements exceptionnels, en dehors de sa compétence... et qu'il a encore peine à maîtriser aujourd'hui.

Elle bâille, portant une main à sa bouche.

« J'ai faim.

— Tant mieux. »

Il s'approche de la fenêtre, lève le panneau. « La journée est splendide. Le sens-tu ? »

Il se penche, jette un coup d'œil dans la cour. Est-ce le fait de regarder par la moustiquaire encrassée... les sons lui reviennent spontanément en mémoire. Son rêve était juste, constate-t-il soudain. Dans son lourd sommeil, il avait d'abord entendu un cri de femme, et il avait cru que c'était sa mère. Ensuite il y eut un autre cri, un hurlement rauque d'homme, immédiatement suivi du piaillement effrayé d'une enfant de son âge. Et enfin, après les coups de feu, la plainte déchirante, aiguë, volute de fumée montant vers le ciel, gagnant de l'ampleur... la voix poignante d'Edith Close. Il entend à nouveau ce cri terrifiant.

« Eden, dit-il trop fort, pour faire taire cette autre voix. J'ai quelque chose à te demander.

— Quoi ? » Elle se redresse, tire sur la courtepointe pour couvrir ses bras nus. La fraîcheur de l'air du dehors a fini par l'atteindre. Il retourne vers le lit, s'assied à côté d'elle.

« Après qu'Edith a tiré sur Jim, qu'a-t-elle fait du fusil ? Je veux dire, comment a-t-elle fait pour s'en débarrasser aussi vite ? Mon père était là au bout de quelques minutes. »

Elle resserre les pans de la courtepointe autour d'elle. Sans mot dire.

« Eden ?

— J'aurais préféré que tu ne me demandes pas ça.

— Pourquoi ? »

Elle ne répond pas. Il attend.

« Dis-le-moi. Il faut que je sache.

— C'est ton père, réplique-t-elle précipitamment. C'est ton père.

— Mon père ? » Il relève la tête d'un geste brusque. « Mon père ? » répète-t-il, l'imitant inconsciemment.

Elle se mordille la lèvre, avant de livrer la dernière bribe.

310

« Il a vu ce qu'elle avait fait ; il pensait en connaître la raison. Peut-être le savait-il ou l'avait-il senti, pour Jim. Il a pris le fusil et l'a remis dans le coffre qu'il avait fabriqué. Le lendemain, quand la police avait fini de l'interroger, il est revenu le chercher et l'a emporté dans son garage. À mon avis, il devait penser qu'elle ne méritait pas la prison pour avoir tiré sur Jim. Il aurait trouvé cela répugnant, Jim et moi. Il ne s'est jamais douté que ce n'était pas Jim qu'elle visait.

— Est-ce Edith qui t'a raconté cela ? »

Elle tourne son visage vers lui. « Nous avions depuis longtemps dépassé le stade des secrets. »

Andrew renverse la tête pour examiner le plafond. Il voit le visage de son père qui rebrousse chemin, le canon de son fusil pendant mollement le long de sa jambe. N'y aura-t-il donc aucun souvenir, aucun portrait, qui en sortira intact ? Son imagination s'échappe, voltige à travers la pièce.

« Et ma mère ? interroge-t-il enfin. Était-elle au courant ? »

Eden hoche la tête.

Andrew ne dit rien, attend.

« Après la mort de ton père, elle est venue à notre porte avec le fusil. Elle a dit : "Je n'ai plus besoin de garder ça." Et elle est partie. »

Il y a une pendule sur la coiffeuse de sa mère. Il entend son tic-tac. Il voit sa mère penchée de l'autre côté, en train de faire le lit. Elle lève les yeux sur lui. Sa posture, son visage ne sont déjà plus les mêmes. Il se rappelle la façon dont elle se détournait, dont elle éludait ses questions concernant Eden. Avec le temps, Eden lui narrera d'autres histoires, à propos de telle ou telle conversation, tel ou tel événement, si bien que, loin d'eux, ces maisons changeront aussi, et le paysage de son enfance disparaîtra sous les broussailles, s'effacera à jamais.

« Y a-t-il autre chose ? demande-t-il.

— Non.

— M'en aurais-tu parlé un jour, si je ne t'avais pas posé la question ?

— Je ne sais pas. J'espérais que tu ne me la poserais pas, mais peut-être qu'un jour... »

De sa place, il voit presque toute la chambre, chambre où ses parents dormaient, faisaient l'amour, où il a été conçu : les deux fenêtres avec moustiquaire, le papier peint vert pâle, le plafonnier. Ses parents se sont-ils disputés à voix basse dans ce lit, cherchant à assimiler, à s'approprier l'objet que son père avait mis dans le garage ? Un objet qui allait perturber le cours familier de leur existence, qui se rappellerait chaque jour à leur souvenir du fond de sa cachette ? Et son père, aurait-il avoué sa vision de la scène dont il a été témoin, sa compréhension de l'horreur ?

La brosse à cheveux d'Eden est sur la coiffeuse de sa mère ; sa propre trousse de toilette et la liste qu'il a rédigée sont sur la table de toilette de son père. Quelques-uns des vêtements d'Andrew sont toujours dans la valise par terre ; ceux d'Eden sont dans un carton sur la chaise. Bientôt, ils vont partir, descendre vers le sud.

Il glisse une main sous la courtepointe, attrape le bord de la chemise de nuit d'Eden et la retrousse jusqu'à sa taille. Il pose la main sur son ventre, sent la chaleur qui s'en dégage. Il aime à l'imaginer déjà rond, renflé, mais il sait qu'il faudra des semaines avant qu'il ne change de forme. Il a hâte que cela arrive, hâte de voir les premiers signes tangibles.

« Tout est là », dit-il en la touchant.

Le visage d'Eden est épanoui de sommeil... ou est-ce son état ? Elle pose sa main sur celle d'Andrew.

Il se penche pour l'embrasser sur la joue. Ce faisant, il se retrouve dans le rayon de soleil qui entre par la fenêtre, formant un carré lumineux sur l'oreiller et sur le montant du lit. Le soleil éclaire, réchauffe son visage. Il ferme les yeux. Il explore la peau d'Eden avec la bouche, la sent sous ses doigts.

Pourvu que sa chance dure, pense-t-il.

Tes mains effacent le souvenir des autres.

Une partie de toi est en moi, et je la garderai toujours.

Tu m'as obligée à révéler tous les secrets, et je me sens plus légère maintenant.

Tu parles des jours qui succèdent aux jours, et tu y crois. Moi je n'y crois pas, mais je crois en ce jour.

La courtepointe de ta mère sent bon. Ta mère aussi avait des secrets ; elle est plus légère, contente que je les aie dits.

Ton visage miroite dans l'eau, et parfois, j'ai l'impression de le voir.

Je pourrai toucher et sentir mon bébé, mais je ne verrai jamais son visage.

Nous quitterons cet endroit, nous n'y reviendrons plus, et dans nos rêves, il tombera en poussière.

"Un amour interdit"

Pocket n° 11277

Été 1899 ; dans une station balnéaire huppée de la côte Est des Etats-Unis, Olympia, 16 ans à peine, découvre le regard des hommes. John Haskell, un ami de son père, 41 ans, marié, père de quatre enfants, est médecin au service des plus démunis. Entre eux naît une passion que la société ne peut accepter. C'est un scandale. Déshonorée, dépossédée de l'enfant qu'elle portait, Olympia va pourtant tout faire pour retrouver celui qu'elle aime.

Il y a toujours un Pocket à découvrir

"Les surprises du deuil"

Anita Shreve
La femme du pilote

Elle entendit frapper et puis elle entendit un chien aboyer. Son rêve la quitta, s'envola d'arrière une porte qui se refermait. C'était un beau

POCKET

Pocket n° 11248

Son deuil à peine entamé, Kathryn, la veuve du pilote, va devoir faire face à de terribles accusations : la compagnie d'aviation soupçonne le défunt d'avoir délibérément entraîné la mort des passagers, en se suicidant aux commandes de son avion. Avec l'aide de ses proches, Kathryn va remonter le fil du passé et tenter de comprendre qui était vraiment Jack. Après quinze ans de mariage, connaît-on vraiment l'homme que l'on a épousé ?

Il y a toujours un Pocket à découvrir

"Une Française en Sibérie"

Pocket n° 11388

Milieu du XIXᵉ siècle : une vieille femme se confie à un curé de Lorraine. En 1824, couturière, Pauline est envoyée à Moscou par son employeur ; Paris est à la mode là-bas. Elle côtoie l'aristocratie russe et rencontre Ivan Khanov, un beau colonel. Mais les idées républicaines d'Ivan déplaisent au Tsar et il est condamné puis déporté en Sibérie. Pour Pauline qui l'a suivi dans cette région hostile, c'est le début de longues souffrances…

Il y a toujours un Pocket à découvrir

Impression réalisée sur Presse Offset par

BRODARD & TAUPIN

GROUPE CPI

19484 – La Flèche (Sarthe), le 07-07-2003
Dépôt légal : février 2003

POCKET – 12, avenue d'Italie - 75627 Paris cedex 13
Tél. : 01.44.16.05.00

Imprimé en France